MILLENNIUM ⑤

O HOMEM QUE BUSCAVA SUA SOMBRA
DAVID LAGERCRANTZ

Tradução do sueco
Guilherme Braga

COMPANHIA DAS LETRAS

Copyright © 2017 by David Lagercrantz & Moggliden AB
Publicado originalmente pela Norstedts na Suécia em 2017.
Publicado mediante acordo com a Norstedts Agency.

Grafia atualizada segundo o Acordo Ortográfico da Língua Portuguesa de 1990,
que entrou em vigor no Brasil em 2009.

Título original
Mannen som sökte sin skugga

Capa
Retina_78

Preparação
Ciça Caropreso

Revisão
Luciane Gomide
Ana Maria Barbosa

Dados Internacionais de Catalogação na Publicação (CIP)
(Câmara Brasileira do Livro, SP, Brasil)

Lagercrantz, David
　O homem que buscava sua sombra / David Lagercrantz ; tradução do sueco Guilherme Braga. — 1ª ed. — São Paulo : Companhia das Letras, 2017. — (Millennium ; 5)

　Título original : Mannen som sökte sin skugga.
　ISBN 978-85-359-2979-9

　1. Ficção sueca I. Título. II. Série.

17-06680   CDD-839.73

Índice para catálogo sistemático:
1. Ficção : Literatura sueca   839.73

[2017]
Todos os direitos desta edição reservados à
EDITORA SCHWARCZ S.A.
Rua Bandeira Paulista, 702, cj. 32
04532-002 — São Paulo — SP
Telefone: (11) 3707-3500
www.companhiadasletras.com.br
www.blogdacompanhia.com.br
facebook.com/companhiadasletras
instagram.com/companhiadasletras
twitter.com/cialetras

SUMÁRIO

Prólogo, 7

I. O dragão, 9
II. Barulhos perturbadores, 183
III. O gêmeo desaparecido, 245

Epílogo, 357

PRÓLOGO

Sentado em sua cadeira de rodas na sala de visitas, Holger Palmgren perguntou:
"Essa tatuagem de dragão... eu sempre quis te perguntar: por que ela é tão importante para você?"
"Tem a ver com a minha mãe."
"Com Agneta?"
"Eu era pequena, devia ter uns seis anos, e fugi de casa."
"Acho que me lembro. Uma mulher visitou vocês, não foi? Ela tinha uma marca de nascença no pescoço."
"Parecia uma queimadura."
"Uma queimadura em formato de dragão?"

I. O DRAGÃO
   12 A 20 DE JUNHO

Sten Sture, o Velho, mandou erguer a estátua em 1489 para comemorar sua vitória sobre o rei da Dinamarca na batalha de Brunkeberg.

Na estátua — que fica na Storkyrkan, a catedral de São Nicolau, em Estocolmo —, São Jorge está montado em seu cavalo, com a espada em riste. Um dragão moribundo encontra-se sob os pés do animal. Próximo à cena vê-se uma mulher com roupas típicas da Borgonha.

Ela representa a virgem que o cavaleiro salva e supostamente foi inspirada em Ingeborg Åkesdotter, esposa de Sten Sture, o Velho. A virgem parece indiferente à cena da batalha.

1. 12 DE JUNHO

Lisbeth Salander saiu de um dos chuveiros da sala de exercícios e foi parada no corredor pelo chefe de segurança, Alvar Olsen, que começou a tagarelar sobre uma coisa qualquer. Talvez estivesse meio alterado. Fazia gestos exagerados enquanto mostrava a ela um papel. Mas Lisbeth não ouviu uma palavra sequer. Eram sete e meia da noite.

Sete e meia era o pior horário na prisão de Flodberga. O trem de carga passava com estrondo, as paredes estremeciam, as chaves tilintavam e sentia-se o cheiro da mistura de suor e perfume. Nenhum horário era mais perigoso naquela prisão do que sete e meia da noite. Nesse instante, abafadas pelo estardalhaço do trem e pelo tumulto generalizado que se instalava assim que as portas das celas eram trancadas, as piores agressões ocorriam. Nessa hora, Lisbeth Salander sempre deixava o olhar passear de um lado a outro, e com certeza não foi por coincidência que naquele momento exato viu Faria Kazi.

Faria, uma mulher jovem e bonita de Bangladesh, estava sentada em sua cela, à esquerda deles. Mesmo que, do lugar onde se encontrava, Lisbeth não visse mais do que o rosto da outra, não havia dúvida de que Faria Kazi estava sendo espancada. De vez em quando, sua cabeça fazia um movimento brusco para um lado, depois para o outro. Os golpes não eram exageradamente fortes, e parecia haver um elemento ritualístico naquela cena, que vinha acontecendo fazia muito tempo. Dava para notar, pelas ofensas e atitudes da agressora. Dava para sentir que aquela tirania havia chegado ao fundo e destruído toda a resistência que um dia existira em Faria.

Suas mãos não procuravam deter as bofetadas e em seu olhar não havia surpresa, apenas um grito triste e silencioso. Faria Kazi convivia com o terror. Lisbeth percebeu tudo ao analisar o rosto dela, e o que viu confirmava o que havia percebido ao longo daquelas semanas na prisão.

"Ali", disse, apontando para a cela de Faria.

Mas quando Alvar Olsen se virou para olhar, tudo tinha acabado. Lisbeth, então, se afastou, entrou em sua cela e fechou a porta. Do lado de fora, ouviam-se vozes e risadas abafadas, e também o barulho do trem de carga, que parecia disposto a ribombar e a estremecer o chão para sempre. À frente de Lisbeth estavam a pia reluzente, a cama estreita, a estante de livros e a mesa com seus cálculos quânticos. Será que devia levá-los adiante, na tentativa de encontrar a gravidade quântica em loop? Olhou para sua mão, que segurava alguma coisa. Quando Alvar havia lhe mostrado aqueles papéis momentos antes, eles tinham despertado a curiosidade de Lisbeth. Mas era apenas um teste de inteligência, com manchas de café na primeira folha. Não passavam de uma bobagem, e Lisbeth não deu importância.

Odiava ser avaliada, medida, por isso deixou os papéis escorregarem das mãos e se espalharem em forma de leque pelo piso de concreto. Em seguida se esqueceu daquilo e voltou a pensar em Faria Kazi. Mesmo sem nunca ter visto quem batia nela, sabia muito bem quem era a agressora. A princípio ela não se importou muito com a atmosfera do lugar, mas com o tempo, e mesmo contra a sua vontade, acabou sendo empurrada para a vida na cadeia, tendo aprendido a interpretar os sinais visíveis e invisíveis, de maneira a entender quem realmente mandava no pavilhão.

O pavilhão B, também conhecido como pavilhão de segurança, dava a impressão de ser o local mais bem guardado de todo o complexo, impressão compartilhada inclusive por aqueles que visitavam os presos ou os que iam até lá para uma rápida inspeção. Em nenhum outro lugar do presídio havia tantos guardas, controles e programas de reabilitação. Mas, quando se olhava de perto, notava-se alguma coisa de podre ali. Os guardas agiam de maneira ríspida e autoritária com a maioria das presas e de maneira solidária com outras. Os covardes haviam de fato perdido o controle da situação e entregado o poder ao inimigo — no caso, a mafiosa Benito Andersson e sua gangue.

Durante o dia, Benito mantinha uma presença discreta, e à primeira vista parecia uma interna de comportamento exemplar. Porém, à tarde, quando as detentas podiam se exercitar ou receber visitas, ela dominava o ambiente, e em nenhuma hora do dia seu império de terror era tão poderoso quanto um pouco antes de as celas voltarem a ser trancadas, à noite. As prisioneiras da gangue de Benito caminhavam pelos corredores sussurrando ameaças e promessas, elas de um lado, suas vítimas de outro.

Naturalmente era um escândalo Lisbeth Salander estar presa. As circunstâncias que concorreram para isso não tinham ajudado em nada, e, verdade seja dita, ela também não havia lutado contra aquilo com muita convicção. Para Lisbeth, tudo não passava de um interlúdio estúpido, e para ela não fazia diferença estar no xadrez ou em qualquer outro lugar.

Ela tinha sido condenada a cumprir dois meses por posse ilegal de arma, apropriação indébita e periclitação de vida, por seu envolvimento nas ocorrências que se desenrolaram depois do assassinato do professor Frans Balder, quando, por iniciativa própria, escondeu um garoto autista de oito anos e negou-se a cooperar com a polícia por haver encontrado uma falha no relatório oficial. Ninguém destacou sua fundamental contribuição para salvar a vida do menino. O procurador-chefe Richard Ekström empenhou-se de forma decisiva na continuidade do processo, até que, por fim, a Justiça deu razão a seus argumentos, ainda que um de seus assessores tenha manifestado opinião divergente e Annika Giannini, a advogada de Lisbeth, feito um trabalho brilhante. No entanto, como não recebeu muita ajuda da própria Lisbeth, Annika viu reduzidas suas chances de defesa.

Lisbeth manteve-se calada e emburrada durante todo o julgamento e negou-se a entrar com recurso contra a sentença. Tudo que queria era pôr fim àquele espetáculo; desse modo, conforme se esperava, foi mandada para o complexo aberto de Björngärda Gård, onde desfrutava de enorme liberdade. Como mais tarde chegaram informações de que sua vida podia estar em perigo — o que não causou surpresa, tendo em vista o tipo de gente com quem havia mexido —, Lisbeth foi transferida para o pavilhão de segurança máxima da prisão de Flodberga.

Não tinha sido, porém, algo tão assustador quanto parecera a princípio. Embora estivesse vivendo no meio das delinquentes mais perigosas do país, Lisbeth não podia reclamar. Estava sempre rodeada por guardas, e fazia anos que nenhum ataque ou incidente violento ocorria naquele pavilhão. Os responsáveis apresentavam estatísticas impressionantes sobre a reabilitação das internas, embora esses números remontassem ao período anterior à chegada de Benito Andersson.

Desde o início Lisbeth havia enfrentado provocações, o que não a surpreendeu. Afinal, tratava-se de uma prisioneira de perfil notável, conhecida na mídia e também vítima de boatos e informações que circulavam pelos canais do submundo do crime. Poucos dias antes, a própria Benito havia colado nela um bilhete com as seguintes palavras: "Amiga ou inimiga?". Depois de um minuto, Lisbeth atirou longe o bilhete — havia levado mais ou menos cinquenta e oito segundos para se dispor a ler a mensagem.

Lisbeth não se metia com disputas de poder na prisão nem gastava tempo com relações de amizade. Em vez disso, concentrava-se em se aperfeiçoar, e até o momento já tinha aprendido mais do que o necessário. Seus olhos vazios estavam fixos na estante de livros, onde havia uma série de artigos sobre teoria quântica de campos que encomendara antes de ir para a prisão. No guarda-roupa à esquerda, duas peças de uniforme do complexo penitenciário com as letras KV — as iniciais de Kriminalvården, ou "serviço correcional" — estampadas no peito, roupas de baixo e dois pares de tênis para os exercícios físicos. Nas paredes não havia nada, nenhuma fotografia ou lembrança de sua vida fora das grades. Para ela, a decoração daquele lugar tinha uma importância tão pequena quanto a de seu apartamento da Fiskargatan.

No corredor, as portas das celas começaram a ser trancadas, o que costumava ser uma libertação para Lisbeth. Quando os barulhos cessavam e o pavilhão silenciava, ela se aprofundava na matemática — em seus esforços para unir a mecânica quântica com a teoria da relatividade — e esquecia o mundo exterior. Mas naquela noite tudo parecia diferente. Lisbeth não estava irritada apenas com a agressão que Faria Kazi sofrera ou com toda a corrupção existente naquele lugar, mas pela visita que seu ex-tutor Holger Palmgren lhe fizera seis dias antes. Ele havia se responsabilizado por ela na época em que a Justiça a considerara incapaz de cuidar de si mesma.

A visita que ele lhe fizera fora um drama à parte. Holger jamais saía de casa, pois dependia das cuidadoras e dos auxiliares que o ajudavam em seu apartamento em Liljeholmen. Mas ele tinha feito questão de ir vê-la, e apareceu na prisão em sua cadeira de rodas, levado pelo serviço de transporte de pessoas com mobilidade reduzida, arquejando por trás de uma máscara de oxigênio. Tinha sido bom. Os dois conversaram sobre os velhos tempos, e Holger mostrou-se sentimental e comovido. Mas uma coisa perturbara Lisbeth. Holger contou ter recebido a visita de uma mulher chamada Maj-Britt Torell, ex-secretária do setor de psiquiatria infantil do Sankt Stefans, onde Lisbeth ficara internada quando criança. A mulher tinha lido sobre Lisbeth nos jornais e reunido alguns papéis que achou que pudessem ser do interesse dela. Segundo Holger, no entanto, não passavam de relatórios antigos que detalhavam as vezes em que Lisbeth havia sido amarrada na cama e tratada de maneira cruel. "Nada que você precise ler", disse. Mesmo assim, os papéis deviam trazer alguma novidade, porque quando Holger perguntou sobre a tatuagem de dragão e Lisbeth mencionou a mulher com a marca de nascença, ele perguntou:

"Ela não era do Registro de Estudos em Genética e Meio Ambiente de Uppsala? Achei que eu tinha lido algo parecido."

"Deve ter sido em documentos mais recentes", ela disse.

"Você acha? Talvez eu esteja tendo alucinações com essa história toda."

Talvez Holger estivesse mesmo tendo alucinações com toda aquela história. Afinal, já estava velho. Mesmo assim, as informações não saíram da cabeça de Lisbeth naqueles dias. Tinham-na consumido por dentro enquanto socava a bola de boxe na sala de exercícios à tarde e também de manhã, enquanto trabalhava no ateliê de cerâmica, e continuavam a consumi-la naquele instante, seu olhar grudado no chão da cela.

De repente, por um instante e sem saber por quê, o teste de Q.I. pareceu a Lisbeth ter deixado de ser um papel qualquer e se transformado numa extensão de sua conversa com Holger. Então se lembrou de que a mulher com a marca de nascença também costumava aplicar vários testes nela e que essas sessões sempre terminavam em brigas e escândalo, até o dia em que culminaram na fuga de Lisbeth de casa, aos seis anos de idade.

O essencial nessa lembrança, no entanto, não eram os testes nem a fuga, e sim a suspeita de que existia em sua infância um elemento decisivo ainda desconhecido; e nesse instante Lisbeth percebeu que precisava descobrir mais coisas.

Logo estaria livre de novo e poderia fazer o que bem entendesse. Por enquanto teria que contar com a ajuda de Alvar Olsen, o chefe de segurança. Mas ela o tinha nas mãos. Aquela não fora a primeira vez que ele havia dado as costas às agressões ocorridas em seu pavilhão. Coordenado por Olsen e motivo de orgulho para o serviço penitenciário, o pavilhão se encontrava em plena crise moral, e Lisbeth começou a se perguntar se Alvar Olsen não poderia ajudá-la a providenciar o que ninguém havia conseguido lá dentro — uma conexão com a internet.

Ela apurou os ouvidos em direção ao corredor. Palavras corriqueiras e xingamentos eram proferidos à meia-voz, portas batiam, passos ecoavam ao longe. Depois tudo ficou em silêncio, a não ser pelo ruído do sistema de ventilação, que não funcionava muito bem. O ambiente estava insuportavelmente abafado. Lisbeth Salander olhou para o teste no chão e pensou em Faria Kazi, em Benito, em Alvar Olsen e na mulher com a marca de nascença no pescoço.

Agachou-se para juntar os papéis, sentou-se junto à mesa e começou a escrever depressa as respostas. Ao terminar, acionou o interfone ao lado da porta de aço. Alvar Olsen atendeu, hesitante e nervoso. Lisbeth disse que precisava falar com ele imediatamente.

"É importante", insistiu.

2. 12 DE JUNHO

Alvar Olsen queria ir para casa, mas primeiro precisava encerrar o expediente, pôr em ordem a papelada e, naturalmente, dar boa-noite à sua filha Vilda, de nove anos, por telefone. Como sempre, Kerstin, a tia dele, passou o telefone para a menina e, como sempre também, antes Kerstin foi aconselhada a trancar bem todas as portas.

Fazia doze anos que Alvar chefiava o pavilhão de segurança da prisão de Flodberga. Ele se considerava a pessoa ideal para aquele trabalho, que o enchia de orgulho. Na juventude, tinha salvado a vida de sua mãe, uma alcoólatra inveterada, e depois conseguido que ficasse sóbria. Desde cedo evidenciara um caráter apaixonado, sempre ao lado dos menos favorecidos, portanto ninguém se surpreendeu quando Alvar Olsen decidiu procurar emprego no serviço correcional, onde logo construiu uma reputação sólida e admirável. Mas, passado todo esse tempo, não havia restado muito do idealismo de outrora.

O primeiro golpe duro veio quando sua mulher foi embora de casa para ir morar com o ex-chefe dela, em Åre, deixando-o sozinho com a filha. Mas quem acabou de vez com sua fé no ser humano foi Benito. Alvar costumava dizer que mesmo nos criminosos existe um pouco de bondade. No entanto, ninguém havia conseguido encontrar nenhum tipo de bondade em Benito, e não foi por falta de quem se dispusesse a procurar — namorados, namoradas, advogados, terapeutas, psiquiatras forenses, e ainda dois ou três pastores. Benito nascera Beatrice e havia adotado esse outro nome em homenagem ao fascista italiano. Apesar da suástica tatuada no pescoço, do cabelo raspado e de seu rosto pálido, ela não era uma visão assustadora.

Com um físico digno de lutadora, Benito não deixava de ter certa graça, e não eram poucos os que se encantavam com aquela presença grandiosa. Ainda assim, o sentimento da maioria das pessoas em relação a ela era o de pavor. Benito havia — pelo menos de acordo com os boatos que corriam — matado três homens com dois punhais que ela chamava de Kris e Keris. Eles eram mencionados com tamanha frequência, que haviam passado a fazer parte da atmosfera sufocante e ameaçadora que reinava no complexo penitenciário. Volta e meia ouvia-se dizer que o pior que podia acontecer a alguém no pavilhão era Benito apontar um desses punhais à pessoa, pois seria morte certa. Apesar de boa parte dos boatos não passar de um amontoado de bobagens — mesmo porque facas eram mantidas a uma distância segura da prisão —, o falatório influenciava a atmosfera do lugar. As histórias sobre os punhais Kris e Keris espalhavam medo pelos corredores e reforçavam a visão que Benito cultivava, de ameaçadora. Era uma vergonha, um escândalo, e Alvar tinha se curvado a isso.

Devia estar preparado para enfrentar a situação. Alvar media um metro e noventa e dois, pesava oitenta e oito quilos e tinha um corpo rígido e musculoso; na adolescência havia trocado socos com os bêbados e canalhas que tentavam se aproximar de sua mãe. Mas agora ele tinha um ponto fraco: era um homem sozinho com uma filha. Fazia pouco mais de um ano, Benito tinha se aproximado dele no pátio e sussurrara em seu ouvido um trajeto — a localização assustadoramente exata de cada corredor e de cada escada por onde Alvar passava todos os dias para deixar a filha na classe 3A, no terceiro andar da Fridhemsskolan em Örebro.

"Meu punhal está apontado para a sua filha", ela tinha dito.

Mais não seria necessário. Alvar perdeu o controle do pavilhão, e a decadência se disseminou pelos escalões hierárquicos mais baixos. Ele não duvidou, nem por um segundo, que alguns de seus colegas — como o covarde Fred Strömmer — tivessem começado a ceder à corrupção. Nenhuma época do ano era pior que o verão, quando o presídio ficava lotado de empregados temporários, incompetentes e assustados, e a temperatura abafada nos corredores aumentava ainda mais o nervosismo e a tensão. Alvar perdera a conta das vezes em que tinha jurado restaurar a ordem daquele lugar. Porém, não havia conseguido. E também não ajudava em nada Rikard Fager, o diretor do complexo penitenciário, ser um idiota. Rikard Fager interessava-se apenas pela fachada, e a fachada ainda brilhava e reluzia, por mais podre que tudo estivesse por trás dela.

Todas as tardes Alvar via-se paralisado pelo olhar de Benito e, de acordo com a psicologia da tirania, cada vez que ele se curvava a ela, mais fraco se tornava. Era como se o sangue deixasse seu corpo. E o pior é que não conseguia defender Faria Kazi.

Faria tinha sido condenada pela morte de seu irmão mais velho, que empurrou em direção a uma ampla janela no subúrbio de Sickla, em Estocolmo. Sua personalidade, porém, não exibia traços de agressividade nem de violência. Faria passava a maior parte do tempo na cela, lendo ou chorando, e fora mandada ao pavilhão de segurança pois estava sob risco de suicídio e havia recebido ameaças. Era uma pessoa destruída, abandonada por todos, inclusive pela sociedade. Não assumia atitudes provocativas nos corredores do presídio nem lançava olhares gelados para inspirar respeito — sua beleza frágil tinha atraído almas atormentadas e sádicas, e Alvar se odiava por não conseguir fazer nada para ajudá-la.

A única atitude construtiva à qual havia se dedicado nos últimos tempos fora se interessar pela nova garota, Lisbeth Salander, coisa nada fácil. Lisbeth Salander era um osso duro de roer e despertava tantos comentários quanto Benito. Algumas prisioneiras admiravam Salander, outras a viam como uma escrotinha cheia de si e outras, ainda, sentiam seu lugar na hierarquia ameaçado. O corpo inteiro de Benito — cada músculo dele — parecia prestes a iniciar uma disputa por poder, e Alvar não duvidou nem por um segundo que, graças aos contatos que Benito mantinha além das grades, ela tivesse reunido informações sobre Salander, exatamente como havia feito com ele e com todos do pavilhão.

Mesmo assim, nada tinha acontecido, nem mesmo quando Lisbeth, apesar do elevado nível de segurança do regime ao qual se encontrava submetida, obteve autorização para trabalhar durante o dia no pátio e no ateliê de cerâmica. Lisbeth não possuía nenhum talento para a cerâmica, os vasos que produzia eram os piores que Alvar já tinha visto, tampouco demonstrava interesse em socializar com as detentas. Ela praticamente não abria a boca. Parecia viver num mundo à parte, sem se importar com os olhares e as provocações que recebia, ou mesmo com os cutucões e alguns socos que Benito lhe dava em segredo. Lisbeth simplesmente ignorava tudo isso. A única pessoa que ela examinava com certa atenção era Faria Kazi.

Lisbeth a observava de perto e provavelmente já havia percebido o perigo daquela situação. Talvez aquilo acabasse em confronto. Alvar não tinha certeza, mas estava preocupado.

Apesar de todas as adversidades, Alvar Olsen orgulhava-se dos programas individuais que tinha desenvolvido para cada interna. Nenhuma era simplesmente posta para trabalhar. Cada prisioneira recebia um formulário para preencher, que levava em conta seus problemas e suas necessidades específicas. Havia internas que estudavam meio período, outras em tempo integral, as que participavam de programas de reabilitação, aquelas que se consultavam com psicólogos, as que se reuniam com tutores ou se qualificavam para o mercado de trabalho. Lisbeth Salander — de acordo com o que a documentação levantara — deveria ter a chance de completar seus estudos ou ao menos receber aconselhamento. Ela não havia completado o primeiro grau e, a não ser por uma breve passagem por uma companhia de segurança, jamais trabalhara. Volta e meia tinha problemas com autoridades, embora nunca tivesse cumprido pena em regime fechado. Seria fácil taxá-la de imprestável. No entanto, havia falhas em seu perfil, e não apenas porque reportagens de jornais a descreviam como a heroína de um filme de ação. Além da presença fascinante de Lisbeth, um incidente não saía da cabeça de Alvar.

Esse incidente fora o único evento positivo, ou surpreendente, ocorrido no pavilhão no último ano. Tinha acontecido poucos dias antes no refeitório, depois do jantar, servido às cinco da tarde. Chovia lá fora. As internas haviam juntado pratos e copos e estavam lavando a louça e limpando o ambiente enquanto Alvar permanecia sentado numa cadeira perto do balcão da pia. Ele não precisava estar ali, o refeitório era responsabilidade das internas, e Alvar fazia as refeições em outro espaço, com os demais funcionários da prisão. Josefin e Tine — do grupo de Benito —, chamadas de gerentes autônomas, recebiam uma verba para encomendar mantimentos, e a elas cabia o preparo das refeições, a limpeza do refeitório e se certificar de que a comida fosse suficiente para todas as prisioneiras. A função de gerente autônoma dava status. Controlar a comida era um tipo de poder ali dentro, sempre tinha sido assim, e não havia como evitar que algumas internas, como Benito, recebessem uma porção maior que outras. Por isso Alvar estava sempre de olho na cozinha. Ali também ficava a única faca existente no pavilhão, presa na ponta de um cabo de aço. Não era afiada, mas mesmo assim poderia causar ferimentos. Nesse dia, de vez em quando Alvar olhava para a faca enquanto tentava estudar.

Sua vontade era ir embora de Flodberga. Queria arranjar um emprego melhor. Mas para um sujeito que nunca tinha estudado e que só havia trabalhado em presídios as opções não eram muitas. Diante disso, estava fazendo um curso de administração por correspondência, e nesse dia, em meio ao cheiro de panquecas de batata e geleia, lia sobre como o mercado financeiro estabelece o preço das opções, mesmo que não estivesse entendendo muita coisa nem conseguindo resolver os exercícios do livro. Nesse instante, Lisbeth Salander entrou para se servir pela segunda vez.

Tinha o olhar fixo no chão, parecendo distante e mal-humorada. Como Alvar não queria ficar constrangido com mais uma tentativa malsucedida de fazer contato com ela, continuou atento a seus cálculos. Estava claro que a presença dele a irritava. Lisbeth se aproximou e o encarou, e de repente Alvar ficou tímido. Com frequência se inibia quando Lisbeth o encarava, e estava prestes a se levantar para voltar ao pavilhão, quando Salander arrancou o lápis da mão de Alvar e rabiscou alguns números no livro que ele segurava.

"As equações de Black-Scholes são um lixo supervalorizado num mercado muito volátil", ela disse, desaparecendo em seguida, sem dar a atenção aos chamados de Alvar.

Ela simplesmente continuou andando, como se ele tivesse deixado de existir, e Alvar só foi se dar conta do que havia acontecido depois de um bom tempo. Apenas no entardecer, sentado ao lado do computador, ele percebeu que Lisbeth não apenas tinha respondido corretamente ao exercício num mísero segundo como, com enorme confiança, criticado um modelo para a avaliação de derivativos financeiros premiado com o Nobel. Para ele, que experimentava apenas situações de derrota e humilhação no pavilhão, foi um grande momento, e logo começou a pensar que aquele poderia vir a ser o início de um contato entre os dois, ou mesmo de uma guinada na vida de Lisbeth, capaz de, enfim, levá-la a reconhecer os dons que possuía.

Passou algum tempo imaginando o passo seguinte, em como poderia motivá-la a se aproximar dele. Por fim, teve uma ideia. Pediria que Lisbeth fizesse um teste de Q.I. Ele havia guardado em sua sala uma porção de testes antigos e formulários, deixados pelos psiquiatras forenses que haviam tentado avaliar o grau de psicopatia, alexitimia, narcisismo e tudo mais que imaginavam que Benito pudesse ter.

Ele mesmo tinha feito muitos desses testes, e achava que uma garota que resolvia problemas matemáticos com tamanha facilidade iria obter bons resultados num teste de inteligência. Talvez aquilo pudesse ter um significado especial para ela. Assim, quando achou um momento oportuno, ficou à espera de Lisbeth no corredor, imaginando-se capaz de desarmá-la com um elogio. E de fato achou que tinha conseguido estabelecer contato.

Porém, no instante em que Lisbeth pegou o teste, algo aconteceu: o trem começou a ribombar lá fora, ela ficou tensa, seu olhar assumiu uma coloração quase negra, Alvar começou a gaguejar e deixou-a ir. Em seguida, ordenou aos funcionários que iniciassem o trancamento das detentas e dirigiu-se a seu escritório, situado logo depois do corredor das celas, atrás de uma parede grossa de vidro, no setor administrativo. Alvar era o único funcionário a ter uma sala própria, e não se podia dizer que ela fosse notavelmente maior nem particularmente mais aconchegante do que as celas. Suas janelas davam para o pátio de exercícios e para a cerca de aço e o muro cinza de concreto. A principal diferença era que nela havia um computador ligado às câmeras de monitoramento do pavilhão, assim como algumas bugigangas que conferiam ao ambiente certo ar de conforto.

Eram quinze para as oito da noite, as celas estavam trancadas, o trem havia silenciado e desaparecido em direção a Estocolmo, seus colegas estavam na copa, certamente falando bobagens, como sempre. Alvar anotou em seu diário uma ou duas linhas sobre a vida na prisão. Aquilo não o deixava de bom humor, já que não era mais sincero com o diário. Em vez de continuar escrevendo, olhou para as fotografias de Vilda afixadas no quadro de avisos e também para as de sua mãe, falecida quatro anos antes.

Lá fora, o céu estava limpo e o pátio parecia um oásis em meio ao cenário inóspito da prisão. Olhou mais uma vez para o relógio de pulso. Estava na hora de dar boa-noite a Vilda e se despedir com seu "Até logo, minha querida". Chegou a pegar o telefone, mas não teve tempo de fazer mais do que isso. O interfone tocou. Alvar olhou para o painel, viu que a chamada vinha da cela de número sete — a de Lisbeth Salander — e sentiu-se ao mesmo tempo curioso e preocupado. As internas sabiam que não deviam perturbar os agentes a não ser em caso de absoluta necessidade. Lisbeth nunca havia usado o interfone e não parecia o tipo de mulher que reclama por qualquer coisa. Será que tinha acontecido alguma coisa?

"O que houve?", ele perguntou.

"Eu quero que você venha aqui. É importante."

"O que é tão importante?"

"Você me deu um teste de Q.I., não deu?"

"Claro. Achei que você é o tipo de garota que iria se sair bem."

"Talvez eu seja. Será que você não pode vir aqui agora conferir as minhas respostas?"

Alvar olhou de novo para o relógio. Impossível que ela já tivesse terminado o teste.

"É melhor deixar para amanhã", ele disse. "Assim você tem mais tempo para revisar suas respostas."

"Nesse caso seria como colar", ela respondeu. "Eu teria a noite inteira."

"Tudo bem, estou indo", disse Alvar.

Ele não sabia direito por que havia concordado, e no mesmo instante se perguntou se não estaria se precipitando. Por outro lado, com certeza iria se arrepender se não fosse até lá. No fundo, esperava que Lisbeth tivesse achado o teste interessante e que aquele pudesse ser o começo de um relacionamento entre eles.

Alvar se abaixou para pegar a folha de respostas na última gaveta à direita de sua mesa. Depois se ajeitou e saiu pela eclusa que dava acesso ao pavilhão de segurança usando o chip de acesso e o código de segurança. A seguir, começou a atravessar o corredor, olhando para as câmeras pretas no teto e para as lâmpadas amarelas enquanto mexia no cinto, onde estavam o spray de pimenta, o cassetete, o chaveiro, o telefone e o controle remoto com o botão de alarme.

Talvez estivesse agindo como um idealista incurável, mas também não era nenhum ingênuo. Impossível ser ingênuo no serviço correcional. Algumas internas se mostravam atraentes e humildes apenas como forma de manipulação, e Alvar estava sempre atento a esse jogo. À medida que se aproximava das celas, começou a ficar mais tenso. Devia ter pedido o apoio de um colega, como mandava o regulamento.

Por mais inteligente que fosse, Lisbeth Salander não poderia ter respondido ao teste em tão pouco tempo. Devia estar com segundas intenções para chamá-lo; cada vez mais Alvar se convencia disso. Abriu a janelinha da cela de Lisbeth e olhou desconfiado para dentro. Ela estava sentada junto à mesa e parecia sorrir para ele, ou quase, e um otimismo contido invadiu Alvar.

"Muito bem, eu vou entrar. Mantenha-se afastada."

"Claro."

"Certo, então."

Ele destrancou a porta, preparado para qualquer coisa, mas nada aconteceu. Salander manteve-se no mesmo lugar.

"Como você está?", ele perguntou.

"Bem", ela disse. "O teste foi legal. Você pode dar uma olhada?"

"Eu trouxe as respostas", ele disse, mostrando o gabarito.

Salander não disse nada.

Alvar emendou: "Levando em conta a rapidez com que você respondeu, não vale ficar decepcionada se o resultado não for muito bom".

Ele arriscou um sorriso largo e Lisbeth torceu o nariz. Alvar, porém, não se incomodou; o que o incomodou foi se sentir analisado, e também não gostou nem um pouco da aura escura que viu no olhar de Lisbeth. Ela estaria maquinando alguma coisa? Não ficaria nada surpreso se um plano diabólico estivesse sendo tramado por trás daquele olhar sombrio. Mas Salander era pequena e magra. Ele era maior do que ela, estava armado e havia recebido treinamento para situações de emergência. Não havia nenhum risco — ou será que havia?

Cheio de expectativa, Alvar pegou o teste e deu um sorriso amarelo para a prisioneira. Em seguida correu os olhos pelas respostas, sempre atento a Salander. A situação parecia tranquila, ela não fazia nada além de olhar para ele, como se perguntasse: "E então, me saí bem?".

A caligrafia não era nada boa. O teste estava repleto de manchas pretas e rasuras, como se tivesse sido feito às pressas. Aos poucos, sem descuidar de Salander, Alvar foi comparando as respostas dela com o gabarito. Primeiro constatou que a maioria parecia estar certa; depois não conseguiu evitar a surpresa. Mesmo as perguntas mais difíceis, no final do teste, haviam sido respondidas de forma correta, ele nunca tinha visto nem ouvido falar de um resultado como aquele. Era inacreditável, e Alvar estava prestes a fazer um comentário entusiasmado, quando de repente notou que não conseguia respirar.

3. 12 DE JUNHO

Lisbeth Salander observava Alvar Olsen com atenção. Ele estava visivelmente alerta, tinha recebido um bom treinamento no manejo do cassetete e do spray de pimenta, e além do mais havia um controle remoto de emergência em seu cinto. Com certeza escolheria passar vergonha a ser dominado. Mas ela sabia que aquele homem tinha suas fraquezas.

As mesmas fraquezas de todos os homens, o que incluía certa dose de culpa. Além disso, era um homem envergonhado, o que também podia ser usado contra ele. Ela primeiro o agrediria, depois o pressionaria. Alvar Olsen logo ia ter o que merecia. Salander observava os olhos e o abdome dele. Firme e musculoso, não era a região ideal para atingi-lo. Mas até mesmo abdomes como aquele tinham pontos fracos, por isso Salander esperou mais um pouco, até obter a recompensa que esperava.

Quando Alvar soltou um longo suspiro, como se estivesse surpreso ou estupefato, e seu corpo perdeu presença e relaxou, nesse exato instante, durante a expiração, Lisbeth o atingiu no plexo solar. Duas vezes, com força e precisão. Em seguida, mirou no ombro, no ponto que seu treinador de boxe, Obinze, lhe indicara uma vez, e o acertou ali com uma força brutal.

No mesmo instante, Salander percebeu que tinha dado certo. O ombro foi deslocado e Alvar se contorceu de dor, arquejando, sem conseguir gritar, mas tentando se erguer. Por um ou dois segundos, chegou a conseguir, mas logo desabou no chão de concreto e rolou para o lado. Lisbeth deu um passo à frente. Queria ver se o chefe de segurança ia tentar fazer alguma besteira com as mãos.

"Fique quieto", disse.

Foi uma ordem desnecessária, pois Alvar não conseguiria soltar um pio. Era como se todo o ar tivesse acabado para ele. Seu ombro latejava de dor e a luz do teto o ofuscava.

"Se você se comportar bem e não inventar de mexer no cinto, não vai apanhar mais", disse Salander, tirando o teste de Q.I. da mão dele. Nesse instante, Alvar imaginou ter ouvido sons ao longe.

Seria a TV da cela ao lado ou colegas seus conversando no pavilhão? Não tinha como saber com certeza, estava confuso demais. Tentou avaliar se naquela situação o melhor seria correr o risco de uma manobra ou simplesmente gritar por socorro. Refletir sobre que decisão tomar não era fácil: a dor o restringia. Alvar não via mais do que o vulto de Salander e sentia-se assustado e desorientado. Tentou pegar o controle remoto, mais como um gesto automático do que calculado, porém não concluiu o movimento. Logo um segundo golpe o atingiu, dessa vez no abdome, e ele se encolheu em posição fetal e passou a respirar com mais dificuldade ainda.

"Viu?", disse Salander. "Não foi uma boa ideia. Mas quer saber de uma coisa? Eu não gosto nem um pouco de te machucar. Você não foi um desses pequenos heróis no passado? Salvador da mamãe ou coisa assim? Só que você deixou este lugar virar um inferno e agora há pouco não se importou que a Faria Kazi ficasse mais uma vez em apuros. Vou te avisar: eu não gostei nem um pouco disso."

Alvar não soube o que responder.

"Essa garota já sofreu demais, já passou da hora de pôr um fim nisso", ela prosseguiu, enquanto Alvar assentia com a cabeça sem saber por quê.

"Ótimo! Estamos combinados então. Você leu a meu respeito nos jornais?"

Alvar assentiu de novo com a cabeça, dessa vez com as mãos bem longe do cinto.

"Que bom. Então deve saber que eu não tenho medo de nada. De nada mesmo. Acho que nós dois podemos fazer um acordo. Você e eu."

"Que acordo?", ele perguntou.

"Eu ajudo você a pôr ordem neste lugar e a impedir que a Benito e as parceiras dela cheguem perto da Faria Kazi, e em troca você... me empresta um computador."

"Não mesmo! Você..." Alvar tomou fôlego. "Você me agrediu. A situação não está nada boa para o seu lado."

"A situação não está nada boa é para você", disse Salander. "As pessoas são oprimidas e agredidas aqui dentro e você não levanta um dedo para acabar com isso. Tem noção do escândalo que seria se as pessoas soubessem disso lá fora? O garoto-propaganda do serviço penitenciário manipulado por uma pequena Mussolini!"

"Mas...", Alvar tentou interrompê-la.

"Nada de 'mas'. Vou ajudar você a dar um jeito nisso, com a condição de que você me dê acesso a um computador ligado à internet."

"Impossível", retrucou Alvar, tentando parecer durão. "Existem câmeras em todos os corredores. Você se deu mal."

"No caso, nós dois nos demos mal, e por mim tudo bem", ela disse.

Então Alvar se lembrou de Mikael Blomkvist.

No pouco tempo em que Salander estava presa, Mikael Blomkvist já tinha ido visitá-la duas ou três vezes, e o que Alvar menos queria no momento era que alguém mais se intrometesse naquele assunto. O que fazer? Ele não conseguia raciocinar direito, e menos ainda conceber que a história do domínio que Benito exerce no pavilhão pudesse ser publicada e comprovada. A dor o impedia de fazer qualquer tipo de avaliação racional no momento, então Alvar levou uma das mãos ao ombro, depois ao estômago e disse, sem saber bem o que estava fazendo:

"Não garanto nada."

"Nem eu. Estamos na mesma. Agora se levante!"

"Com certeza vamos cruzar com o pessoal da administração no caminho", disse Alvar.

"Você vai fazer de conta que estamos estudando juntos. Afinal, tivemos um bom começo com o teste de Q.I."

Alvar se levantou, cambaleando um pouco. A lâmpada incandescente no teto era como um fogo-fátuo sobre sua cabeça, uma estrela cadente. Sentia-se mal e disse:

"Espere, eu preciso..."

Salander o endireitou e penteou o cabelo dele, como se quisesse torná-lo mais apresentável. Em seguida, atacou seu ombro de novo. Alvar ficou apavorado. Mas dessa vez não foi um golpe tão dolorido, pelo contrário. A manobra de Salander recolocou o ombro dele no lugar e o pior da dor ficou para trás.

"Agora vamos", ela disse.

Alvar cogitou gritar por socorro e acionar o alarme. Cogitou acertá-la com o cassetete e usar o spray de pimenta. Mas simplesmente continuou andando. Atravessou o corredor ao lado de Lisbeth Salander, como se nada tivesse acontecido, e abriu a eclusa com o chip de acesso e o código de segurança, torcendo para não encontrar ninguém. Mas claro que os dois toparam com Harriet, uma agente penitenciária tão dissimulada que era impossível saber se estava do lado de Benito ou da lei. Às vezes Alvar achava que Harriet ficava dos dois lados — dependendo da situação, pendia para aquele que lhe oferecesse mais vantagens.

"Oi", Alvar arriscou.

Harriet tinha o cabelo preso num rabo de cavalo e uma expressão dura nos lábios e no olhar. A época em que Alvar a considerara atraente estava relegada ao passado.

"Aonde vocês estão indo?", ela perguntou. Embora fosse ele o chefe, Alvar submeteu-se ao olhar inquisitório de Harriet.

"Nós vamos... nós pensamos em...", ele disse.

Na hora não lhe ocorreu nada além do pretexto dos estudos, mas ficou claro para ele que aquela explicação não serviria. Então disse:

"... nós vamos telefonar para o advogado da Salander."

Alvar achou que não tinha sido convincente e que devia estar pálido e com um olhar embaraçado. O que mais queria no momento era se jogar no chão e gritar por socorro. Em vez disso, acrescentou com inesperada autoridade:

"O advogado dela viaja para Jacarta amanhã."

Não fazia a menor ideia de onde tinha vindo o impulso de falar de Jacarta. Apenas se deu conta de que era uma explicação tão inusitada e concreta que parecia verdade.

"Tudo bem, entendi", disse Harriet de maneira um pouco mais natural, se afastando. Quando os dois se convenceram de que ela estava longe o bastante, prosseguiram na direção do escritório de Alvar.

Aquela sala era como um lugar sagrado. A porta ficava trancada e nenhuma interna podia ser vista lá dentro, principalmente fazendo ligações telefônicas. Mas era para lá que os dois se dirigiam, e com um pouco de sorte, ou de azar, os rapazes da central de vigilância já teriam percebido que os dois haviam passado para uma área restrita enquanto a eclusa se fechava e mandariam alguém ver o que estava acontecendo. Aquilo não ia acabar bem, Alvar precisava tomar uma atitude. Passou os dedos pelo cinto, porém não acionou o alarme. Sentia-se humilhado demais, e talvez também involuntariamente fascinado. O que Salander pretendia?

Destrancou a porta e a deixou entrar. De repente percebeu que seu escritório não o ajudaria em nada. Era patético — sobretudo depois de ter sido chamado de herói da mamãe — ter fotografias de sua mãe no quadro de avisos, impressas em tamanho maior do que as de Vilda. Devia ter tirado as fotos dali muito tempo antes, arrumado a sala e pedido demissão, para nunca mais ser obrigado a conviver com marginais. Mas lá estava ele. Alvar fechou a porta enquanto Lisbeth Salander o encarava com seu olhar sombrio e determinado.

"Estou com um problema", ela disse.
"Que problema?"
"Você."
"Qual é o problema comigo?"
"Se eu te deixar sair, você vai acionar o alarme, mas se ficar aqui vai ver tudo o que eu fizer, o que também não seria nada bom."
"Você vai cometer algum crime?", ele perguntou.
"Provavelmente", ela respondeu, e nesse momento ele deveria ter reagido, porque a garota realmente era uma maluca.

Salander atingiu-o outra vez no plexo solar e Alvar afundou no chão de novo, sem fôlego, à espera de mais socos. Mas Salander se abaixou depressa e, com um movimento rápido, tirou o cinto dele e o largou em cima da mesa. Por mais que seu corpo estivesse todo dolorido, Alvar se levantou e a encarou com um olhar ameaçador.

Os dois pareciam a ponto de se engalfinhar a qualquer momento. Porém Salander o desarmou ao lançar os olhos para o quadro de avisos e perguntar:

"Essa aí na fotografia é a sua mãe, que você salvou?"
Ele não respondeu. Ainda avaliava a possibilidade de lançar-se sobre ela.
"É sua mãe?", ela repetiu.

Então ele fez um gesto afirmativo.

"Ela morreu?"

"Morreu."

"Mas continua sendo importante para você?"

"Continua."

"Então você vai me entender. Eu preciso conseguir umas informações e você precisa me deixar fazer isso."

"E por que eu deixaria?"

"Porque você já permitiu que as coisas fossem longe demais por aqui. Em troca, eu te ajudo a acabar com a Benito."

"A Benito é uma pessoa cruel."

"Eu também sou", Salander disse.

Ela talvez estivesse certa. As coisas já tinham ido longe demais. Alvar havia permitido que uma interna entrasse numa área restrita, agora tinha pouco a perder. Por isso, quando Salander pediu a senha do computador, ele a forneceu. Alvar olhou para as mãos de Salander, como se enfeitiçado. Os dedos dela corriam pelo teclado com a velocidade de um raio, e a princípio nada de muito impressionante aconteceu. Ela simplesmente acessou alguns sites de Uppsala — o do Hospital Acadêmico e o da universidade.

Por um bom tempo, ela continuou acessando páginas que não pareciam fazer muito sentido, e apenas quando encontrou uma organização antiga, com o nome de Instituto de Medicina Genética, ela parou e digitou alguns comandos. A tela ficou escura. Alvar manteve-se imóvel e em absoluto silêncio. A respiração de Salander estava pesada e seus dedos pareciam hesitantes, como os de uma pianista se preparando para executar uma peça difícil.

Depois continuou martelando as teclas a uma velocidade impressionante, linhas e mais linhas de números e letras brancos se formando sobre o fundo preto da tela, até que o computador começou a escrever sozinho uma infinidade de símbolos, códigos e comandos incompreensíveis. Alvar entendia somente palavras soltas em inglês: *connecting database*, *search*, *query* e *respons*, e depois o mais preocupante: *bypassing security*. Ele ficou à espera, enquanto Salander tamborilava os dedos na mesa. Ela praguejou: "Merda!". Uma janela se abriu na tela: ACCESS DENIED. Ela tentou mais algumas vezes, e de repente algo aconteceu — um movimento vago, um pequeno deslocamento e logo um discreto brilho de cores. Dessa vez letras verdes surgiram, formando as palavras ACCESS GRANTED, e em seguida começaram a acontecer coisas que Alvar jamais imaginou possíveis. Salander foi tragada por um buraco e saiu em mundos cibernéticos que pareciam remontar a tempos passados, muito antes da internet.

Lisbeth folheou páginas de listas e documentos digitalizados onde constavam nomes datilografados ou escritos com caneta esferográfica. Mais abaixo, colunas cheias de números e anotações — os resultados, Alvar supôs, de avaliações e testes, e por duas ou três vezes viu carimbos de sigilo nos documentos. Viu seu nome e o de outras pessoas, e trechos de vários relatórios. Era como se o computador tivesse se transformado numa serpente, deslizando em silêncio por arquivos ocultos e porões trancados. Lisbeth passou horas ocupada naquilo. Simplesmente não parava.

Ele não entendia o que estava acontecendo, a não ser que ela avançava cada vez mais. Era o que se podia depreender de sua linguagem corporal, de seus sussurros e das quatro horas e meia que haviam se passado, até Salander desistir e Alvar, então, suspirar aliviado. Ele precisava ir ao banheiro. Precisava ir para casa render a tia, cuidar de Vilda e se esquecer do mundo. Mas Lisbeth pediu que ele continuasse sentado e de boca fechada. Ela ainda tinha uma coisa para fazer. De novo a tela escureceu, ela digitou comandos, e, para seu absoluto terror, Alvar percebeu que ela tentava acessar o sistema de informática do complexo penitenciário.

"Pare", ele disse.

"Você não gosta do diretor do presídio, certo?"

"A questão não é essa."

"Eu também não", ela disse, e então fez algo que ele não queria ter presenciado.

Salander acessou o e-mail de Rikard Fager e começou a ler os documentos que havia lá. Alvar não a impediu não apenas porque detestava o diretor, mas também porque, àquela altura, a coisa já tinha ido longe demais. A maneira como Salander lidava com o computador fazia a máquina parecer uma extensão de seu corpo. Ela o tratava com virtuosidade, o que inspirava um sentimento de confiança. Não era uma percepção racional, Alvar não saberia explicá-la. Mas ele permitiu que ela fosse em frente e lançasse novos ataques. Mais uma vez a tela passou a funcionar em preto e branco e as palavras ACCESS GRANTED se repetiram. O que seria aquilo?

De repente Alvar viu o corredor do pavilhão de segurança no monitor. Ele estava escuro e silencioso, e por diversas vezes Salander manipulou a mesma sequência de gravação, como se a estivesse tornando mais longa ou fazendo determinado intervalo se repetir. Alvar permaneceu um bom tempo imóvel, com as mãos nos joelhos e de olhos fechados, torcendo para que aquilo acabasse logo.

Já eram quase duas da manhã quando, enfim, Lisbeth Salander se levantou e resmungou um "obrigada". Sem fazer nenhuma pergunta a respeito do que ela fizera, Alvar a escoltou pela saída da eclusa até sua cela e lhe desejou boa-noite. Depois foi para casa e praticamente não dormiu. Apenas cochilou um pouco já de manhã, sonhando com Benito e seus infames punhais.

4. 17 A 18 DE JUNHO

As sextas-feiras eram dedicadas a Lisbeth.

Toda sexta-feira à tarde, Mikael Blomkvist ia visitá-la na prisão. Era um momento bastante aguardado, principalmente depois que ele, enfim, aceitou a situação e conseguiu dominar sua raiva. Levara um bom tempo.

Blomkvist havia praguejado e se revoltado durante todo o processo e julgamento, mas quando percebeu que a própria Lisbeth parecia não se importar, tentou ver a situação através dos olhos dela. Para Lisbeth, ir para a prisão não era nada de mais. Se pudesse continuar com seus exercícios físicos e estudos de física quântica, tanto fazia que fosse na prisão ou em qualquer outro lugar. Além do mais, poderia ser uma experiência nova, um novo aprendizado. Nesse sentido, Lisbeth Salander era um tanto estranha. Aceitava tudo o que acontecia em sua vida, não importava a situação, e muitas vezes simplesmente tinha aberto um sorriso quando ele demonstrou algum tipo de preocupação, como quando a transferiram para Flodberga.

Mikael não gostava de Flodberga; ninguém gostava. Era o único complexo correcional para mulheres no país a ter classe de segurança 1, e a presença de Lisbeth ali devia-se exclusivamente a uma decisão de Ingemar Eneroth, chefe do serviço correcional sueco. Segundo ele, Flodberga era o lugar mais seguro para Salander, em vista das ameaças feitas por sua irmã, Camilla, e pela rede criminosa russa sob seu comando, interceptadas pela Polícia de Segurança Nacional, a Säpo, e pelo DGSE, o serviço de inteligência francês.

Talvez fosse verdade. Talvez não passasse de uma enorme bobagem. Mas, como Lisbeth não tinha se oposto à transferência, as coisas haviam ficado daquele jeito — de qualquer maneira, já não restava muito tempo de pena para ela cumprir. Quem sabe lá nem fosse tão ruim. Lisbeth parecera animada na sexta-feira anterior. A comida da prisão devia parecer a cura de todos os males, comparada à quantidade de lixo que ela costumava ingerir em liberdade.

Mikael pegou o trem para Örebro e começou a reler, em seu notebook, o próximo número da *Millennium*, que iria para a gráfica na segunda-feira. A chuva caía com força. Segundo a previsão do tempo, seria o verão mais quente dos últimos anos, mas até então era como se as comportas do céu tivessem se aberto. Com a chuva caindo dia após dia, Mikael só pensava em ir descansar em sua casa de Sandhamn. Havia trabalhado duro. Depois da revelação exclusiva da *Millennium* de que alguns funcionários do alto escalão da NSA, a agência de segurança americana, haviam trabalhado com o crime organizado da Rússia para roubar segredos de Estado no mundo todo, a revista tinha recuperado o antigo prestígio e suas finanças iam muito bem. Mas com o sucesso vêm também as preocupações, e Mikael e o pessoal da redação viram-se obrigados a criar uma versão em formato digital, o que era bom. Aliás, necessário no atual cenário jornalístico.

No entanto aquilo tomava seu tempo. As constantes atualizações na internet e as conversas sobre as estratégias a serem adotadas nas redes sociais prejudicavam a concentração de Mikael. Havia começado uma série de histórias interessantes, mas não concluíra nenhuma, e também não ajudava em nada saber que a pessoa que tinha possibilitado o furo sobre a NSA estava presa. Blomkvist sentia-se em dívida.

Olhou pela janela do trem e desejou um pouco de paz, o que naquele momento era impossível. A senhora sentada a seu lado que não parava de importuná-lo com perguntas quis saber para onde ele estava indo. Blomkvist deu uma resposta evasiva. Como a maioria das pessoas que o perturbava em boa ou em má hora nos últimos tempos, a mulher não fazia por mal. Mas ele ficou feliz quando precisou interromper a conversa para descer em Örebro.

Mikael apressou-se sob a chuva para pegar o ônibus. O complexo penitenciário de Flodberga não ficava longe dali, mas como não havia estação nas proximidades, isso o obrigava a uma viagem de quarenta minutos num velho ônibus Scania sem ar-condicionado. Eram vinte para as seis quando o muro cinzento de concreto surgiu à sua frente.

Com sete metros de altura, era um paredão fosco e curvo, como se uma gigantesca onda de concreto tivesse secado no momento exato em que se lançava sobre a planície. No horizonte, a floresta de coníferas. Não havia uma casa sequer à vista, e o portão de entrada da prisão ficava tão próximo às cancelas da via férrea que somente um carro por vez podia ocupar o lado oposto.

Mikael desceu e foi admitido do outro lado das grades de aço. Dirigiu-se à central de segurança e trancou seu celular e suas chaves num armário cinza. Ao passar pelo controle, como sempre teve a impressão de que os guardas se divertiam com ele. Um sujeito de uns trinta anos, tatuado e de cabelo batido, chegou a apalpar sua virilha. Como se não bastasse, trouxeram um labrador preto, um cachorro bonito e alegre. Mikael sabia muito bem por quê. Era um cão treinado para farejar narcóticos. Será que realmente o consideravam disposto a entrar com drogas na prisão?

Manteve uma expressão simpática no rosto e foi escoltado, pelos longos corredores, por um sujeito alto e um pouco mais agradável. A eclusa foi aberta automaticamente pela equipe da central de vigilância, que os acompanhava através das câmeras instaladas no teto. Demorou um pouco até chegarem à área de visitas, e Blomkvist precisou esperar do lado de fora. Seria difícil precisar o momento em que percebeu que havia alguma coisa errada.

Provavelmente foi quando Alvar Olsen, o chefe de segurança, apareceu.

A testa de Olsen estava molhada de suor e ele parecia nervoso. Disse duas ou três frases polidas antes de abrir a porta da sala de visitas, situada no fim do corredor, e então todas as dúvidas de Mikael se desfizeram. De fato havia algo diferente.

Lisbeth estava vestida com o uniforme surrado e desbotado das prisioneiras, que parecia ridiculamente grande para o seu tamanho. Em geral ela se levantava ao vê-lo entrar, mas dessa vez permaneceu sentada de um jeito tenso, a cabeça um pouco inclinada para a esquerda, como se olhasse através dele. Ela parecia imóvel, respondia às perguntas de Mikael apenas com monossílabos e seus olhos evitavam fazer contato com os dele. Por fim, Blomkvist viu-se obrigado a perguntar o que tinha acontecido.

"Depende do ponto de vista", ela respondeu, rindo de um jeito meio indeciso. Pelo menos era um início.

"Você quer falar sobre isso?"

Salander disse que não queria, "não aqui nem agora", e em seguida se calou. Do outro lado da janela gradeada, a chuva caía sobre o pátio de exercícios e o muro, e Blomkvist lançou um olhar vazio para o colchão apoiado contra a parede.

"Devo me preocupar?", perguntou.

"Acho que sim", ela respondeu com uma risadinha, e claro que esse não era o tipo de resposta que Blomkvist tinha esperado ouvir.

De qualquer forma, serviu para quebrar o gelo. Ele também riu e perguntou se podia ajudar. Salander voltou a ficar calada, mas em seguida respondeu "Talvez", para a surpresa do jornalista. Lisbeth Salander só pedia ajuda quando absolutamente necessário.

"Que bom. Estou disposto a fazer qualquer coisa — ou quase", ele disse.

"Quase?"

Ela deu outra risadinha.

"Se possível eu gostaria de evitar qualquer tipo de crime", ele disse. "Seria uma pena nós dois terminarmos aqui dentro."

"Você teria que se contentar com um presídio masculino, Mikael."

"Se não abrirem uma exceção para mim por causa do meu charme... Do que se trata?"

"Eu ando às voltas com umas listas antigas de nomes", disse Salander, "mas tem uma coisa que não fecha. Por exemplo, há o nome de um cara chamado Leo Mannheimer."

"Leo Mannheimer", repetiu Blomkvist.

"Isso mesmo. Ele tem trinta e seis anos. Você vai achá-lo logo na internet."

"Tudo bem. Já é um começo. E o que eu devo procurar?"

Lisbeth correu os olhos pela sala, depois voltou a encarar Mikael com um olhar ausente.

"Para dizer a verdade, eu não sei."

"Mesmo?"

"De modo geral, sim."

"De modo geral?"

Blomkvist sentiu um princípio de irritação. Depois prosseguiu:

"Tudo bem, você não sabe e quer que eu pesquise. Esse sujeito fez alguma coisa especial? Ou simplesmente te parece suspeito?"

"Com certeza você conhece a corretora de valores onde ele trabalha. Mas não faria mal nenhum começar essa pesquisa sem outros detalhes."

"Pare com isso", ele pediu. "Você precisa me dar um pouco mais. Que listas são essas que você mencionou?"

"Listas de nomes."

A resposta lhe pareceu tão enigmática e idiota que por um instante Blomkvist achou que Salander estivesse brincando e que a qualquer momento os dois voltariam a conversar sobre isto e aquilo, como haviam feito na sexta-feira anterior. No entanto, Lisbeth se levantou, chamou o guarda e disse que gostaria de voltar ao pavilhão.

"Você está de brincadeira", disse Blomkvist.

"Não", Salander respondeu, e Blomkvist teve vontade de retrucar e protestar, falar das horas de trem que ele enfrentava para ir até lá e que não seria difícil encontrar distrações bem melhores do que aquela para uma tarde de sexta-feira.

Mas chegou à conclusão de que não ia adiantar. Então se levantou, abraçou-a e, com uma autoridade quase paternal, pediu que ela se cuidasse. Salander respondeu "pode ser" de maneira aparentemente irônica, ainda que desse a impressão de estar distraída com outros pensamentos.

Blomkvist viu-a ser escoltada pelo chefe de segurança e não gostou nem um pouco do jeito determinado e silencioso de Lisbeth. Contrariado, deixou-se acompanhar na direção contrária, até as barreiras de segurança, onde voltou a abrir o armário, pegou seu celular e as chaves. Decidiu ir de táxi até a estação de Örebro. No trem, ficou lendo um romance policial de Peter May. Como em protesto, demorou para iniciar a pesquisa sobre Leo Mannheimer.

Alvar Olsen ficou aliviado ao saber que a visita de Mikael Blomkvist tinha sido breve. Temera que Lisbeth sugerisse ao jornalista uma história sobre Benito e o pavilhão de segurança, mas não teria havido tempo suficiente para isso, o que era bom. Mas também não havia motivos para comemoração.

Alvar tinha se esforçado para conseguir que Benito fosse transferida do pavilhão, porém seu empenho não resultara em nada. E era desanimador saber que muitos de seus colegas a protegiam e trabalhavam para que essas medidas não fossem implementadas.

Aquela loucura, portanto, iria continuar; enquanto isso, a atitude de Lisbeth Salander era passiva, ela se limitava a observar e a tomar notas. Mas a impressão de Alvar é que ela fazia uma contagem regressiva. Salander havia lhe dado um prazo de cinco dias para ele tomar providências que garantissem a proteção de Faria Kazi, senão, de acordo com a ameaça que fizera, ela mesma interviria. Os cinco dias já haviam se passado sem que Alvar tivesse conseguido agir. A atmosfera no pavilhão tornava-se mais tensa e inquietante. Algo terrível pairava no ar.

Benito parecia se preparar para uma guerra. Tramava novas alianças e recebia muitas visitas, o que também significava acesso a um volume grande de informações; acima de tudo dava a impressão de querer aumentar seu assédio e violência contra Faria Kazi. Verdade que Lisbeth Salander sempre estava por perto, o que podia ser um bom sinal, pois era uma forma de ajuda. Mas Benito logo tratou de dar um jeito nisso. Aproximou-se de Lisbeth fazendo ameaças por entre os dentes, e certa vez, na academia, Alvar ouviu-a dizer a Lisbeth: "A Kazi é *minha* vadia. Sou eu e mais ninguém que vai fazer aquela puta encardida andar na linha!".

Salander havia cerrado os dentes e olhado para o chão. Alvar não soube se essa atitude tinha relação com o prazo dado ou se Lisbeth de fato sentira-se impotente. Inclinava-se a acreditar na segunda hipótese. Por mais durona que ela fosse, dificilmente poderia enfrentar Benito, uma pessoa cruel que cumpria pena de prisão perpétua, não tinha nada a perder e contava com a proteção das gorilas Tine e Greta e também de Josefin. Nos últimos tempos Alvar andava preocupado com a possibilidade de um dia ver uma lâmina de aço brilhar na mão dela.

Costumava acompanhar o serviço dos agentes que operavam o detector de metais e volta e meia ordenava revistas na cela de Benito. Mesmo assim, temia não ser o suficiente. O tempo inteiro pensava ver Benito e suas parceiras tramando alguma coisa. Podiam ser drogas e objetos reluzentes ou apenas a imaginação dele. Alvar vivia pisando em ovos e ainda havia a agravante da ameaça contra Salander. Toda vez que o alarme soava ou que uma mensagem chegava pelos rádios de comunicação, Alvar temia receber notícias de que alguma coisa havia acontecido com Lisbeth. Tentara convencê-la a ir para o confinamento solitário, mas ela se recusou, e ele não teve a força necessária para contrariá-la. Alvar não tinha a força necessária para nada.

Vivia atormentado pela culpa e pela inquietação, o tempo todo olhando, preocupado, ao seu redor. Além do mais, trabalhava como um obcecado, o que deixava Vilda triste, afetando o relacionamento dela com a tia e os vizinhos. Alvar estava encharcado de suor naquele pavilhão insuportavelmente abafado. O péssimo sistema de ventilação fazia com que ele se sentisse mentalmente exausto, e de tempos em tempos ele olhava o relógio na esperança de que o diretor Rikard Fager telefonasse para confirmar a transferência de Benito. Mas o telefonema não vinha, embora pela primeira vez Alvar tivesse abordado o assunto com o diretor da penitenciária sem nenhum tipo de censura. Ou Rikard Fager era ainda mais idiota do que parecia, ou também corrupto. Não havia como saber. O telefone continuava mudo.

Quando na noite de sexta-feira as portas das celas foram trancadas, Alvar entrou em seu escritório para organizar os pensamentos. Mas ele havia perdido a paz. Passado algum tempo, Lisbeth Salander acionou o interfone e pediu para usar o computador de novo. Ele foi buscá-la na cela e, mais uma vez, frustrou-se ao tentar obter alguma informação e entender o que a garota fazia. O olhar de Salander era negro.

Alvar novamente chegou em casa muito tarde e, mais do que nunca, sentindo a iminência de uma catástrofe.

No sábado de manhã, na Bellmansgatan, Mikael leu, como de costume, a edição impressa do *Dagens Nyheter* e, no iPad, o *Guardian*, o *New York Times*, o *Washington Post* e a *New Yorker*. Tomou um cappuccino, um *espresso*, comeu iogurte com granola, algumas fatias de pão com patê de fígado e queijo, e deixou o tempo passar, como tinha o hábito de fazer quando ele e Erika revisavam a *Millennium*.

Apenas uma ou duas horas depois, foi sentar-se em frente ao computador para pesquisar Leo Mannheimer. Seu nome aparecia de vez em quando nas páginas de negócios. Era doutor em economia pela Handelshögskolan, em Estocolmo, e sócio e analista-chefe da corretora de valores Alfred Ögren, empresa sobre a qual Mikael — exatamente como Lisbeth tinha deduzido — sabia um bocado.

Era uma das mais renomadas administradoras de grandes fortunas, mesmo que o estilo exagerado e espalhafatoso de seu diretor executivo, Ivar Ögren, não estivesse tão em sintonia com o perfil sóbrio e discreto da empresa. Leo Mannheimer, por outro lado, era delicado e elegante, de olhos azuis atentos, cabelo encaracolado e lábios grossos levemente femininos. Era rico, claro, mas não exatamente um peixe grande. De acordo com sua última declaração de renda, possuía uma fortuna de oitenta e três milhões de coroas, o que não era nada mau, embora fosse pouco comparado a outros milionários. O mais curioso — pelo menos numa análise superficial — vinha de uma reportagem do *Dagens Nyheter*, publicada anos antes, na qual se discutia o Q.I. elevado de Mannheimer. A avaliação tinha sido feita quando ele era menino, e na época havia chamado a atenção, segundo a matéria. Mas o próprio Mannheimer tratara de diminuir a importância desse achado.

"Q.I. não significa nada", ele havia declarado numa entrevista. "Göring também tinha Q.I. elevado; isso não impede que você seja um idiota." Em seguida, falou sobre a importância da empatia, da solidariedade e de outros atributos que os testes de inteligência não mediam, e afirmou que era indigno e quase desonesto atribuir um número às qualidades de uma pessoa.

O sujeito não parecia um canalha. Como muitas vezes os canalhas eram especialistas em se passar por verdadeiros santos, Mikael não se deixou impressionar pelas somas vultosas que Leo Mannheimer havia doado para obras de caridade nem por seu jeito humilde e carismático.

Imaginou que Lisbeth tivesse mencionado o nome dele por outros motivos que não aquele aparente modelo de humanidade. Porém continuava sem entender. Seria uma busca sem pistas, e nesse caso julgamentos precipitados não serviriam nem para o bem nem para o mal. Por que ela tinha lhe parecido tão desanimada? Mikael contemplou o lago de Riddarfjärden e deixou os pensamentos vagar. Enfim havia parado de chover. O céu estava aberto e a manhã prometia ser fabulosa. Pensou se não deveria sair, passear pela cidade e beber outro cappuccino no Kaffebar enquanto lia seu romance policial e tirava Leo Mannheimer da cabeça pelo menos no fim de semana. O sábado, depois da leitura dos jornais, era o ponto alto da sua semana, na verdade o único dia em que se permitia não fazer nada. Por outro lado, ele havia prometido a Lisbeth, então não podia se render à preguiça.

Lisbeth não tinha apenas conseguido para Mikael o furo da década e permitido que com isso a *Millennium* recuperasse seu prestígio; tinha também salvado a vida de um garoto e denunciado uma conspiração internacional. Para Mikael não havia dúvida: o procurador Richard Ekström e os juízes da corte eram uns idiotas. Enquanto Mikael readquiria sua fama e recebia homenagens, a verdadeira heroína estava trancafiada no xadrez. Ele precisava continuar as pesquisas sobre Leo Mannheimer, como Salander havia pedido.

Mikael não encontrou nada de promissor sobre Leo, embora logo tenha descoberto algo em comum entre eles: os dois haviam tentado desvendar a verdade sobre o ataque hacker contra a Finance Security em Bruxelas. De uma forma ou de outra, metade dos jornalistas suecos e todo o mercado financeiro também tinham se envolvido no caso, portanto a semelhança entre eles não era exatamente notável. Mesmo assim podia ser um começo. E talvez Leo Mannheimer tivesse novos insights ou novas informações sobre o ataque.

Na época ele tinha falado com Lisbeth sobre o ocorrido, quando ela estava em Gibraltar cuidando das aplicações financeiras. Fora em abril, no dia 9, pouco antes de ir para a prisão, e ela parecia estranhamente alheia, como se estivesse pensando em outras coisas. Mikael achou que talvez ela quisesse passar seus últimos dias de liberdade afastada do noticiário, mesmo que a notícia fosse sobre hackers. Mas seria razoável esperar que ela demonstrasse algum interesse pelo assunto; talvez — Mikael não excluiu a possibilidade — Lisbeth tivesse informações sobre o ataque. Ele estava na redação da Götgatan no dia em que sua colega Sofie Melker chegou contando que os bancos estavam tendo problemas com suas páginas na internet. Mikael não dava a mínima para uma notícia dessa.

A Bolsa não reagia, e logo ele percebeu que as negociações estavam em níveis baixos. Não muito tempo depois, elas pararam de vez, e milhares de investidores já não conseguiam acessar suas aplicações pela internet. Simplesmente não existiam mais fortunas nem investimentos em papéis. Várias notas de esclarecimento foram publicadas na imprensa:

Tratava-se apenas de uma falha técnica. Tudo em breve voltaria ao normal. A situação estava sob controle.

Apesar disso, a preocupação aumentou. A cotação da coroa caiu, e de repente, como uma onda, um tsunami, o mercado foi invadido por uma enchente de boatos sobre os danos ao sistema serem tão grandes que seria impossível recuperar a titularidade dos papéis. Havia o risco de que fortunas consideráveis tivessem simplesmente desaparecido, e não aliviava saber que diversas autoridades classificavam tais teorias como absurdas. Os mercados financeiros despencaram. Todo o comércio de ações foi interrompido, gritos começaram a ser ouvidos ao telefone, os servidores de e-mails entraram em colapso. O Banco Nacional da Suécia recebeu uma ameaça de bomba. Janelas foram quebradas. O financista Carl af Trolle chutou uma escultura de bronze com tanta força que fraturou o pé direito.

A longa série de incidentes indicava que tudo poderia naufragar de um instante para o outro. No entanto, logo depois, tudo acabou. As aplicações financeiras reapareceram em suas páginas na internet e a presidente do Banco Nacional, Lena Duncker, declarou que não havia o que temer. Do ponto de vista objetivo, era verdade. Mas a parte objetiva da história — ou seja, a segurança de TI — não era a mais interessante. A mais interessante era a parte do desespero e do pânico. O que os tinha causado?

Não houve dúvida de que a antiga Central de Papéis de Valor — onde se registravam as aplicações de capital dos suecos e que fora vendida para a belga Finance Security — tinha sofrido um ataque, o que por si só demonstrava a fragilidade do sistema financeiro sueco. Mas não foi tudo.

Uma série de boatos também começou a correr, todo um carrossel de suposições, exortações e mentiras choveu nas redes sociais, o que levou Mikael, no mesmo dia, a exclamar: "Mas será que o diabo está querendo provocar uma avalanche na Bolsa?".

Nos dias e semanas que se seguiram, Mikael conseguiu reunir elementos que corroboraram, em parte, a teoria que havia formulado. Mas, assim como os outros, não obteve sucesso ao seguir adiante com suas pistas; não foram apontados suspeitos, e ele acabou deixando a história de lado. O país inteiro fez o mesmo. A Bolsa se recuperou, e a prosperidade voltou a florescer. O *bull market* ressurgiu, e Mikael encontrou assuntos mais urgentes sobre os quais escrever — a catástrofe dos imigrantes, os ataques terroristas em solo europeu, o crescimento do populismo e do fascismo na Europa e nos Estados Unidos. Só que agora...

Mikael visualizou o rosto e a expressão sombria de Lisbeth na sala de visitas da prisão, pensou em Camilla, a irmã dela, e em sua gangue de hackers e criminosos, na ameaça feita a Lisbeth, e tudo isso o estimulou a prosseguir em sua busca. O passo seguinte foi ler um ensaio que Leo Mannheimer havia escrito para a revista *Fokus*. Do ponto de vista jornalístico, Mikael não se impressionou. Estava claro que Mannheimer não possuía informações novas a oferecer. Do ponto de vista psicológico, porém, certos trechos do artigo apresentavam um retrato interessante do histórico de negociações. Mikael descobriu também que Mannheimer era autor de uma série de palestras sobre o assunto, intitulada "A inquietação secreta do mercado". No dia seguinte, domingo, Mannheimer iria falar sobre isso num evento organizado por investidores no Stadsgårdskajen.

Por um ou dois minutos, Mikael dedicou-se a analisar as fotografias de Mannheimer que ia encontrando na internet, na tentativa de ir além da primeira impressão. Mais do que um homem bonito de fisionomia marcante, Mikael também captou nos olhos dele uma expressão melancólica que nem mesmo a foto estilizada na página da empresa conseguia ocultar. As declarações de Mannheimer jamais transmitiam convicções fechadas, não faziam o estilo imperativo "Compre, venda, aja agora!". Nelas pairava sempre alguma dúvida, alguma hesitação. Tudo nele indicava uma personalidade analítica e musical; Mannheimer gostava de jazz, em especial daquilo que antigamente chamavam de hot jazz.

Tinha trinta e seis anos e era o filho único de uma família rica de Nockeby, a oeste de Estocolmo. Herman, seu pai, teve o filho com trinta e cinco anos, quando comandava o conglomerado industrial Rosvik. Mais tarde tornou-se presidente e sócio da corretora de valores Alfred Ögren, com quarenta por cento de participação.

Viveka, sua mãe, nascida na família Hamilton, era dona de casa, havia trabalhado na Cruz Vermelha e dedicara a vida ao filho e aos talentos dele. Em suas poucas entrevistas, transmitia a impressão de certo elitismo. No artigo que o *Dagens Nytheter* publicara sobre o Q.I. elevado de Leo Mannheimer, ele dava a entender que a mãe costumava treiná-lo às escondidas.

"Eu estava injustamente bem preparado para aqueles testes", disse. Depois contou que no primeiro ano de escola tinha sido um aluno problemático, o que, segundo o repórter, era típico em crianças de elevada capacidade mental e subestimuladas.

Leo Mannheimer procurava minimizar tudo de bom e de lisonjeiro que diziam a seu respeito, o que também podia ser interpretado como falsa modéstia. Mikael teve a impressão de perceber certo peso, certa inquietação naquele homem, como se Leo acreditasse não haver correspondido às expectativas da infância, ainda que aparentemente não existisse motivo para vergonha. Leo concluíra um doutorado sobre a chamada bolha de TI de 1999 e, como o pai, havia se tornado acionista da corretora Alfred Ögren. E nunca tinha chamado atenção por excessos cometidos ou suspeitas de qualquer tipo — pelo menos Mikael não encontrou nada. Sua fortuna parecia, em boa parte, ter sido herdada.

O mais notável — se Mikael estivesse atrás de um mistério — era que em janeiro do ano anterior Leo havia tirado seis meses de férias para "viajar". Depois, de volta ao trabalho, tinha começado a dar palestras e, de vez em quando, a aparecer na TV — não como um analista financeiro tradicional, mas na condição de filósofo, de um cético à moda antiga, avesso a discorrer sobre assuntos tão incertos quanto o futuro. Em sua última aparição no canal on-line do *Dagens Industri*, ele havia dito sobre a alta da Bolsa de Valores em maio: "A Bolsa de Valores funciona mais ou menos como alguém que acabou de superar uma depressão. Tudo que antes era doloroso de repente parece ter ficado longe. Só posso desejar boa sorte ao mercado".

O sarcasmo era evidente, como se ele achasse que a Bolsa de Balores precisava de toda a sorte possível. Por algum motivo, Mikael assistiu ao vídeo duas vezes. Será que havia alguma coisa de interessante para descobrir ali? Ele achava que sim. Não era apenas a maneira poética e antropomórfica de Leo se expressar; eram os olhos. Os olhos dele brilhavam de tristeza e desprezo, como se no fundo Leo estivesse meditando sobre assuntos muito diferentes. Podia ser por causa de sua inteligência, da capacidade de pensar em diversas coisas ao mesmo tempo, mas aquilo também fazia Blomkvist se lembrar de um ator tentando sair de seu papel à força.

Ainda assim, Leo Mannheimer não tinha se transformado num personagem interessante aos olhos de Mikael; continuava apenas um personagem vivo. No entanto, Mikael mandou para o inferno seus planos de relaxar e aproveitar o verão, ainda que fosse somente para mostrar a Lisbeth que não ia desistir tão fácil. De novo na frente do computador, começou a navegar pela internet como uma alma penada. Depois foi organizar seus livros e arrumar a cozinha. O assunto Leo Mannheimer, porém, não o deixava em paz. À uma da tarde, foi ao banheiro fazer a barba e, meio a contragosto, aproveitou para se pesar, um hábito recém-adquirido. De repente exclamou:

"Poxa vida! Malin!"

Como não tinha se lembrado antes? Só então entendeu por que o nome da corretora de valores Alfred Ögren lhe parecera tão familiar. Era onde Malin havia trabalhado. Malin, sua ex-amante, que agora chefiava o setor de imprensa do Ministério das Relações Exteriores. Uma feminista ardorosa — aliás, uma pessoa ardorosa em todos os sentidos. Na época em que ela deixara o cargo de diretora de comunicação da Alfred Ögren, Malin e Mikael haviam feito amor e brigado com a mesma intensidade.

Malin tinha pernas longas e olhos escuros lindos, com uma capacidade incrível de enxergar as pessoas por dentro. Mikael ligou para o número dela e só depois se deu conta de que essa decisão também fora influenciada pelo belo dia de verão que fazia lá fora, assim como pela saudade que sentia de Malin, por mais que não quisesse admitir.

Malin Frode não gostava de celulares aos sábados. Queria o aparelho bem silencioso, para ter a chance de respirar um pouco. Mas como seu trabalho exigia que estivesse disponível o tempo todo, o jeito era aceitar a situação e parecer tão profissional e disposta como sempre. Um dia ainda iria explodir.

Ela era mãe solteira, ou quase. Niclas, seu ex-marido, se comportava como um herói, quando aparecia para cuidar do filho num fim de semana. Tinha acabado de levar o menino para dar um passeio e se saído com esta: "Divirta-se, como você costuma fazer!".

Malin tomou como uma indireta à traição dela pouco antes do fim do casamento. Tinha dado um sorriso amarelo, abraçado o filho, Love, de seis anos, e se despedido. Depois ficou furiosa, chutou uma lata no meio da rua e praguejou. Além do mais, o celular estava tocando, sinal de alguma crise no mundo. O mundo vinha passando por crises o tempo todo. Mas não... era melhor do que isso.

Ao ver o nome de Mikael Blomkvist na tela de seu celular, Malin não apenas sentiu alívio, mas também o desejo se espalhar por seu corpo. Olhou para o Djurgården e para o solitário barco a vela que atravessava a baía. Ela tinha acabado de entrar na Strandvägen.

"Que bom que você ligou", ela disse ao atender.
"Não é tão bom assim", respondeu Mikael.
"Pra mim é bom. O que você está fazendo?"
"Trabalhando."
"Ah, e não é isso que você está sempre fazendo? Ganhando a vida com o suor do seu rosto?"
"Infelizmente, é."
"Eu acho melhor quando você está deitado de costas."
"É o que eu também prefiro."
"Então se deite agora."
"Está bem."
Malin esperou um ou dois segundos.
"Já está deitado?"
"Estou."
"Com pouca roupa?"
"Praticamente sem nada."
"Seu mentiroso. A que devo a honra?"
"Pra começar, negócios."
"Que saco!"
"Eu sei", ele disse. "Mas não consigo parar de pensar naquele ataque hacker contra a Finance Security."
"Claro que não. Você nunca consegue parar de pensar nisso ou naquilo, a não ser para dar atenção às mulheres que cruzam seu caminho."
"Às vezes também é difícil parar de pensar nas mulheres."
"Eu acredito, principalmente quando você as usa como informantes. O que posso fazer por você?"
"Vi que um ex-colega seu também está analisando a invasão."
"Quem?"
"Leo Mannheimer."
"O Leo", ela repetiu.
"Como ele é?"
"Um cara bonitão — e bem diferente de você de outras formas também."

"Que sorte a dele."
"Põe sorte nisso."
"De que outras formas ele é diferente de mim?"
"O Leo é..."
Malin se deixou embalar por seus pensamentos.
"É o quê?"
"Pra começar, ele não é um sanguessuga, que vive correndo atrás de informações e de canalhas. O Leo é um pensador, um filósofo."
"Nós, os sanguessugas, sempre fomos criaturas muito simples."
"Não estou falando de você, Mikael. E você sabe", disse Malin. "Você faz mais o tipo caubói. Não tem tempo para ficar por aí todo contemplativo, como o bom e velho Hamlet."
"Então Leo Mannheimer é um Hamlet!"
"Ele não devia ter se metido no mercado financeiro."
"E devia ter se metido no quê, então?"
"Ele devia ter se envolvido com a música. Ele toca piano divinamente. Tem ouvido absoluto e um talento incrível. E nenhum apego exagerado a dinheiro."
"Não é uma característica muito desejável para quem trabalha no mercado financeiro."
"Não mesmo. Parece que ele foi mimado demais quando criança. Não sente a fome que esse tipo de atividade exige. Mas por que você está interessado nele?"
"Ele fez comentários interessantes sobre o ataque hacker."
"Pode ser. Mas você não vai encontrar nada de podre na vida dele, se é o que está procurando."
"Por que está dizendo isso?"
"Porque o meu trabalho era justamente ficar de olho nessa gente, e pra ser bem sincera..."
"O quê?"
"... acho que o Leo nem tem competência para ser desonesto. Em vez de ficar mexendo com dinheiro ou fazendo coisas estúpidas desse tipo, ele fica em casa se deprimindo e tocando seu piano de cauda."
"Então por que ele está nesse ramo?"
"Por causa do pai."

"O pai dele era um peixe grande."

"Sem dúvida. E também o melhor amigo do velho Alfred Ögren e um idiota de um vaidoso. Decidiu que o Leo ia ser um gênio do mercado financeiro, que assumiria a parte dele na empresa e depois ocuparia um cargo poderoso na economia sueca. E o Leo... como posso dizer..."

"Eu é que não sei."

"Ele é meio fraco. Se deixou convencer, e até que não fez um trabalho ruim; ele nunca faz nada malfeito. Mas talvez não tenha sido brilhante, ou pelo menos não tão brilhante como poderia ter sido. O Leo não tem o impulso nem a fome voraz que um homem de negócios precisa ter. Uma vez ele me disse que sentia como se uma coisa importante tivesse sido tirada dele. Enfim, ele tem uma cicatriz."

"Que cicatriz?"

"Uma merda qualquer da infância. Não cheguei a conhecer o Leo o suficiente para entender direito o que aconteceu, mesmo que por algum tempo..."

"O quê?"

"Nada, apenas uma bobagem, uma brincadeira, acho."

Mikael achou melhor não pedir detalhes.

"Ele andou viajando, pelo que li", ele disse.

"Depois que a mãe morreu."

"Como ela morreu?"

"Câncer no pâncreas."

"Não deve ter sido fácil."

"Mesmo assim, acho que foi bom pra ele."

"Por quê?"

"Porque os pais viviam em cima dele e acabaram envenenando a sua vida. Achei que ele ia aproveitar pra dar adeus ao mundo das finanças e se dedicar ao piano ou a qualquer outra coisa. Um pouco antes de eu sair da Alfred Ögren, o Leo assumiu as rédeas da própria vida, sabe? Nunca entendi direito o que aconteceu, mas ele passou um tempo bem animado. Só que depois..."

"O que houve?"

"Ele ficou mais desanimado do que nunca. Era de partir o coração."

"A mãe dele ainda estava viva?"

"Estava, mas não viveu por muito mais tempo."

"E pra onde ele viajou depois?"

"Não sei. Eu não parava na empresa. Mas achei que a viagem seria o início de um processo de libertação."

"Mesmo assim ele acabou voltando para a Alfred Ögren."

"Ele não teve coragem de se libertar."

"E agora virou palestrante."

"Talvez seja um passo na direção certa", ela disse. "Mas qual é o seu interesse nisso tudo?"

"Ele notou alguns padrões psicológicos no ataque hacker. Comparou o ataque de Bruxelas a outras campanhas de desinformação."

"Campanhas russas, por acaso?"

"Ele acha que essas ações são uma espécie de guerra. Admito que é uma ideia interessante."

"A mentira como arma."

"A mentira como forma de instalar o caos e a confusão. A mentira como alternativa à violência."

"Não ficou confirmado que o ataque hacker tinha vindo da Rússia?", perguntou Malin.

"Ficou, mas ninguém sabe quem, na Rússia, está por trás do que aconteceu, e o pessoal do Kremlin nega tudo, claro."

"Você acha que é coisa daquela sua velha gangue, os Spiders?"

"Me ocorreu que pode ser."

"Acho difícil que o Leo possa ajudar você nesse assunto."

"Pode ser, mesmo assim eu gostaria de…"

De repente Blomkvist deu a impressão de ter perdido o foco.

"… de me convidar para um drinque?", Malin completou. "De me fazer mil agrados e elogios e de me comprar um monte de presentes caros? De me levar pra Paris?"

"Hein?"

"Paris. Uma cidade da Europa. Dizem que há uma torre bem famosa lá."

"O Leo vai dar uma palestra amanhã no Fotografiska", Mikael prosseguiu, como se não tivesse ouvido. "Você não quer aparecer lá? De repente a gente descobre alguma coisa."

"De repente a gente descobre alguma coisa? Caramba, Mikael! É isso que você tem para oferecer a uma mulher necessitada?"

"Por enquanto, é", ele disse, soando distante outra vez, o que deixou Malin mais chateada ainda.

"Blomkvist, você é um cretino!", ela bufou, desligando o celular em plena rua, tomada pela fúria que, de uma forma ou de outra, fazia parte de seu relacionamento com Mikael.

Mas logo se acalmou, não por causa dele, mas de uma lembrança que aos poucos subiu à superfície. De repente Malin visualizou Leo escrevendo num papel pardo no escritório da Alfred Ögren tarde da noite. A cena parecia transmitir uma mensagem que se espalhava como neblina sobre a Strandvägen. Por algum tempo, Malin continuou de pé na calçada, pensativa. Depois seguiu em direção ao Dramaten e ao Berns, amaldiçoando ex-parceiros, ex-amantes e demais representantes do gênero masculino.

Mikael se deu conta de que havia azedado a conversa e pensou se não deveria ligar de novo para Malin, pedir desculpa e talvez convidá-la para jantar. Mas acabou não fazendo isso. Mil e um pensamentos ocuparam sua cabeça e, em vez de telefonar para Malin, ligou para Annika Giannini, que não apenas era sua irmã como também advogada de Lisbeth. Talvez ela soubesse o que Lisbeth estava procurando. Com certeza ninguém mais do que Annika levava o sigilo profissional a sério, porém ela tendia a se mostrar mais aberta se fosse para favorecer seus clientes.

Annika não atendeu. Meia hora depois ela ligou para Mikael e concordou que de fato Lisbeth estava mudada, talvez por causa da situação no pavilhão de segurança. Lisbeth tinha se inteirado melhor das condições de lá e concluído que o lugar podia ser tudo, menos seguro. Annika, então, havia insistido em que deveriam tentar uma transferência, mas Lisbeth negou-se a aceitar. Precisava fazer umas coisas, explicou. Além do mais, ponderou que o lugar não representava perigo para ela, e sim para as outras internas, em especial para uma jovem chamada Faria Kazi, que fora constantemente sujeita a violências em casa e que no momento sofria com o mesmo problema na prisão.

"É um caso interessante", disse Annika. "Lisbeth me pediu que eu defenda Faria e estou pensando em fazer isso. Nós dois podemos muito bem nos interessar por essa história, Mikael."

"Como assim?"

"Você pode conseguir um bom furo, e eu talvez um pouco de ajuda para a minha pesquisa. Parece que alguma coisa não fecha muito bem nessa história."

Mikael não deu continuidade ao assunto. Em vez disso, perguntou:

"Você conseguiu mais informações sobre a ameaça que fizeram à Lisbeth?"

"Para dizer a verdade, não. Apenas que as fontes estão deixando muita gente preocupada e que o tempo inteiro só se fala na irmã dela, nos gângsteres russos e no Svavelsjö MC."

"E o que você está fazendo a respeito?"

"Tudo que eu posso, Mikael. O que você acha? Pedi que os funcionários da prisão a vigiem mais de perto, mas, pelo menos agora, não acho que estejamos numa situação de emergência. Outra coisa pode ter influenciado o humor dela."

"O quê?"

"O velho Holger foi vê-la."

"Você está falando sério?"

"Claro que estou, e o deslocamento dele foi um drama. Mas ele insistiu em ir. Acho que era importante para ele."

"Nem imagino como ele conseguiu chegar a Flodberga."

"Eu o ajudei com os procedimentos burocráticos e Lisbeth pagou o transporte de ida e volta. Havia uma enfermeira no carro, e ele foi conduzido na cadeira de rodas para dentro do complexo penitenciário."

"Ela se emocionou com a visita?"

"Você sabe que a Lisbeth não se emociona fácil. Mas o Holger é muito próximo dela, você sabe tão bem quanto eu."

"Será que o Holger falou alguma coisa que possa ter despertado um interesse nela?"

"O quê, por exemplo?"

"Talvez algum detalhe sobre o passado. Ninguém conhece a vida de Lisbeth tão bem quanto ele."

"Ela não mencionou nada. No momento, a única coisa que parece despertar o interesse dela é essa garota Kazi."

"Você conhece um homem chamado Leo Mannheimer?"

"O nome me é familiar. Por quê?"

"Eu só queria saber."
"Foi Lisbeth quem falou dele para você?"
"Depois eu te conto."
"Tudo bem. Se você quiser saber o que o Holger disse para ela, o melhor é falar direto com ele. Acho que a Lisbeth gostaria de saber que você está dando um pouco de atenção a ele."
"Pode deixar", disse Mikael.
Assim que os dois se despediram e encerraram a ligação, Blomkvist telefonou para Holger Palmgren. A linha estava ocupada, e continuou ocupada por um tempo absurdo; depois chamava e ninguém atendia. Mikael pensou em pegar o carro imediatamente e ir até Liljeholmen, mas depois levou em conta a saúde de Holger — ele estava velho, doente, sentia dores fortes, precisava de repouso. Mikael resolveu esperar e continuar investigando a família Mannheimer e Alfred Ögren. Encontrou um bocado de coisas.
Ele sempre encontrava um bocado de coisas quando cavava fundo, só que, no caso, nada era particularmente relevante nem ligado a Lisbeth ou ao ataque hacker. Por fim, Blomkvist resolveu mudar de estratégia, pensando em Holger e nas informações que o velho possuía sobre a infância de Lisbeth. Para Mikael não parecia impossível que Leo Mannheimer pertencesse ao passado da garota; afinal, ela tinha mencionado listas antigas de nomes. Assim, ele se dispôs a voltar no tempo, até onde a internet e os bancos de dados permitissem. Uma reportagem no *Upsala Nya Tidning* chamou sua atenção: por um curto período de tempo a notícia circulara bastante depois que, no mesmo dia, a Agência Sueca de Notícias despachou um telegrama baseado no artigo. Mas, pelo que se via, o caso depois não voltou à imprensa, talvez por consideração aos envolvidos e ao clima pacífico que reinava entre a mídia e, sobretudo, as camadas mais altas da sociedade.

O episódio havia ocorrido numa caçada ao alce em Östhammar vinte e cinco anos antes. A equipe de caça da Alfred Ögren, encabeçada por Herman, pai de Leo, tinha se embrenhado na floresta depois de um almoço demorado. Os homens deviam ter bebido dois ou três copos antes de partir, mas as informações da reportagem eram escassas para que se pudesse afirmar isso com certeza. O dia estava ensolarado e, por motivos diversos, o grupo se dispersou. Quando dois alces foram avistados em meio às árvores, o clima ficou tenso. Tiros foram disparados. Mais tarde um homem chamado Per

Fält, chefe de finanças do conglomerado industrial Rosvik, afirmou em seu depoimento à polícia ter se atrapalhado com a direção e estar nervoso por causa dos movimentos rápidos do animal. Quando atirou, no mesmo instante ouviu um grito e um pedido de socorro. Um jovem psicólogo chamado Carl Seger, que também participava da caçada, fora atingido no estômago, logo abaixo do peito. Pouco depois, faleceu às margens de um córrego.

No inquérito policial, nada havia que apontasse para outra conclusão que não a de um trágico acidente e tampouco nenhum elemento que sugerisse o envolvimento de Alfred Ögren e de Herman Mannheimer. Mesmo assim, Mikael não conseguiu tirar aquela notícia da cabeça, principalmente ao descobrir que o atirador, Per Fält, tinha morrido um ano depois, sem deixar mulher nem filhos. Em um obituário pouco esclarecedor, que o descrevia como um "amigo leal" e funcionário dedicado do conglomerado Rosvik.

Mikael olhou para a rua e se perdeu em pensamentos. Acima de Riddarfjärden, o céu ficava cada vez mais escuro. Uma mudança de tempo estava a caminho, e de novo ela começaria com aquela maldita chuva. Blomkvist endireitou as costas e massageou os ombros. Será que o psicólogo atingido tinha algum tipo de relação com Leo Mannheimer?

Não havia como saber. Podia ser apenas uma história paralela, mais uma tragédia estúpida. Ainda assim, Mikael procurou obter mais informações sobre o psicólogo. Não encontrou muita coisa. Carl Seger tinha acabado de ficar noivo quando morreu, com trinta e dois anos. Um ano antes, havia concluído um doutorado na Universidade de Estocolmo, com um trabalho sobre a influência da audição na autopercepção — "Um estudo empírico", dizia o título.

A tese não estava disponível na internet, e, qualquer que tenha sido sua conclusão, o estudo não foi levado adiante, embora houvesse breves menções ao assunto em outros ensaios assinados por Carl Seger que Mikael encontrou no Google Scholar. Num deles, o psicólogo descrevia um experimento clássico que havia demonstrado como as pessoas identificam mais depressa uma fotografia de si mesmas, em meio a centenas de outras, se ela estiver embelezada. Nós nos reconhecemos mais depressa quando nos vemos como pessoas mais bonitas do que na realidade somos, o que provavelmente representa uma herança evolutiva. Essa supervalorização mostra-se vantajosa na busca de um parceiro sexual e também na busca de liderança, embora traga consigo um perigo: "A confiança exagerada em nossas capacidades nos expõe a riscos e prejudica nosso desenvolvimento. A dúvida sobre nossas capacidades desempenha um papel decisivo em nosso amadurecimento mental", escrevera Seger, embora esse não fosse um pensamento muito original nem revolucionário. Mas pelo menos era interessante notar que ele citava estudos sobre a influência da autoconfiança no desenvolvimento infantil.

Mikael se levantou e foi arrumar a bancada da cozinha e a mesa da sala de jantar. Resolveu que no dia seguinte iria assistir à palestra de Leo Mannheimer no museu Fotografiska. Estava decidido a ir até o fim daquela história e abandonar seus planos de relaxar um pouco. Mas não teve tempo para pensar sobre o assunto, pois a campainha tocou, o que não o agradou nem um pouco. Blomkvist achava que as pessoas deviam telefonar antes de aparecer. Mesmo assim, foi abrir a porta para o que mais tarde ele descreveria como um ataque.

5. 18 DE JUNHO

Faria Kazi estava sentada em sua cama na cela, com os braços em volta das pernas encolhidas. Com vinte anos, a imagem que tinha de si mesma era a de uma sombra pálida e definhante. Mas eram poucos os que a conheciam e não se encantavam. Tinha sido assim desde que viera de Daca, em Bangladesh, para a Suécia, aos quatro anos.

Faria havia crescido num conjunto residencial de Vallholmen, subúrbio de Estocolmo, com seus quatro irmãos — um mais novo do que ela e três mais velhos. Karim, o pai, logo abriu várias lavanderias e começou a ganhar bem. Mais tarde comprou um apartamento com janelas grandes, de uma cooperativa em Sickla. Faria teve uma infância tranquila, sem sobressaltos.

Ela jogava basquete, adorava costurar e desenhar mangás, e era uma aluna dedicada, em especial nas aulas de idiomas. No decorrer da adolescência, aos poucos foi perdendo a liberdade, mudança causada por sua primeira menstruação e pelos assobios que começou a receber no quarteirão onde morava. Mesmo assim, estava convencida de que sua transformação vinha de fora, como um vento frio soprando do oeste. A situação piorou quando Aisha, sua mãe, faleceu vítima de um derrame. Com a morte dela, a família de Faria perdeu não apenas a mãe, uma força serena, mas também um olhar para o mundo lá fora.

Na prisão, Faria se lembrou da tarde em que Hassan Ferdousi, o imã de Botkyrka, fez uma visita surpresa à família no apartamento de Sickla. Faria adorava o imã e estava com vontade de falar com ele fazia muito tempo. Hassan Ferdousi, porém, não tinha ido lá para esse tipo de conversa.

"Vocês não entenderam o Islã", ela o ouviu dizer na cozinha. "E podem se dar mal se continuarem desse jeito. Muito mal."

Depois dessa tarde, Faria passou a levar a sério a mensagem do imã. Percebeu uma grande severidade nos irmãos mais velhos, Ahmed e Bashir, que pareciam se tornar mais radicais. Foram eles, e não seu pai, que exigiram que ela passasse a usar o *niqab* até mesmo para ir comprar leite no mercado da esquina. De preferência Faria deveria ficar em casa, sem fazer nada. Razan, mais novo que os outros dois, não era tão rígido nem tão engajado. Tinha outros interesses, mesmo que em geral obedecesse a Ahmed e Bashir e passasse a maior parte do tempo trabalhando nas lojas do pai e fazendo serviços de alfaiataria. Apesar disso, não era um amigo, e também estava sempre de olho na irmã.

A despeito de toda essa vigilância, Faria conseguiu abrir algumas janelas de liberdade, recorrendo, quando necessário, a mentiras e invenções. Ainda tinha seu computador, e foi através dele que certa vez ficou sabendo que ninguém menos que Hassan Ferdousi iria debater a opressão religiosa das mulheres com o rabino Goldman na Kulturhuset, em Estocolmo. Ela havia acabado de concluir o segundo grau no colégio de Kungsholmen, era fim de junho, fazia dez dias que Faria não saía de casa, e a intensidade com que ansiava por um passeio parecia capaz de matá-la. Não seria fácil convencer Fatima, sua tia. Fatima era solteira, cartógrafa e a pessoa de sua família com quem Faria tinha menos proximidade. Fatima, porém, entendeu o desespero da sobrinha e disse à família que elas jantariam juntas naquela noite. Os irmãos acreditaram.

Fatima recebeu Faria em seu apartamento, em Tensta, e em seguida deixou-a ir até o centro da cidade — não podia haver transgressão maior do que essa. Faria precisava estar de volta às oito e meia da noite, quando Bashir fosse buscá-la. Até lá, poderia andar livremente pelas ruas de Estocolmo. Faria tinha arranjado um vestido preto e sapato de salto alto. Um exagero, afinal não estava indo a uma festa, e sim a um debate sobre religião e opressão. Mas quis se enfeitar, pois era uma ocasião solene. No entanto, agora não se recordava com clareza do debate. Estivera ocupada demais com sua simples presença naquele lugar, observando as pessoas que compunham a plateia. Por uma ou duas vezes, tinha se emocionado sem motivo. Ao fim do debate, o auditório foi convidado a fazer perguntas, e alguém indagou por que as mulheres precisavam sofrer quando os homens se aferravam às religiões. Hassan Ferdousi deu uma resposta sombria:

"É sempre muito triste quando transformamos a criatura mais elevada que existe em uma ferramenta da nossa própria insignificância."

Faria continuou sentada, pensando nessas palavras, enquanto as pessoas se levantavam. Então um jovem de calça jeans e camiseta branca se aproximou. Estava tão desacostumada a encontrar um rapaz da mesma idade sem *niqab* ou *hijab*, que era como se estivesse sendo despida e violentada. Ela não se moveu, continuou ali sentada, espiando-o pelo canto do olho. Ele devia ter uns vinte e cinco anos e não parecia muito alto nem tão seguro de si. Seus olhos brilhavam. A leveza dos passos dele contrastava com o peso e a seriedade do olhar, conferindo-lhe um aspecto tímido e desengonçado que fez Faria se sentir um pouco mais segura. Ela se dirigiu ao rapaz em bengali.

"Você é de Bangladesh, não é?"

"Como você sabe?", ele perguntou.

"Pressentimento. De onde você é?"

"De Daca."

"Eu também."

O rapaz abriu um sorriso tão caloroso que ela não resistiu e sorriu também. Os olhos dos dois se encontraram.

Em sua cela, Faria sentiu um aperto no peito e pensou que deveriam ter conversado um pouco mais. Lembrou-se de que logo depois os dois foram para o Sergels Torg e se puseram a falar com total liberdade. Antes até de um se apresentar ao outro, o rapaz contou sobre seu blog em Daca, que, por defender a liberdade de expressão e a importância dos direitos humanos, havia sido considerado uma provocação pelos islamistas do país. Jornalistas foram postos em listas negras e começaram a ser assassinados um atrás do outro pelos islamistas, mortos a golpes de machete, sem que a polícia e o governo reagissem. "Não fizeram absolutamente nada", disse o rapaz. Assim, ele e sua família foram obrigados a deixar Bangladesh e a pedir asilo na Suécia.

"Num dos ataques, eu estava lá. Escapei por pouco. O sangue do meu melhor amigo ficou na minha camiseta", ele contou. Faria percebeu no rapaz uma tristeza maior do que a sua e sentiu por ele uma proximidade que não era comum sentir em tão pouco tempo.

O nome dele era Jamal Chowdhury, e os dois apertaram as mãos. Seguiram juntos até o Parlamento, Faria com um nó na garganta. Pela primeira vez em muito tempo, sentia estar vivendo de maneira plena. Mas a sensação não durou muito; de repente ficou preocupada ao imaginar os olhos escuros de Bashir. Quando chegaram à cidade velha de Estocolmo, Gamla Stan, os dois se separaram. Mesmo assim, tinham ficado juntos tempo suficiente. Nos dias e semanas que se seguiram, Faria com frequência se recordava desse encontro como se estivesse entrando num quarto do tesouro.

Era compreensível, portanto, que na prisão ela se agarrasse a essa lembrança, sobretudo à tarde, pouco antes de o trem de carga estrondear e os passos de Benito se aproximarem. Faria teve certeza de que naquele dia seria pior do que nunca.

Alvar Olsen estava sentado em seu escritório, esperando o telefonema do diretor Rikard Fager. O tempo passava, a ligação não vinha e ele começou a praguejar e a pensar em Vilda. Podia ter tirado o dia de folga para ir ver um jogo do campeonato de futebol, em Västerås, com a filha. Havia programado tudo, mas na hora não teve coragem de se afastar do trabalho. Pela quinquagésima quinta vez, telefonou para a tia, sentindo-se o pai mais incompetente do mundo. Mas o que podia fazer?

A ideia de transferir Benito do pavilhão não tinha dado em nada. Ela obtivera informações detalhadas sobre o plano de Alvar e passou a lançar olhares ameaçadores para o chefe de segurança. A prisão estava em polvorosa, por toda parte as internas cochichavam, como costuma acontecer pouco antes de um conflito ou de um resgate, e Alvar olhava o tempo todo para Lisbeth Salander. Ela tinha prometido dar um jeito na situação, mas como a promessa dela o havia deixado tão preocupado quanto o problema original, Alvar insistiu em tentar ele mesmo encontrar uma solução. Salander lhe dera cinco dias de prazo, e os cinco dias haviam se passado sem que nada fosse resolvido. Alvar estava apavorado.

Somente em relação a uma coisa ele podia, enfim, respirar aliviado. A princípio estava convencido de que seria alvo de uma investigação interna por causa das fitas gravadas pelas câmeras de segurança, em que ele podia ser visto entrando em seu escritório com Salander depois do fechamento das celas, e de madrugada. Teve a certeza de que a qualquer instante a diretoria do complexo penitenciário o chamaria, exigindo explicações. Mas, surpreendentemente, isso não tinha acontecido. Intrigado, e a pretexto de examinar alguns fatos relacionados com Beatrice Andersson, Alvar havia entrado na central de vigilância do prédio B. Nervoso, pôs a fita no ponto exato entre a noite de 12 de junho e a madrugada do dia 13.

E não entendeu nada do que viu. Ele avançava a gravação, retrocedia, mas o corredor era visto sempre deserto, sem sinal dele ou de Salander. Estava a salvo. Embora no começo tenha querido acreditar que dera sorte — que as câmeras não tivessem funcionado —, em seguida Alvar percebeu o que tinha ocorrido: Salander havia entrado no servidor do presídio e mexido no sistema de vigilância, provavelmente alterando a sequência de imagens. Não podia haver outra explicação, e ele sentiu um alívio enorme, como também muita apreensão. Alvar praguejou, irritado com tudo que estava acontecendo, e mais uma vez conferiu seus e-mails. Nenhuma palavra, nada! Será que era tão difícil? Bastava pegar Benito e mandá-la para longe.

Já eram 19h15. Estava chovendo de novo, e ele deveria estar no corredor, se assegurando de que nada de ruim acontecia na cela de Faria Kazi. Deveria estar lá, fazendo marcação cerrada em Benito e transformando a vida dela num inferno. Mas Alvar continuava em seu escritório, como que paralisado. Correu os olhos pela sala e teve a impressão de notar ali alguma mudança. Será que Salander vasculhara o lugar no dia anterior? Eram tempos estranhos. Mais uma vez Salander tinha feito buscas em registros antigos, sobre um homem chamado Daniel Brolin. Alvar não queria se envolver naquilo, por isso nem fez questão de olhar, mesmo assim acabou envolvido. Usando o computador dele, Lisbeth tinha feito uma ligação telefônica absolutamente normal, o que lhe pareceu bastante estranho. Ela havia se comportado como outra pessoa durante a chamada, amigável, cautelosa, depois perguntou se novos documentos tinham surgido. Em seguida quis voltar de imediato para sua cela.

Já haviam se passado vinte e quatro horas e, sentindo-se péssimo, Alvar resolveu ir ao pavilhão. Levantou-se depressa, porém não chegou a dar nem um passo, pois o telefone interno tocou. Finalmente era o diretor Rikard Fager. E com boas notícias. O complexo de Hammerfors, em Härnösand, estava pronto para receber Benito na manhã seguinte, o que seria ótimo. Contudo, Alvar não sentiu o alívio que esperava e não entendeu por quê. Em seguida, ao notar que o trem de carga já começava a ribombar lá fora, desligou o telefone sem dizer mais uma palavra e apressou-se rumo ao corredor.

Seria um dos melhores ataques que Mikael sofreria. Malin Frode apareceu na porta, ensopada de chuva, a maquiagem escorrendo pelo rosto e com uma expressão indomável e decidida no olhar. Mikael não soube se ela queria esbofeteá-lo ou arrancar as roupas dele.

A resposta ficou no meio-termo. Malin o empurrou contra a parede, agarrou-o pelo quadril e disse que ia castigá-lo por ser ao mesmo tempo tão chato e tão sexy. Antes que ele pudesse entender o que estava acontecendo, Malin já estava cavalgando Mikael e gozando uma, duas vezes.

Depois se abraçaram e ficaram respirando profundamente. Ele afagou o cabelo dela e sussurrou palavras gentis e ternas, como tinha por hábito fazer, e não havia como se enganar sobre seu tom de voz, sobre aquela demonstração de afeto. Ele realmente tinha sentido falta dela. Na rua a chuva continuava a cair. Os barcos a vela estavam próximos de Riddarfjärden. A água tamborilava nas vigas do telhado. Embora fosse um momento especial, Mikael se distraiu com seus pensamentos e Malin percebeu.

"Já estou aborrecendo você de novo?", perguntou.

"Hein? Não. Eu estava com saudades de você", ele disse com sinceridade. Mas claro que também se sentia culpado. Não se espera que alguém comece a pensar em trabalho assim que acaba de fazer sexo com uma mulher com quem não se encontrava fazia tempo.

"Quando foi a última vez que você foi sincero?"

"Eu tento ser sincero com uma frequência razoável."

"É a Erika de novo?"

"Eu estava pensando na nossa conversa por telefone."

"O ataque hacker."

"Entre outras coisas."

"E no Leo também?"

"É."

"Então me conte de uma vez. Por que está tão interessado nele?"

"Eu nem sei se estou interessado nele. Só estou tentando fazer as coisas se encaixarem."

"Nossa, que explicação mais clara!"

"Bem... mas é isso."

"Há alguma parte que você não pode revelar, talvez por causa de uma fonte?", Malin perguntou.

"Talvez."

"Seu cretino!"

"Me desculpe."

O rosto de Malin se enterneceu e ela afastou um cacho de cabelo sobre o olho.

"Eu pensei bastante no Leo depois que conversamos", ela disse.

Malin cobriu-se com o lençol e ficou simplesmente irresistível. Mikael perguntou:

"No que você pensou?"

"Eu lembrei que ele tinha prometido me contar por que estava tão feliz em determinada época. Mas depois ele ficou triste e eu achei que seria crueldade pressioná-lo."

"E por que você se lembrou disso?"

Mali pareceu hesitar. Blomkvist olhou para fora da janela.

"Porque eu ao mesmo tempo admirei e fiquei com medo de toda aquela alegria. Me pareceu um pouco exagerada."

"Talvez ele estivesse apaixonado."

"Eu perguntei exatamente isso para o Leo, mas ele negou com veemência. A gente estava no Riche, o que já foi quase uma façanha, porque o Leo odiava lugares lotados. Mesmo assim, concordou em ir lá para conversarmos sobre o meu sucessor. Mas ele estava impossível. Assim que eu mencionava um nome, ele mudava de assunto e começava a falar sobre o amor, sobre a vida, a música. Acabou sendo uma conversa sem sentido, chata, pra ser sincera. Ele disse que tinha nascido para apreciar certas harmonias e escalas, a sexta menor e não sei mais o quê. Não prestei muita atenção. Ele estava tão feliz, tão orgulhoso de si, que fiquei magoada e comecei a pressioná-lo como uma idiota. 'O que aconteceu? Você precisa me contar.' Mas ele se negou a falar, disse que ainda não podia me dizer. Só disse que finalmente tinha encontrado o seu lugar."

"Quem sabe ele tenha se convertido?"

"O Leo detestava tudo que tinha a ver com religião."

"Mas o que seria, então?"

"Não faço ideia. Só sei que acabou poucos dias depois. De repente ele murchou."

"De que maneira?"

"De todas as maneiras possíveis. Foi um pouco antes do Natal, no meu último dia na Alfred Ögren, há pouco mais de um ano e meio. À noite, no escritório dele. Eu tinha dado uma festa de despedida em casa, o Leo não apareceu e eu fiquei muito triste. A nossa relação era especial."

Malin olhou para Blomkvist. "Não há motivo para você ter ciúmes."

"Eu não tenho ciúmes assim tão fácil."

"Eu sei, e te odeio por isso. Acho que você podia ter ciúmes de vez em quando, pelo menos como uma demonstração de boa vontade. Eu e o Leo flertávamos um pouco, isso mais ou menos na época em que conheci você. Minha vida estava uma bagunça por causa do divórcio e tudo mais, por isso aquela alegria do Leo também me incomodou; e ela não parecia combinar com ele. Enfim, uma noite ele me ligou e disse que estava no escritório. Isso me deixou ainda mais magoada. Mas ele se desculpou de um jeito tão sincero que o perdoei, e quando me perguntou se eu não queria ir até o escritório para uma saideira, aceitei. Eu não fazia a menor ideia do que me esperava, não sabia o que ele podia estar fazendo lá àquela hora. O Leo nunca foi um workaholic, e além do mais ele estava na sala do pai dele. Não fazia sentido. Fiquei impressionada com o escritório. Tinha um Dardel na parede, uma cômoda assinada por Gerog Haupt no canto. O Leo costumava dizer que sentia vergonha daquela sala, que todo aquele luxo era quase obsceno. E naquela noite, quando eu cheguei... Nem sei como descrever. Os olhos dele brilhavam e havia uma nota diferente em sua voz. Ele se esforçava para parecer alegre, sorria o tempo inteiro, mas seu olhar estava perdido, triste. No aparador havia uma garrafa de Borgonha e duas taças de vinho vazias. Ficou evidente que ele tinha recebido alguém. Nos abraçamos, trocamos palavras carinhosas, bebemos meia garrafa de champanhe e eu prometi manter contato. Notei que ele estava um pouco ausente, pensando em alguma outra coisa. Por fim eu disse: 'Você não parece mais feliz'. 'Eu estou feliz', ele disse. 'É só que...'

E não terminou a frase. Depois ficou calado por algum tempo e terminou sua taça de champanhe. Parecia bastante perturbado. No fim contou que ia fazer uma grande doação."

"Para quem?"

"Não sei, e não duvido que possa ter sido só uma ideia momentânea. Ele pareceu constrangido depois de dizer isso, e eu não fiz perguntas, porque tive a impressão de que era um assunto particular. Depois nada mais foi como antes. Eu me levantei, ele se levantou, nos abraçamos e nos beijamos sem muita vontade. Eu disse 'Leo, se cuida', saí e fui para o hall esperar o elevador. Mas depois me virei, eu estava irritada. Que merda de segredo era aquele? O que ele estaria aprontando? Eu queria entender e voltei para falar com ele. Mas percebi que ia incomodá-lo. Leo estava na sala, escrevendo numa folha de papel pardo, e deu para ver que estava caprichando na caligrafia. Seus ombros estavam tensos, os olhos cheios de lágrimas, e não tive coragem de interrompê-lo. Ele não me viu."

"Você não faz ideia do que possa ter acontecido?"

"Imaginei, depois, que tivesse a ver com a mãe dele. Ela tinha morrido uns dias antes, e, como você sabe, o Leo tirou licença e ficou viajando por um longo tempo. Eu devia ter telefonado para me solidarizar, mas minha vida estava um caos. Eu já trabalhava dia e noite no novo emprego e depois briguei com meu marido. Além disso, eu ia pra cama com você o tempo todo."

"Isso deve ter sido o pior de tudo."

"É bem provável."

"E desde então você não viu mais o Leo?"

"Pessoalmente, não. Só na TV. Eu tinha me esquecido dele, ou melhor, vinha evitando pensar nele, mas quando você ligou hoje..."

Malin hesitou, como se estivesse buscando as palavras.

"... eu revivi a cena do escritório", ela prosseguiu, "e tive a impressão de que havia alguma coisa errada. Não sei dizer o quê, mas fiquei incomodada, e no fim tão irritada que decidi ligar pra ele. Mas ele trocou de número."

"Alguma vez ele mencionou um psicólogo da equipe de caça da Alfred Ögren que levou um tiro acidental quando Leo era pequeno?", Mikael perguntou.

"Não! Que história é essa?"

"O nome dele era Carl Seger."

"Nunca ouvi falar. O que aconteceu?"

"Esse Carl Seger foi atingido no peito por um tiro durante uma caça ao alce, vinte e cinco anos atrás, nas florestas próximas a Östhammar. Tudo indica que foi um acidente. Quem atirou foi Per Fält, chefe de finanças da Rosvik."

"Você acha essa história suspeita?"

"Por enquanto, não. Mas me ocorreu que talvez o Leo e o Carl Seger fossem próximos de alguma forma. Afinal, os pais do Leo apostaram no filho, eles o treinaram para fazer testes de Q.I., e o Seger escreveu sobre a importância da autoconfiança no desenvolvimento dos jovens. Então pensei que..."

"Acho que o Leo era mais inseguro do que autoconfiante", disse Malin, o interrompendo.

"Carl Seger também escreveu sobre a dúvida. O Leo falava com frequência dos pais?"

"Às vezes, mas sempre a contragosto."

"Não parece muito promissor."

"O Herman e a Viveka com certeza tinham bons momentos, mas acho que uma das infelicidades da vida do Leo foi não ter conseguido resistir à influência dos pais. Nunca pôde escolher o próprio caminho."

"Pelo que você está dizendo, ele foi trabalhar na área financeira contrariado."

"Não é tão simples assim. Uma parte dele também devia querer isso. Mas tenho quase certeza de que ele sonhava em romper com todo esse mundo, e talvez por isso me incomodou tanto a cena que presenciei no escritório do pai dele. Parecia um adeus. Não apenas um adeus à mãe, mas alguma coisa maior."

"Você o chamou de Hamlet."

"Acho que mais para comparar com você. Mas é verdade que ele passava o tempo inteiro mudando de ideia em relação a tudo."

"No fim Hamlet acabou violento."

"Claro, eu sei, mas o Leo jamais..."

"Jamais o quê?"

Uma sombra encobriu o rosto de Malin, e Mikael pôs a mão no ombro dela.

"O que foi?", perguntou.

"Nada, nada."

65

"Ah, vamos!"
"Para dizer a verdade, uma vez eu vi o Leo fora de controle", ela disse.

Às 19h29 Faria Kazi sentiu as primeiras trepidações do trem de carga como um arrepio no corpo. Faltavam dezesseis minutos para as celas serem trancadas e nesse meio-tempo muita coisa podia acontecer. Ninguém sabia disso melhor do que ela. No corredor os guardas andavam de um lado para o outro ao som do tilintar de chaves e do murmúrio de vozes, e mesmo que ela não entendesse uma só palavra do que era dito, pressentiu certa agitação.

Não fazia a menor ideia do que poderia ser, mas havia um sentimento de urgência no ar e corriam boatos de que Benito seria transferida. Faria não sabia de nada, nem mesmo se estava chovendo lá fora sobre os trilhos do trem, no entanto fazia uma hora que o ar parecia carregado de eletricidade. No momento, as trepidações e o rumor do trem de carga eram as únicas informações que chegavam do mundo exterior.

As paredes pareciam estremecer, as pessoas andavam de lá para cá, mas nada de mais sério tinha acontecido. Talvez ela tivesse uma noite de paz, apesar de tudo. Os carcereiros estavam atentos. Alvar Olsen a seguira com os olhos por toda parte e parecia trabalhar sem descanso. Talvez, enfim, estivesse disposto a protegê-la. Talvez os boatos que corriam pelos corredores lhe trouxessem algo melhor. Faria pensou nos irmãos e na mãe e se lembrou da maneira como o sol reluzia no gramado de Vallholmen. Mas seu devaneio não foi muito longe. Ouviu o rumor de chinelos, um som inquietantemente familiar, e naquele instante todas as suas dúvidas se dissiparam. Sentiu também um cheiro de perfume doce. Faria Kazi sentia dificuldade de respirar, tinha vontade de abrir um buraco na parede e sair correndo pelos trilhos de trem, ou então de se transportar magicamente para outro lugar. Mas estava ali, abandonada em sua cela e em sua cama. Tão abandonada quanto em Sickla, e mais uma vez procurou pensar em Jamal. Mas claro que nada ajudava, não havia mais com que se consolar. O trem de carga ribombava, os passos se aproximavam, o perfume queimava suas narinas. Em segundos seria jogada no mesmo buraco sem fundo de todas as noites, mesmo que por inúmeras vezes houvesse tentado se convencer de que sua vida já estava destruída e que já não havia nada a perder. Faria continuava aterrorizada toda vez que Benito surgia na porta da cela e, com um sorriso cortês, mandava lembranças de seus irmãos.

Não estava claro se Benito havia se encontrado pessoalmente com Bashir e Razan ou se apenas mantinha contato com eles. A esse cumprimento, uma ameaça mortal, seguia-se um ritual em que Benito a espancava e a acariciava, passando a mão em seus seios e entre suas pernas, chamando-a de encardida e puta. Mesmo assim, o pior não eram os toques nem as palavras, e sim a sensação de que aquilo não passava de preparação para algo pior. Às vezes Faria imaginava ver aço reluzir na mão de Benito — com frequência pensava no aço.

A fama de Benito vinha dos punhais indonésios que ela supostamente havia forjado com as próprias mãos durante uma litania de maldições e da crença de que eles teriam o poder de condenar uma pessoa à morte quando apontados para a vítima. As lendas acerca desses punhais acompanhavam Benito pelos corredores da prisão como uma aura, uma vitória do mal, misturando-se ao perfume dela. Muitas vezes Faria tinha imaginado Benito investindo contra si, brandindo os punhais. Nos piores dias, chegou a pensar que seria melhor assim.

Apurou os ouvidos e, por instantes, a esperança ressurgiu. Os sons tinham cessado no corredor. Será que haviam contido Benito? Não, logo pés se puseram de novo em movimento, e dessa vez Benito vinha acompanhada. Dava para sentir não apenas pelos passos, mas também pelo cheiro. O perfume dela misturava-se ao odor forte de suor e pastilha de menta. Era Tine Grönlund, a guarda-costas de Benito, e naquele instante Faria entendeu que, em vez de uma trégua, haveria um incremento da violência. Nada de final feliz.

De repente as unhas pintadas do pé de Benito surgiram na porta da cela, seguidas de pés pálidos num chinelo de plástico. Ela tinha arregaçado as mangas, deixando à mostra as tatuagens de cobra. Estava maquiada, suada e com um olhar frio. Mesmo assim, sorria. Ninguém tinha um sorriso mais desagradável que o de Benito. Atrás dela, Tine fechou a porta — apenas os guardas estavam autorizados a fazer isso.

"A Greta e a Lauren estão aí fora. A gente não precisa se preocupar com nenhum tipo de interrupção", disse Tine.

Benito se aproximou de Faria e mexeu no bolso da calça. O sorriso encolheu até se transformar num traço, numa insinuação. A testa pálida se enrugou. Uma gota de suor apareceu em seu lábio.

"Estamos com um pouco de pressa", disse. "Os carcereiros vão me levar daqui. Você sabia? Por isso precisamos terminar isto agora. Faria, a gente curte você. Você tem um visual bacana e a gente gosta de garotas bonitas. Mas também gostamos dos seus irmãos. Eles fizeram uma proposta bem generosa, e a gente quer saber se…"

"Eu não tenho dinheiro", disse Faria.

"Uma garota pode pagar de outras formas, e além do mais temos as nossas preferências, a nossa própria moeda, não é, Tine? Na verdade, Faria, eu trouxe uma coisa que pode te ajudar a ter mais vontade de cooperar."

Benito mexeu outra vez no bolso e abriu um sorriso que parecia esconder a certeza terrível de sua vitória.

"O que você acha que eu tenho aqui?", perguntou. "O que pode ser? Garanto que não é o meu Keris, pode ficar tranquila. Mas também é uma coisa valiosa pra mim."

Ela tirou um objeto preto do bolso e logo se ouviu um clique metálico. Nesse instante, Faria começou a ter dificuldade para respirar. O objeto era um canivete, e ela ficou tão paralisada de medo que não esboçou reação quando Benito a agarrou pelo cabelo e puxou seu pescoço para trás.

A lâmina se aproximou devagar do pescoço, a ponta voltada para a carótida, como se Benito quisesse mostrar o local exato para a execução de um corte fatal. Por entre os dentes, rosnou zombarias sobre expiar os pecados através do sangue, para deixar a família dela novamente feliz. Faria não sabia o que aquilo significava, sentia apenas o perfume doce e respirava um hálito que fedia a tabaco e a coisas podres e doentias. Não conseguia pensar em mais nada e não entendeu por que uma agitação de repente tomou conta da cela. Depois percebeu que a porta tinha sido aberta e fechada de novo.

Havia mais uma pessoa lá dentro. Quem seria? A princípio, Faria não entendeu. Era Lisbeth Salander. Estava com um aspecto estranho, perdida em devaneios, como se não soubesse direito onde estava. Ela não se mexeu quando Benito se aproximou dela.

"Estou incomodando?", Lisbeth Salander perguntou.

"Pra caramba. Quem te deixou entrar?"

"As garotas aí fora. Não disseram nada quando entrei."

"Idiotas! Não está vendo o que eu tenho aqui na mão?", Benito rosnou, agitando o canivete no ar.

Lisbeth olhou para a lâmina sem esboçar reação. Simplesmente encarou Benito com um olhar meio ausente.

"Saia já daqui, vagabunda! Senão vou cortar você como um porco."

"Não, não, nada disso. Você nem vai ter tempo pra isso", disse Lisbeth.

"Ah, é?"

Uma onda de ódio se espalhou pela cela e Benito avançou contra Salander com o canivete na mão. E não pôde fazer mais nada. Faria não entendeu bem o que aconteceu. Primeiro houve um golpe, depois viu um cotovelo, e foi como se Benito tivesse entrado de cheio numa parede. Ela ficou imóvel, paralisada, e em seguida caiu de cara no chão de concreto, sem nem ao menos aparar a queda com as mãos. Logo tudo ficou em silêncio, a não ser pelo trem de carga que ribombava lá fora.

6. 18 DE JUNHO

Malin e Mikael estavam juntos um do outro, encostados na cabeceira da cama. Mikael afagou o ombro dela e perguntou:

"O que foi que aconteceu?"

"O Leo ficou meio louco. Por acaso você não teria um vinho tinto decente por aqui? Estou precisando."

"Acho que tenho um Barolo", disse Blomkvist, levantando-se para ir buscá-lo.

Quando voltou com a garrafa e dois copos, Malin olhava distraída para o outro lado da janela. A chuva continuava a cair sobre Riddarfjärden. Uma névoa pairava sobre a água e mais ao longe se ouviam sirenes. Mikael serviu o vinho e beijou Malin no rosto e nos lábios. Enquanto ela contava a história, ele puxou a coberta sobre os dois.

"Você sabia que o Ivar, o filho de Alfred Ögren, agora é o diretor executivo da empresa, mesmo sendo o caçula? Ele é três anos mais novo que o Leo, e os dois se conhecem desde pequenos. Mas não são exatamente amigos. Para dizer a verdade, eles se odeiam."

"Por quê?"

"Por causa da rivalidade, de um complexo de inferioridade e de tudo mais que você possa imaginar. O Ivar sabe que o Leo é mais inteligente do que ele, sabe que o Leo percebe quando ele está mentindo e contando vantagem, o Ivar tem muitos complexos, não apenas de ordem intelectual. Ele come sem parar em restaurantes caros e está enorme de gordo. Não tem nem quarenta anos, mas já parece um velho, enquanto o Leo treina corrida e nos dias bons aparenta ter uns vinte e cinco. Por outro lado, o Ivar é mais empreendedor, mais forte nos negócios, então..."

Malin fez uma careta e bebeu um gole de vinho.

"Então o quê?"

"Às vezes me envergonho de ter participado daquilo. O Ivar parecia um filho da puta simpático, um pouco exagerado e talvez meio grosseiro, mas cativante. Só que algumas vezes também era infernal, um horror. Acho que tinha medo que o Leo assumisse a direção executiva; muita gente na empresa, inclusive da diretoria, gostaria que o Leo virasse diretor executivo. Na minha última semana lá — um pouco antes do encontro que tive à noite com o Leo —, nós três nos reunimos para discutir quem ficaria no meu lugar. Mas, inevitavelmente, começamos a falar de outras coisas, o Leo surpreendentemente alegre, e o Ivar se irritou com isso. Com certeza estava pensando a mesma coisa que eu — que alguma coisa estranha tinha acontecido com o Leo. Ele estava alegre de uma forma ridícula, dava a impressão de estar flutuando. Além do mais, quase não tinha ido trabalhar naquela semana, e o Ivar reclamou do comportamento dele. Chamou o Leo de moralista, preguiçoso, covarde, e o Leo nem se importou, simplesmente ficava rindo. O Ivar se sentiu agredido por essa reação e começou a falar coisas horríveis, a fazer comentários racistas. Disse que o Leo era um cigano consertador de panelas, foi tão absurdo que achei que o Leo nem ia se importar com aquela idiotice. Mas ele se levantou e pegou o Ivar pelo pescoço. Literalmente. Eu pulei em cima deles e derrubei o Leo. Foi uma loucura. Lembro que antes de se acalmar ele dizia: 'A gente é muito melhor, muito melhor!'."

"E o que o Ivar fez?"

"Ficou lá sentado na poltrona, chocado, olhando para nós. Depois se inclinou para a frente meio envergonhado e pediu desculpas. E foi embora. E eu lá no chão com o Leo."

"E o que o Leo disse?"

"Nada, ou nada que eu lembre. Pensando nisso agora, parece uma loucura."

"E não parece uma loucura o Ivar ter chamado o Leo de cigano consertador de panelas?"

"O Ivar é assim mesmo, ele vira um animal primitivo quando perde a cabeça. Seria capaz de xingar o próprio irmão de porco, de escroto. No mundo em que ele vive, daria mais ou menos na mesma. Acho que nesse sentido puxou ao pai. A família dele é preconceituosa, e era nisso que eu estava pensando quando disse que às vezes sinto vergonha de ter participado daquilo. Eu não devia ter ido procurar emprego na Alfred Ögren."

Mikael permaneceu algum tempo em silêncio, bebendo seu vinho. Deveria ter continuado a mostrar interesse pela história de Malin, a consolado, mas não fez isso. Alguma coisa o incomodava e não entendeu por quê, a não ser que tinha a ver com Lisbeth. Depois se lembrou que Agneta, a mãe dela, descendia do povo das estrelas. Blomkvist acreditava que o avô também, por isso o nome de Lisbeth havia aparecido em registros que mais tarde se tornaram ilegais.

"Será que...", disse por fim.

"O quê?"

"... que o Ivar não se considera superior?"

"Com certeza."

"Quero dizer: por ele ter uma linhagem ou um berço mais nobre."

"Seria meio estranho. O Mannheimer tem um sangue tão nobre quanto seria possível imaginar. No que você está pensando?"

"Não sei direito."

Malin parecia um pouco triste, e Mikael acariciou o ombro dela de novo. Ele não sabia bem o que investigar. Precisaria voltar bastante no tempo, a registros antigos da igreja, se necessário.

Lisbeth tinha batido com força — talvez força demais —, e percebeu isso antes de Benito cair, antes até de completar o golpe. Percebeu pela facilidade de seus movimentos, pela força que não encontrou resistência — pelo insight que os praticantes de esportes explosivos conheciam tão bem: a perfeição mais absoluta se encontra naquilo que praticamente não é sentido.

Salander havia desferido um golpe rápido de direita na laringe de Benito e acompanhado o movimento largando duas vezes o cotovelo na mandíbula. Depois deu um passo para o lado, e não apenas a fim de abrir espaço para a queda. Queria entender a situação. Tinha visto Benito cair sem esticar as mãos para se proteger e bater com o rosto e o queixo em cheio no chão; depois ouviu o estalo de ossos se quebrando. Era mais do que havia planejado.

Benito estava em maus lençóis, desacordada, de bruços, o rosto desfigurado e torcido para o lado, com uma careta terrível. Não se ouvia nenhum som vindo de seu corpo, nem mesmo o da respiração. Ninguém se importaria menos do que Lisbeth Salander em ajudar Benito Andersson, mas uma possível morte seria uma complicação desnecessária. Além do mais, Tine Grönlund havia presenciado a cena.

Entretanto Tine Grönlund não era como Benito; pelo contrário, parecia ter nascido para receber e seguir ordens. Mas era alta e rápida, e sabia desferir golpes à distância, nada fáceis de evitar, sobretudo quando vinham pelos flancos, como naquele instante. Lisbeth conseguiu se defender do ataque apenas pela metade. Sentiu o ouvido zunir e o rosto arder, e se preparou para mais uma luta. Porém não foi preciso. Em vez de continuar brigando, Tine olhou para Benito, ainda estendida no chão e em situação que não parecia nada boa.

E não apenas por causa do sangue que escorria pela boca e se espalhava pelo chão de concreto em ramificações vermelhas que lembravam garras. Era a contorção do rosto e do corpo. Na melhor das hipóteses, Benito ia precisar de um longo período de tratamento e recuperação.

"Benito, você está viva?", rosnou Tine.

"Ela está viva", disse Lisbeth sem ter certeza.

Ela já havia nocauteado outras pessoas, tanto dentro como fora do ringue, mas sempre tinha ouvido gemidos e pequenos movimentos assim que o corpo ia para o chão. Naquele momento, reinava um silêncio que parecia ainda mais opressivo pela presença daquele corpo inerte e pelo nervosismo que pairava no ar.

"Que merda, ela não se mexe!", rosnou Tine.

"Ela não está muito apresentável, isso é verdade", disse Lisbeth.

Tine balbuciou uma ameaça e mostrou o punho. Depois saiu da cela com um andar desajeitado. Lisbeth ficou ali concentrada, pernas afastadas, olhando para Faria Kazi. Sentada na cama, vestida com uma camisa azul, ela abraçava os joelhos e encarava Lisbeth com um olhar perplexo.

"Vou tirar você daqui", disse Lisbeth.

Holger Palmgren estava na cama, em seu apartamento em Liljeholmen, pensando na conversa com Lisbeth. Mortificava-se por não ter respostas à pergunta que a garota lhe fizera. A cuidadora o havia ignorado, e ele estava fraco e doente demais para ir buscar sozinho os documentos. Sofria com dores fortes nos quadris e nas pernas e agora só conseguia caminhar com andador. Precisava de ajuda para quase tudo, de cuidadoras permanentemente em casa, porém a maioria delas o tratava como se fosse um menino de cinco anos e não parecia gostar daquele trabalho, e menos ainda de idosos. Às vezes, embora nem sempre — Palmgren ainda tinha orgulho próprio —, arrependia-se de ter recusado o oferecimento que Lisbeth lhe fizera, de contratar para ele enfermeiras particulares e qualificadas. Pouco tempo antes ele havia perguntado à jovem e brusca Marita, que sempre fazia cara de nojo quando precisava tirá-lo da cama:

"Você tem filhos?"

"Não quero falar da minha vida pessoal", ela respondeu, bufando.

A situação havia chegado a um ponto em que era visto como um intrometido, quando tudo que queria era ser bem-educado. A velhice era uma humilhação, uma agressão, pensou Palmgren. Não fazia muito tempo, quando precisou trocar a fralda, se lembrou de um poema de Gunnar Ekelöf sobre a morte intitulado "Eles deviam sentir vergonha".

Não lia esse poema desde a juventude, porém ainda se lembrava dele — talvez não de todos os versos, mas se recordava do suficiente. O poema falava de um homem — possivelmente o alter ego do poeta — que havia escrito um discurso para a ocasião de sua morte, quando gostaria que a última imagem que guardassem dele fosse a de um punho cerrado em meio a nenúfares e bolhas ao fundo.

Holger sentia-se tão miserável que o poema dava a impressão de lhe oferecer uma última esperança — o escárnio! Não havia como evitar que sua saúde fosse piorando até que ele nada pudesse fazer além de permanecer imobilizado na cama, provavelmente senil. Impossível negar que nada mais havia à sua espera senão a morte. Mesmo assim não era obrigado a aceitar as circunstâncias — essa era a mensagem e o consolo oferecidos pelo poema. Ainda podia cerrar o punho num protesto silencioso. Podia sucumbir, mas orgulhoso e revoltado contra as dores, contra as fraldas, contra a imobilidade e toda aquela humilhação.

Apesar disso, sua vida não constituía apenas uma noite sem fim. Ainda tinha amigos e, acima de tudo, Lisbeth. E também Lulu, que logo chegaria para ajudá-lo a pegar os documentos. Lulu era uma somaliana grande e bonita com longas tranças. Seu olhar era tão cheio de intimidade que conseguia restaurar um pouco do respeito próprio de Holger. Era Lulu quem cuidava dele à noite, dava banho, aplicava o emplastro de morfina, vestia o pijama. Ainda que falasse mal sueco, as perguntas que fazia eram sinceras. Não dizia bobagens recorrendo à terceira pessoa do plural, coisas do tipo: "E então, como estamos hoje?". As perguntas de Lulu eram sobre o que ela deveria estudar, o que Holger tinha feito na vida, sobre o que ele pensava. Ela o via como uma pessoa, e não como um velho sem história.

Lulu era um ponto de luz na vida de Holger, a única pessoa com quem ele falava de Lisbeth e para a qual tinha contado sobre o pesadelo que fora a visita a Flodberga. A simples visão daqueles muros altos o fizera estremecer. Como podiam ter posto Lisbeth num lugar daquele? O ato dela fora louvável, ela tinha salvado a vida de uma criança. Mesmo assim, estava vivendo numa prisão feminina, entre as marginais mais perigosas do país. Isso era injustificável, e ao vê-la na sala de visitas Palmgren ficou tão abalado que não conteve a língua, como em geral fazia.

Ele havia perguntado sobre a tatuagem de dragão. Sempre tinha sentido curiosidade sobre ela, até porque pertencia a uma geração que não entendia direito essa forma de expressão. Por que se enfeitar com um desenho que nunca mais ia sair, quando as pessoas estão em constante mudança e desenvolvimento?

Lisbeth não se estendeu na resposta, porém disse mais do que o suficiente. Ele se animou e começou a tagarelar de maneira nervosa e confusa. Com certeza havia enchido a cabeça dela de minhocas, um comportamento patético, sobretudo porque ele nem sabia direito o que estava dizendo. Qual o problema? O que ele tinha feito? A verdade é que ele sabia a razão, e não eram apenas a velhice ou uma atitude inconsequente. Algumas semanas antes, Palmgren tinha recebido a visita inesperada de Maj-Britt Torell, uma senhora de cabelo branco e fisionomia de pássaro que fora secretária de Johannes Caldin, chefe do setor de psiquiatria infantil do Sankt Stefans, em Uppsala, onde Lisbeth fora internada.

Depois de ler a respeito de Lisbeth Salander nos jornais, Maj-Britt Torell tinha ido examinar as pilhas de anotações que Caldin deixara depois que morreu. Ela fez questão de frisar a Palmgren que Caldin jamais quebrara o sigilo de um paciente, mas que aquele caso envolvia circunstâncias particulares, "como o senhor bem sabe. Essa menina foi tratada de maneira horrível". Por causa disso, Maj-Britt havia decidido passar aqueles papéis adiante, para que tudo viesse à tona.

Holger agradeceu, se despediu da ex-secretária de Caldin e, depois de ler nos documentos a cantilena triste de sempre, ficou desanimado. Mais uma vez eram relatos sobre o psiquiatra Peter Teleborian ter amarrado Lisbeth na cama, na ala de psiquiatria infantil, e a sujeitado a tratamento degradante. Os documentos não traziam nada de novo, pelo menos à primeira vista, mas ele podia estar enganado. Tinham sido necessárias apenas duas ou três palavras durante a visita à Lisbeth para que ela começasse a falar, e naquela altura ela já havia entendido que tinha participado de uma pesquisa nacional. Disse que conhecia outras crianças que também entraram nessa pesquisa, tanto da geração anterior à dela quando da posterior. Mas não encontrava o nome dos responsáveis. Tudo indicava que tinham sido mantidos longe da internet e de todos os arquivos.

"Será que você pode pesquisar e ver se acha alguma pista?", ela havia pedido ao telefone, e Holger estava plenamente disposto a fazer isso, se contasse com a ajuda de Lulu.

Faria Kazi ouviu rosnados vindos do chão e, antes mesmo de distinguir as palavras, percebeu que eram xingamentos e ameaças. Olhou para Benito, caída de bruços e de braços abertos. Nada, nem mesmo um dedo, se mexia naquele corpo, a não ser a cabeça, que se levantou um centímetro do chão; depois os olhos se viraram de canto, na direção de Lisbeth Salander.

"Meu Keris está apontado para você!"

A voz saiu tão rouca e tão pastosa que não parecia humana. Na imaginação de Faria, as palavras se misturaram com o sangue que escorria da boca.

"Meu punhal está apontado para você. Você está morta."

Nada menos que uma sentença de morte. Por um instante, Benito pareceu ter recuperado a antiga superioridade. Lisbeth Salander não deu a impressão de estar preocupada e limitou-se a responder:

"Quem está parecendo morta é você, não acha?"

Para ela, era como se Benito não existisse mais; sua atenção voltava-se agora para o corredor, e de repente Faria entendeu por quê. Passos rápidos e pesados se aproximavam. Alguém correu em direção à cela de Lisbeth, no instante seguinte ouviram-se vozes e xingamentos do lado de fora e, por fim, as palavras: "Mexam-se, cacete!". A porta se abriu e lá estava o chefe de segurança, Alvar Olsen, com seu uniforme, ofegando como se tivesse chegado correndo.

"Meu Deus, o que aconteceu?", perguntou.

Seu olhar corria de um lado a outro, de Benito, no chão, para Lisbeth, de pé, e Faria, na cama.

"O que aconteceu aqui?", repetiu.

"Não está vendo aí no chão?", Lisbeth Salander respondeu.

Alvar olhou para baixo e viu o canivete com um filete de sangue perto da mão direita de Benito.

"Que diabos foi isso?", exclamou.

"Exatamente o que você está vendo. Alguém passou com um canivete pelo seu detector de metal. Em outras palavras, a equipe de segurança de uma grande penitenciária perdeu o controle do lugar e não consegue garantir a segurança de uma interna ameaçada."

"Mas isso… isso…", balbuciou Alvar enquanto apontava para o rosto de Benito.

"Isso é o que você já devia ter feito há muito tempo, Alvar."

O chefe de segurança olhou para Benito caída no chão, com o rosto contorcido e fraturado, e sangue escorrendo pela boca.

"Meu Keris está apontado para você. Você está morta, Salander, morta", Benito rosnou.

Nesse instante Alvar sentiu que o pânico o invadia de verdade. Acionou o alarme que trazia no cinto e gritou por socorro. Em seguida disse: "Ela vai matar você!".

"De fato é uma preocupação", Lisbeth respondeu. "Mas já tive criminosos piores atrás de mim."

"Não existem criminosos piores do que isso."

Ao longe, no corredor, ouviam-se passos. Será que aqueles idiotas tinham estado o tempo todo por perto? Não seria surpresa. Uma fúria repentina se apossou de Alvar, ele pensou em Vilda e nas ameaças feitas contra a menina, pensou em todo o pavilhão, transformado em motivo de vergonha. Olhou para Lisbeth Salander e se lembrou do que ela tinha dito: "Isso é o que você já devia ter feito há muito tempo". Entendeu que era necessário tomar alguma atitude para recuperar seu orgulho próprio. Mas não fez nada. Seus colegas Harriet e Fred chegaram às pressas e olharam atônitos para a cela. Exatamente como tinha acontecido com Alvar momentos antes, viram Benito no chão e ouviram suas ameaças balbuciadas, embora já não fosse possível distinguir as palavras. Somente os fragmentos "ke" ou "kri" eram compreensíveis em meio às maldições que lançava.

"Ah, merda!", exclamou Fred. "Merda!"

Alvar deu um passo à frente, uma tossidinha, e somente então Fred olhou para ele. Seu olhar estava assustado e havia gotas de suor na testa e nas bochechas.

"Harriet, chame o paramédico", pediu Alvar. "Depressa, depressa! E você, Fred..."

Ele não soube o que dizer. Acima de tudo, queria ganhar tempo e reforçar sua autoridade. Mas essa ideia não vingou, porque Fred o interrompeu com voz alterada:

"Que catástrofe de merda! O que aconteceu?"

"Ela começou a fazer ameaças", disse Alvar.

"E você bateu nela?"

Alvar não respondeu. Então se lembrou da descrição assustadora que Benito fizera do trajeto de Vilda até a sala onde ela estudava. Lembrou-se de ela haver descrito até a cor da botinha de borracha da filha.

"Eu...", disse Alvar.

Hesitou, percebendo o quanto aquela palavra ao mesmo tempo o assustava e o seduzia. Então olhou para Lisbeth Salander, que assentiu com a cabeça, como se tivesse entendido tudo. Era o momento decisivo. Parecia a coisa certa a fazer.

"Fui obrigado."

"Puta merda, parece grave. Benito, Benito, como você está?", balbuciou

Fred, e para Alvar isso foi a gota d'água dos meses de tolerância e acobertamento.

"Em vez de se preocupar com a Benito, você devia é se preocupar com a Faria", bufou Alvar. "Deixamos o pavilhão inteiro ser envenenado e destruído. Está vendo esse canivete no chão? Está vendo? A Benito conseguiu trazer esse negócio pra dentro do pavilhão! Conseguiu trazer uma arma letal, porra, e ia atacar a Faria quando eu…"

Alvar hesitou. Não encontrava as palavras. Era como se naquele instante tivesse percebido a enormidade de sua mentira. Então voltou um olhar quase desesperado para Lisbeth Salander, na esperança de encontrar uma salvação. Mas a salvação não veio dela.

"A Benito ia me matar", disse Faria Kazi, ainda na cama, apontando para o pequeno arranhão em sua garganta.

Nesse instante a coragem de Alvar reapareceu.

"O que mais eu podia ter feito? Deixar que acontecesse?", Bufou mais uma vez e voltou a se sentir bem, mesmo ciente dos riscos que corria com aquela bravata.

Mas já era tarde para recuar. Outras internas haviam se amontoado junto à porta da cela de Faria, muitas forçando a entrada. A situação começou a sair de controle, e no corredor ouviam-se vozes exaltadas. Algumas presas aplaudiam, um alívio imenso se espalhava pelo presídio por causa daquela libertação. Uma mulher soltou um grito de alegria e outras vozes transformaram-se num burburinho, até que uma cortina de som foi ganhando força, como acontece ao fim de uma luta de boxe encarniçada ou de uma tourada.

Mas não havia apenas comemoração. Também se ouviam ameaças, não contra o chefe de segurança, Alvar Olsen, e sim contra Lisbeth Salander, como se boatos sobre o que realmente tinha acontecido já tivessem se espalhado. Alvar percebeu que devia agir e mostrar determinação. Em voz alta, deu ordens para que informassem a polícia de imediato. Sabia que muitos policiais de outros pavilhões estavam a caminho, pois era o que acontecia quando o alarme soava, e se perguntou se deveria trancar as internas nas celas naquele instante ou esperar a chegada de reforço. Deu um passo em direção a Faria Kazi e disse a Harriet e a Fred que o paramédico e o psicólogo também deviam cuidar dela. Depois se virou para Lisbeth Salander e pediu que o acompanhasse.

No corredor, os dois passaram em meio a internas exaltadas e a guardas que abriam passagem, e por um instante Alvar achou que a situação iria desandar. As prisioneiras gritavam e puxavam Alvar e Lisbeth, o pavilhão parecia à beira de um motim. Era como se toda a tensão e toda as dúvidas acumuladas e reprimidas durante longo tempo estivessem em combustão, e foi necessário muito esforço para conduzir Salander de volta à cela e trancar-se com ela lá dentro. Alguém esmurrou a porta. Os colegas de Alvar gritavam, tentando restaurar a ordem. O coração dele batia forte, tinha a boca seca e não sabia o que dizer. Lisbeth não olhava para ele, mantinha os olhos fixos na mesa enquanto passava a mão pelo cabelo.

"Eu sempre assumo a responsabilidade pelas coisas que faço", ela disse.
"Eu só quis te proteger."
"Não fale merda! Você quis foi se sentir uma pessoa melhor. Mas não tem problema, Alvar. Será que agora você pode ir embora?"

Alvar queria falar mais, se explicar, mas percebeu que só iria parecer ridículo. Então deu as costas para Lisbeth e a ouviu balbuciar atrás dele:
"Eu acertei a traqueia dela!"

A traqueia, ele pensou. Saiu em seguida, trancou a porta e abriu caminho por entre a baderna que reinava no corredor.

Enquanto esperava Lulu, Holger Palmgren tentou se lembrar do que havia lido nos documentos. Será mesmo que podia haver componentes novos e espetaculares no caso? Tinha dificuldade em acreditar nisso e achava já conhecer as partes mais horripilantes da história, como o plano de colocar Lisbeth para adoção durante a pior fase de seu pai e os repetidos estupros sofridos por Agneta.

Logo iria descobrir a verdade. Lulu chegava pontualmente às nove horas nos quatro dias da semana em que ia lá. Aquela era uma de suas noites e Holger a aguardava com ansiedade. Ela o poria na cama, aplicaria o emplastro de morfina, cuidaria dele e o ajudaria a pegar os documentos na última gaveta da cômoda da sala, onde ele os havia guardado depois que Maj-Britt Torell estivera lá.

Holger garantiu que iria lê-los com muita atenção. Quem sabe pudesse ajudar Lisbeth uma última vez? Ele gemeu. As dores no quadril o atormentavam de novo. Em nenhum momento do dia havia sentido tanta dor, e fez uma espécie de prece: "Minha querida Lulu, preciso de você. Por favor, venha logo". Tamborilando com a mão boa em cima das cobertas, Holger teve que aguardar apenas cinco ou dez minutos até ouvir passos ecoando no corredor — passos familiares.

Portas se abriam. Será que Lulu havia chegado vinte minutos antes? Que maravilha! Mas nenhuma saudação alegre veio a seguir, nenhum "Boa noite, meu bom velhinho", apenas ouvia passos que se aproximavam do quarto. Holger teve medo, o que não era um sentimento corriqueiro nele — uma das vantagens da idade avançada. Já não tinha muito a perder. Mas naquele instante a inquietude o invadiu, talvez por causa dos documentos. Queria examiná-los para ajudar Lisbeth. De repente havia encontrado uma razão para viver.

"Olá", gritou. "Olá?"

"Ei! Você está acordado? Achei que estivesse dormindo."

"Eu durmo bem depois que você chega", ele respondeu, consideravelmente aliviado.

"Você faz ideia de como se cansou e se desgastou nos últimos dias? Cheguei a pensar que a visita à cadeia ia acabar com você", Lulu disse, entrando no quarto.

Ela estava com os olhos e os lábios pintados, e usava um vestido africano todo colorido.

"Eu fiquei tão ruim assim?"

"Mal dava para falar com você."

"Me desculpe, prometo melhorar."

"Você é a coisa mais preciosa da minha vida, sabia? Seu único defeito é passar o tempo inteiro se desculpando."

"Me desculpe."

"Está vendo?"

"O que há com você hoje, Lulu? Por alguma razão, está mais encantadora do que nunca."

"Um sueco de Västerhaninge me convidou para sair! Dá pra acreditar? Ele é engenheiro e tem uma casa e um Volvo novinho em folha."

"E, pelo que entendi, ele está correndo atrás de você."

"Espero que sim", ela respondeu, ajeitando as pernas e o quadril dele. Acomodou a cabeça de Holger no travesseiro e inclinou o encosto da cama de hospital para uma posição que o deixou mais sentado.

Enquanto o mecanismo da cama fazia ruídos abafados, Lulu falou sobre o homem de Västerhaninge, ele se chamava Robert, ou talvez Rolf. Holger não estava prestando atenção. Lulu pôs a mão na testa dele.

"Você está suando frio, seu bobo! Preciso dar um banho em você."

Ninguém poderia chamá-lo de bobo de forma mais carinhosa do que Lulu, e em geral Holger adorava jogar conversa fora com ela. Mas no momento estava impaciente, olhando para a mão direita, que permanecia inerte. Ele parecia mais frágil do que nunca.

"Me desculpe, Lulu. Mas será que você pode me fazer um pequeno favor antes?"

"Sempre ordens."

"Sempre às ordens", ele a corrigiu. "Sabe aqueles papéis que você guardou na gaveta da cômoda na última vez que esteve aqui? Você pode pegá-los para mim? Preciso ler tudo de novo."

"Você não disse que ler aquilo foi horrível?"

"Foi mesmo. Mas preciso ler de novo."

"Claro, claro, vou buscar pra você."

Lulu sumiu no corredor e, ao voltar, trazia uma pilha de documentos maior do que Holger se lembrava. Talvez outros papéis inúteis tivessem se misturado aos documentos. Sentia-se nervoso diante da expectativa — podia não encontrar nada de valor nos documentos como também podia encontrar elementos desagradáveis, e nesse caso Lisbeth teria que lidar outra vez com mais doses de loucura.

"Você parece mais animado hoje, Holger. Mas está meio ausente, não é? Está pensando na Salander outra vez?", perguntou Lulu enquanto punha a pilha de documentos no criado-mudo, junto aos frascos de remédio e livros.

"Para dizer a verdade, estou. Foi terrível vê-la na prisão."

"Imagino."

"Você pode pegar a minha escova de dentes e me aplicar o emplastro de morfina e a parafernália toda? E depois colocar as minhas pernas um pouco mais para a esquerda? Em toda a parte inferior do corpo eu sinto como se..."

"... facas o estivessem espetando", ela completou.

"Exato, facas. Eu falo isso o tempo todo, é?"

"Quase o tempo todo."

"Viu só? Além do mais estou ficando gagá. Mas logo vou começar a ler esses papéis, e então você pode ir se encontrar com o Roger."

"Rolf", ela o corrigiu.

"Rolf, isso. Espero que ele seja um homem gentil. A gentileza é a coisa mais importante que existe."

"É mesmo? O senhor escolhia mulheres baseando-se na gentileza?"

"Pelo menos era o que eu devia ter feito."

"Os homens falam isso, mas depois vão atrás da mais atraente."

"Não, não, acho que não."

Holger já não prestava muita atenção. Pediu que Lulu lhe entregasse a pilha de documentos. Não conseguia levantá-la com o braço bom porque na verdade ele já não estava muito bom. Em seguida começou a ler, enquanto Lulu desabotoava a camisa dele para aplicar o emplastro de morfina. De vez em quando ele parava, sentindo-se obrigado a fazer comentários gentis e animadores ao trabalho dela em seu corpo. Por fim, Holger se despediu dela com ternura e desejou sorte no encontro com Rolf ou Roger.

Continuou lendo e folheando os documentos. Conforme se lembrava, aqueles papéis eram, em sua maioria, pareceres emitidos pelo psiquiatra Peter Teleborian — protocolos sobre medicação, relatórios sobre comprimidos recusados e descrições de sessões de tratamento durante as quais a paciente havia se mantido calada e se mostrado voluntariosa, decisões acerca de medidas coercitivas, reexames, comentários, novas medidas coercitivas e indicações claras, embora clínicas, do mais puro sadismo. Em suma, tudo que, por muito tempo, fora um tormento para Holger.

Mas não encontrou nada do que Lisbeth queria saber. Será que não tinha lido com a atenção necessária? Holger decidiu ler tudo outra vez, e, para garantir que não deixaria escapar nada, pegou a lupa de leitura. Analisou cada página com cuidado, e por fim encontrou um detalhe. Não era grande coisa: apenas duas observações sigilosas feitas por Teleborian quando Lisbeth deu entrada na clínica de Uppsala. Mesmo assim, as anotações forneciam exatamente o que Holger tinha sido instado a encontrar — nomes.

Primeiro havia o seguinte:

> *Conhecida previamente do Registro de Estudos em Genética e Meio Ambiente (Regma). Participante do Projeto 9. (Resultado: insuficiente.) Transferência para um orfanato decidida pelo professor de sociologia Martin Steinberg. Todavia, o cumprimento da decisão não foi possível. Risco de fuga. Imaginativa.*

Incidente grave com G. no apartamento da Lundagatan — fuga aos seis anos de idade.

Fuga aos seis anos de idade? Seria esse o acontecimento que Lisbeth tinha mencionado na prisão? Provavelmente — e G. talvez fosse a mulher com a marca de nascença no pescoço. Era bem provável. Mas como não havia mais nada, impossível ter certeza. Holger refletiu por algum tempo, depois releu a anotação e abriu um sorriso. "Imaginativa", Teleborian escrevera. Era o único comentário positivo que aquele cretino tinha feito sobre Lisbeth ao longo de toda a sua vida. Até mesmo um asno às vezes consegue... Porém não havia por que comemorar. A anotação confirmava que Lisbeth correra o risco de expulsão ainda pequena. Holger continuou a ler:

A mãe, Agneta Salander, sofreu danos cerebrais graves em consequência de um traumatismo na cabeça. Atendida na enfermaria de Äppelvikens. Encontros anteriores com a psicóloga Hilda von Kanterborg, suspeita de ter quebrado o sigilo profissional e fornecido informações acerca do Registro. Não deve ter oportunidade de contatar a paciente. Outras medidas também foram sugeridas pelo professor Steinberg e por G.

Professor Steinberg, pensou Holger. *Martin Steinberg*. O nome lhe parecia familiar. Com dificuldade — como sempre nos últimos tempos —, Holger fez uma busca por imagens no Google usando o celular, e o reconheceu na hora. Como podia ter deixado aquilo passar? Não que ele e Martin tivessem sido próximos. Os dois haviam se encontrado pela primeira vez cerca de vinte e cinco anos antes, quando Steinberg atuara como perito judicial num processo em que Holger defendia um garoto da acusação de agressões contra o pai em razão das condições miseráveis em que vivia.

Holger lembrou-se da felicidade que sentiu em ter a seu lado uma força como a de Steinberg, que participava de uma série de comitês e de investigações de prestígio. As opiniões dele revelaram-se formais e antiquadas, mas não havia dúvida de que sabia o que estava fazendo, e ajudou Holger a obter a liberdade de seu cliente. Terminado o julgamento, os dois saíram para beber juntos e mais tarde se encontraram em várias ocasiões. Como já se conheciam, talvez Holger conseguisse extrair-lhe uma ou outra informação.

Deitado de costas na cama com uma pilha enorme de papéis sobre o peito e a barriga, Holger procurava raciocinar com clareza. Seria imprudente entrar em contato com Steinberg? Ora achava que sim, ora que não. Pensou no assunto por cerca de dez minutos, enquanto a morfina começava a fazer efeito e a dor no quadril passou a espetá-lo como agulhas e não mais como facas. Será que deveria esquecer o professor Steinberg, apesar de tudo? Lisbeth tinha pedido ajuda, então devia se esforçar ao máximo, não? Queria fazer a diferença, já que tinha reanalisado os documentos. Começou a pensar numa estratégia e, por fim, resolveu dar o telefonema. Enquanto ouvia o som de chamada ficou olhando o relógio. Eram dez e vinte da noite, um pouco tarde, mas não demais, pensou. Seria necessário ir com cautela. No entanto Holger perdeu a coragem assim que ouviu a autoridade da voz de Steinberg do outro lado da linha. Precisou se esforçar para assumir um ar confiante e blasé.

"Boa noite, Steinberg. É Holger Palmgren. Me desculpe pela hora, mas eu gostaria de lhe fazer uma pergunta", disse Holger.

Martin Steinberg não era uma pessoa desagradável, mesmo assim soou um tanto evasivo e não mudou de atitude nem mesmo quando Holger o cumprimentou por todas as distinções que tinha visto publicadas sobre Steinberg na Wikipédia. O professor perguntou sobre a saúde de Holger.

"O que posso dizer? Me sinto feliz por meu corpo ainda se manifestar pela dor e se fazer presente", respondeu Holger, forçando uma risada.

Martin Steinberg também se esforçou para rir, e os dois começaram a falar dos velhos tempos. Depois Holger explicou o motivo do telefonema. Disse que tinha sido contatado por uma cliente e que precisava saber quais eram as atribuições de Steinberg no chamado Registro. Foi um erro. A pergunta causou uma tensão instantânea entre eles, não aberta, mas um nervosismo evidente.

"Não sei do que você está falando", disse o professor.

"É mesmo? Que estranho. Consta que era você quem tomava as decisões."

"Consta onde?"

"Em alguns documentos que consegui", disse Holger, sendo mais vago e pondo-se na defensiva.

"Preciso saber exatamente onde, porque o que você está me dizendo é uma loucura total", retrucou Steinberg.

"Talvez então eu deva me informar melhor."

"Com certeza é o que você deve fazer."

"Pode ser também que eu tenha me confundido. Seria a minha cara", prosseguiu Holger.

"Isso acontece", disse Steinberg, tentando parecer amistoso e despreocupado. Contudo, não conseguia esconder como a pergunta de Palmgren o tinha ofendido. A seguir acrescentou uma salvaguarda desnecessária:

"Ou então as informações nos seus documentos podem estar simplesmente erradas. Quem é a cliente que contatou você?"

Holger resmungou que não poderia revelar o nome da pessoa e encerrou a conversa o mais depressa possível. Antes mesmo de desligar, percebeu que aquele telefonema teria consequências. Como podia ter sido tão idiota? Quis ajudar, mas em vez disso havia criado um novo problema, e a chegada da noite em Liljeholmen só piorava o que sentia. A angústia e o remorso aumentavam e misturavam-se às dores nas costas e no quadril, e por repetidas vezes Holger penitenciou-se por ter sido tão precipitado e estúpido.

Pobre Holger Palmgren.

7. 19 DE JUNHO

Mikael Blomkvist acordou cedo na manhã de domingo e subiu a escada com passos leves para não acordar Malin. Vestiu uma calça jeans e uma camisa de algodão cinza, preparou um cappuccino forte e um sanduíche aberto enquanto corria os olhos pelo jornal.

Por fim sentou-se diante do computador e perguntou-se por onde deveria começar. Não fazia a menor ideia. Tinha pesquisado em todos os documentos imagináveis, referentes a muitos anos: arquivos, diários, bancos de dados, autos judiciais, microfilmes, pilhas de papéis, inventários, declarações, livros de balanço, testamentos e listas de contribuintes.

Havia recorrido da decisão de sigilo, invocado o princípio da publicidade e o de proteção às fontes, encontrado atalhos e lacunas. Havia, literalmente, revirado sacos de lixo, se debruçado sobre fotografias antigas, montado quebra-cabeças com peças fornecidas por testemunhas diferentes, visitado porões e câmaras frigoríficas. Mas não havia encontrado nada que indicasse uma adoção ou um nascimento fora do matrimônio. Raramente sentia que o assunto lhe dissesse respeito, tampouco estava certo que esse fosse o caso naquele momento. Mesmo assim, resolveu confiar em seu instinto. Ivar Ögren tinha chamado Leo de consertador de panelas e de cigano, palavras que, além de um tanto estranhas, eram mais do que simples apelidos racistas. Se aquele idiota havia pretendido fazer insinuações sobre a ascendência e suposta pureza sueca, deveria saber que a família Ögren aparecia em todas as árvores genealógicas, sempre com as devidas linhagens e ramificações por famílias nobres que remontavam ao século XVII. Era bem possível que investigar o passado pudesse render frutos.

Ao começar a fazer buscas na internet, Mikael sorriu. Não sabia ao certo por quê, mas as pesquisas genealógicas tinham se transformado quase num movimento popular. Havia um número interminável de arquivos nos quais pesquisar, e era incrível descobrir a quantidade de registros oferecidos pela igreja, dados de recenseamentos e informações sobre emigrantes e imigrantes digitalizados e disponíveis na internet. Uma verdadeira mina de ouro, e os interessados podiam viajar no tempo e através da história até chegar a ancestrais africanos por meio de bancos de dados genéticos. Quem tivesse dinheiro e a paciência necessária podia voltar no tempo o quanto quisesse, seguindo os passos de seus antepassados ao longo de séculos e através de estepes e continentes.

Com as adoções tardias, porém, era mais complicado: existia um sigilo decretado de setenta anos. Era possível recorrer numa corte de apelações, mas o recurso se aplicava apenas a casos específicos e essenciais, o que dificilmente incluiria o de um jornalista curioso que nem ao menos tinha certeza do que estava procurando. Embora as portas estivessem oficialmente fechadas para Blomkvist, ele sabia que sempre era possível dar um jeito. Bastava descobrir como.

Eram sete e meia da manhã e o dia prometia ser bonito em Riddarfjärden. Malin dormia na cama de casal de Mikael, e em poucas horas os dois iriam assistir à palestra de Leo Mannheimer no museu Fotografiska, junto ao Stadsgårdskajen. Antes disso Mikael quis pesquisar o passado de Leo; os resultados não eram promissores, e o fato de ser domingo não ajudava. Tudo estava fechado, e ele se viu obrigado a admitir: depois da conversa com Malin, na noite anterior, tinha começado a gostar do sujeito. Mas isso não o faria desistir. Se havia entendido bem, o primeiro passo era solicitar a certidão de nascimento de Leo no Arquivo Municipal. Se não obtivesse permissão, seria uma pista de que estava no caminho certo. Mas não o suficiente. O sigilo da certidão poderia ter sido decretado por outros motivos não relacionados a uma adoção. Mikael, então, teria que levar a investigação adiante e pegar os arquivos pessoais de Leo e dos pais dele para compará-los. Nos arquivos — postos sob sigilo apenas em casos excepcionais — devia haver informações sobre deslocamentos geográficos. Se os pais de Leo não estivessem registrados na mesma paróquia — de Västerled, em Nockeby — quando Leo nasceu, seria mais uma pista. Nesse caso, o mais provável é que Hermann e Viveka não fossem os pais biológicos dele.

Mikael redigiu uma solicitação ao Arquivo Municipal, pedindo acesso à certidão de nascimento de Leo e aos arquivos pessoais dele e de seus pais. Porém, não chegou a enviar o e-mail, pois se lembrou que se fizesse o requerimento pela internet, seria obrigado a dar seu nome, e aquele simples nome acenderia um sinal de alerta. As pessoas se perguntariam por que ele estava em busca daquelas informações. Os boatos correriam: Mikael Blomkvist andou xeretando por aqui. A solicitação com certeza ganharia destaque, o que não seria nada bom — isso se houvesse de fato algum elemento sensível na história. Assim, decidiu que o mais seguro era telefonar para o Arquivo Municipal na manhã seguinte e fazer uso do direito ao anonimato.

Quem sabe Holger Palmgren já tivesse essa resposta? Contra todas as expectativas e todas as recomendações médicas, Holger tinha ido ver Lisbeth na prisão de Flodberga. Com certeza fora agradável conversar com ela e ver de perto como estava. Mikael pegou o telefone e olhou para o relógio. Seria muito cedo? Não, não, Holger acordava às oito horas, tanto nos dias úteis como nos fins de semana, então ele ligou. Mas a ligação não se completou. Parecia haver algum problema com o celular do velho. Uma gravação informou que o número estava temporariamente fora da área de cobertura. Mikael telefonou para o número fixo de Holger. Ninguém tampouco atendeu, e ele ia tentar de novo, quando ouviu passos leves e femininos às suas costas. Mikael se virou, sorrindo.

Holger Palmgren havia percebido que seu celular não estava funcionando, o que considerou típico: nada funcionava, a começar por ele mesmo. Suas condições eram lamentáveis. Bem cedo de manhã tinha sido acordado por dores e pela angústia. O que tinha dado nele?

Estava cada vez mais convencido de que a conversa da noite anterior fora um grande erro. Apesar do número de comitês importantes e investigações de que participava, Steinberg podia ser perigoso. Mas só por ter assinado a autorização de transferência de Lisbeth para um orfanato, contra a vontade dela e da mãe? Sim, só por isso!

Meu Deus, como tinha sido estúpido! O que devia fazer agora? Antes de mais nada, telefonar para Lisbeth e discutir o assunto. Mas o problema era justamente este: seu telefone não estava funcionando. Holger tinha parado de usar o aparelho fixo porque ninguém ligava, a não ser vendedores de telemarketing e pessoas com as quais não queria falar. Será que ele havia tirado o telefone da tomada?

Virou-se de lado e, com dificuldade, viu que o fio de fato não estava conectado. Será que conseguiria encaixá-lo na tomada? Esticou o corpo no colchão, o peito suspenso para além da cama, e conseguiu pôr o plugue na tomada. Depois se deitou e passou algum tempo arquejando antes de pegar o velho telefone no criado-mudo. Ouviu o sinal da linha, tudo parecia em ordem. Sentindo-se subitamente revigorado, Holger telefonou para o serviço de informações e pediu uma ligação para o presídio de Flodberga. Não esperava um atendimento especialmente simpático, mas ficou perplexo com a arrogância da voz no outro lado da linha.

"Meu nome é Holger Palmgren", disse, com autoridade. "Sou advogado. Por favor, transfira a ligação para os responsáveis pelo pavilhão de segurança. É um assunto de extrema importância."

"O senhor tem que esperar."

"Eu não posso esperar!", bufou.

Mesmo assim ele esperou e, depois de minutos intermináveis, foi transferido para uma agente do serviço correcional chamada Harriet Lindfors. Harriet o tratou de um jeito lacônico e austero, mas Holger enfatizou a seriedade da situação. Disse que precisava falar de imediato com Lisbeth Salander. A resposta o deixou gelado. Não apenas pelo nervosismo na voz, mas pelas palavras:

"Nas atuais circunstâncias, isso é impossível."

"Aconteceu alguma coisa?", ele perguntou.

"O senhor é procurador dela?"

"Não. Quer dizer, sou."

"Não foi uma resposta muito clara."

"É que não tenho um envolvimento direto."

"Então o senhor vai ter que ligar mais tarde", disse Harriet Lindfors, desligando na cara de Palmgren.

Ele ficou fora de si, bateu com a mão boa na cama e imaginou as piores coisas acontecendo, tudo por sua culpa. Depois tentou se conter e não se entregar a especulações excessivas. E não conseguiu fazer mais nada. Por que diabos estava reduzido a um aleijado?

Gostaria de poder se levantar e assumir as rédeas da situação! Em vez disso, tudo que tinha eram dedos rijos e descarnados e um corpo torto, disforme e semiparalisado. Não conseguia sequer colocar-se sozinho na cadeira de rodas, e essa era uma ideia que não suportava. Se a noite tinha sido o Calvário, aquele era o momento de ser pregado na cruz — a desolação da cama. Nem mesmo o punho cerrado do velho Ekelöf em meio aos nenúfares teria lhe oferecido consolo. Holger pegou o telefone. Estava certo de que alguém havia ligado enquanto ele esperava a transferência de sua chamada para Flodberga, e de fato viu que Mikael Blomkvist tinha deixado uma mensagem. Uma boa notícia: Mikael poderia ajudá-lo a obter mais informações. Holger telefonou para ele. Ninguém atendeu, Holger insistiu e, por fim, a voz de Mikael surgiu no outro lado da linha. Mikael estava arquejante, mas Holger percebeu que era uma respiração entrecortada de um tipo bem mais agradável do que aquela que o acometia.

"Estou atrapalhando?", perguntou.

"De jeito nenhum", respondeu Mikael.

"Você está acompanhado?"

"Não, não."

"Está, sim!", disse uma voz de mulher ao fundo. "Não finja que eu não estou aqui."

Até mesmo numa emergência como aquela, Holger não descuidava das regras de cortesia.

"É verdade", admitiu Mikael.

"Tome conta dela, então. Eu falo com a sua irmã."

"Não, não!"

Mikael deve ter percebido o tom de preocupação na voz de Holger Palmgren. "Eu estava mesmo querendo falar com você", disse. "Você foi ver a Lisbeth, não foi?"

"Fui, e estou preocupado com ela", Holger disse, hesitante.

"Eu também estou. O que você descobriu?"

"Eu..."

Holger pensou no próprio Mikael e em seu velho conselho de não trocar informações sensíveis por telefone.

"Alô?"

"Ela parece disposta a fazer novas descobertas", disse Holger.

"De que tipo?"

"Sobre a infância dela. O pior, Mikael, é que acho que cometi um grande erro. Eu só queria ajudá-la, queria mesmo, mas acabei criando um novo problema. Você não quer vir aqui em casa para eu lhe contar os detalhes?"

"Claro, estou indo agora mesmo."

"Não, nada disso!", disse a voz feminina.

Holger ficou imaginando quem seria aquela mulher. Pensou em Marita, que logo chegaria de supetão e daria início a todo o complexo e humilhante procedimento de limpá-lo, que se encerraria assim que Holger estivesse com uma fralda limpa, sentado na cadeira de rodas, bebendo café aguado com gosto de chá e pensando o quanto seria importante falar com Lisbeth naquele momento.

Precisava encontrar uma forma plausível de apresentar a ideia de que o professor Martin Steinberg provavelmente era o responsável pelo Registro de Estudos em Genética e Meio Ambiente.

"Talvez seja melhor você aparecer hoje depois das nove", disse. "Podemos tomar uma bebida. Eu realmente preciso beber alguma coisa hoje."

"Tudo bem, então nos vemos à noite", disse Mikael.

Holger Palmgren desligou e, mais uma vez, pegou os velhos documentos sobre Lisbeth que estavam no criado-mudo. Depois telefonou para Annika Giannini e para Rikard Fager, o diretor do complexo penitenciário. Não encontrou nem um nem outro. Mais tarde, se deu conta de que seu telefone fixo não estava funcionando e de que a intrometida Marita estava demorando demais para chegar.

Leo Mannheimer havia relembrado aquela tarde de outubro muitas vezes. Tinha apenas onze anos na época. Era um sábado. Sua mãe almoçava com o bispo católico e seu pai caçava nas florestas de Uppland. A casa, muito grande, estava silenciosa, e Leo sentia-se sozinho — nem mesmo Vendela, a empregada, estava lá para cuidar dele. Leo, então, deixou de lado a lição e todas as tarefas extras que a professora particular havia lhe passado e foi sentar-se diante do piano de cauda — não para tocar sonatas ou estudos, mas para compor.

Fazia pouco tempo que havia começado com isso e ainda não tinha recebido aplausos. A mãe dizia que as peças eram "pretensiosas, meu querido". Mas a paixão de Leo era compor. Tinha vontade de fazer isso durante as horas em que passava estudando e fazendo as tarefas de casa. Naquela tarde, estava às voltas com uma peça triste e melódica que viria a tocar o resto de sua vida, ainda que ela se parecesse um bocado com "Ballade pour Adeline" e ainda que Leo tivesse entendido muito bem as palavras da mãe. Não que elas tivessem algum efeito em um menino de onze anos que começava a fazer o que era importante para ele, mas havia um significado objetivo por trás delas.

Suas primeiras composições eram extravagantes, sendo que ele ainda não possuía sofisticação musical para tanto. Não havia descoberto o jazz nem utilizava acordes mais sujos e dissonantes, e acima de tudo ainda não tinha aprendido a explorar os sons de ventiladores, insetos, arbustos, passos, motores e vozes distantes — tudo que ninguém mais ouvia.

Naquele dia sentiu-se feliz ao piano, como o garoto que naquele momento podia ser. Sempre havia sido uma criança solitária rodeada por muita gente, mas na verdade ele amava uma única pessoa: seu psicólogo, Carl Seger. Leo tinha sessões de terapia com ele todas as terças-feiras às quatro da tarde, no consultório em Bromma, e muitas vezes também telefonava para o psicólogo em segredo, ao entardecer. Carl o entendia. Carl brigava com os pais dele:

"O menino precisa de espaço para respirar! Precisa ser criança!"

Não surtia efeito, claro. Mesmo assim Carl o defendia. Era o único — ele e sua noiva, Ellenor.

Carl e seu pai eram como o dia e a noite, embora tivessem uma ligação que Leo não entendia. Naquele dia, por exemplo, Carl tinha saído para caçar com seu pai, ainda que não gostasse de matar animais. Leo achava Carl muito diferente dele e também de Alfred Ögren. Não se envolvia em disputas por poder, não soltava gargalhadas zombeteiras na mesa de jantar e não se interessava por gente que houvesse vencido na vida, preferindo falar dos desajustados, que em seu isolamento podiam ver o mundo com mais clareza. Carl lia poesia, sobretudo francesa. Gostava de Camus e Stendhal, de Romain Gary, adorava Edith Piaf, tocava flauta, se vestia de forma simples mas calculadamente boêmia e, acima de tudo, ouvia as preocupações de Leo com atenção. Era a única pessoa que conhecia toda a extensão do talento do garoto ou de sua frustração, dependendo de como a situação fosse analisada.

"Você deve se orgulhar da sua sensibilidade, Leo. Você tem muita força. Tudo vai melhorar, pode ter certeza."

Leo buscava consolo nas palavras de Carl e esperava ansiosamente pelas quatro da tarde de toda terça-feira. O encontro deles era o ponto alto da semana. O consultório de Carl ficava na casa onde ele morava, na Grönviksvägen, e era decorado com fotografias em preto e branco de uma Paris da década de 1950, envolta em neblina. Leo se deitava no divã de couro desgastado por uma ou duas horas e falava sobre tudo que seus pais e seus amigos não entendiam. Carl foi a melhor parte da infância de Leo, mesmo que na época o garoto não percebesse essa idealização.

Depois daquela tarde de outubro, Leo passaria a vida inteira idealizando Carl, e muitas e muitas vezes voltaria àquelas últimas horas junto ao piano de cauda. Ele se demorava em cada nota, em cada modulação da melodia e da harmonia, quando de repente ouviu o som da Mercedes do pai na entrada da garagem e parou de tocar.

O pai tinha dito que voltaria apenas no domingo à tarde, portanto sua chegada antes do tempo era um sinal de alerta. Quando a porta do carro se abriu e se fechou, era possível sentir o pátio envolto ao mesmo tempo em silêncio e hesitação e — num forte contraste — numa raiva incontida. Os passos sobre o cascalho soavam lentos e pesados. A respiração era acelerada, e no vestíbulo ouviram-se suspiros e o barulho de objetos sendo guardados — provavelmente o fuzil e a bolsa de caça.

A escada de madeira em forma de caracol que levava ao andar de cima rangeu. Leo pressentiu a chegada da escuridão antes mesmo que a silhueta do pai surgisse no marco da porta. Ele se lembraria desse momento para sempre. O pai usava uma calça verde de caçador e um casaco preto, e gotas de suor brotavam de sua calva. Parecia tenso. Ele costumava reagir com arrogância e raiva em situações difíceis, mas naquele instante parecia assustado. Por fim deu um passo à frente. Leo se levantou do piano e ganhou um abraço exagerado.

"Estou triste demais, filho. Você não imagina a minha tristeza."

Leo jamais duvidou da sinceridade dessas palavras. Mas havia ali outro elemento que não se deixava interpretar com facilidade e que se podia intuir daquela confissão e da incapacidade de seu pai olhá-lo nos olhos. Uma mensagem tácita e terrível pairava nas entrelinhas. Naquela hora, porém, nada mais importava.

Carl estava morto, e a vida de Leo nunca mais seria a mesma.

Apesar do tempo bom e propício a atividades ao ar livre, um número surpreendente de pessoas compareceu ao evento promovido pelos investidores no museu Fotografiska. Os tempos eram outros. Tudo que se relacionava ao mercado de ações atraía o interesse, e ali os organizadores não seduziam a plateia somente com sonhos de riqueza, mas também com um pouco de incerteza. A bolha ia aumentar ou explodir? De acordo com a programação do seminário, haveria uma tarde temática sobre as cotações "alucinantes" da Bolsa, e uma longa lista de nomes conhecidos tinha presença confirmada. Leo Mannheimer não era exatamente um dos convidados mais importantes.

Ele seria o primeiro a se apresentar, e Mikael e Malin chegaram no momento em que Leo subia ao palco. Os dois tinham atravessado as ruas silenciosas de Estocolmo às pressas e se acomodado na última fileira do auditório, à esquerda. Malin estava nervosa por rever Leo, e Mikael, cheio de pressentimentos ruins depois da conversa com Holger Palmgren. Mal ouviu o que Karin Laestander, a jovem diretora executiva dos investidores, disse durante a apresentação.

"Temos um dia empolgante pela frente. Vamos acompanhar análises qualificadas da situação atual do mercado, mas antes pensamos em analisar a Bolsa de Valores em termos mais filosóficos. Por favor, recebam com uma salva de palmas Leo Mannheimer, doutor em economia e analista-chefe da corretora de valores Alfred Ögren!"

Um homem alto e elegante de cabelo encaracolado, vestindo um terno azul-claro, levantou-se da primeira fila e subiu ao palco. A princípio tudo parecia transcorrer de forma normal: os passos dele eram leves e decididos, e sua aparência, a que se esperava de um homem rico e seguro de si. Mas logo começou um burburinho naquele mar de gente, uma cacofonia inconfundível. Uma cadeira foi arrastada, e nesse momento Leo cambaleou, seu rosto branco como papel. Ele parecia prestes a desabar. Malin pegou a mão de Mikael e sussurrou: "Essa não".

"Meu Deus, Leo! Tudo bem com você?", perguntou Karin Laestander no palco.

"Tudo bem."

"Mesmo?"

Leo se apoiou na beira da mesa de conferência e começou a mexer numa garrafa de água.

"Só estou um pouco nervoso", disse.

Em seguida forçou um sorriso.

"Então seja muito bem-vindo", disse Karin Laestander, visivelmente insegura com o que poderia acontecer dali para a frente.

"Eu é que agradeço o convite e a recepção."

"Leo, em geral..."

"... em geral eu tenho passos mais firmes."

Ouviram-se risadas nervosas.

"Sem dúvida, você é firme como uma montanha. Bem, você escreve análises sobre a conjuntura econômica instigantes e baseadas em dados factuais para a Alfred Ögren, mas nos últimos tempos começou a falar sobre a Bolsa de maneira... como posso dizer? De maneira mais filosófica. Você diz, por exemplo, que o mercado de ações é um templo para aqueles que têm fé."

"Isso mesmo", ele disse.

E não acrescentou mais nada. Simplesmente respirou fundo e afrouxou o nó da gravata.

"Isso mesmo?"

"Bem... essa imagem nem ao menos é minha. É uma metáfora bem convencional, aliás."

"De que forma?"

"É que..."

"Sim?"

Leo respirou fundo de novo.

"É evidente que a existência tanto da religião como do mercado financeiro está baseada na fé. Se começarmos a duvidar, os dois ruem. É um fato incontestável", prosseguiu Leo, encolhendo os ombros. Seu rosto havia recobrado um pouco da cor natural.

"Mas nós duvidamos o tempo todo", disse Karin. "Aliás, essa é a razão de estarmos aqui hoje — a pergunta que andamos nos fazendo é se estamos numa bolha ou na última fase de uma época de prosperidade."

"A dúvida, desde que em pequena escala, não impossibilita a existência da Bolsa de Valores", disse Leo. "Todos os dias milhões de pessoas duvidam, se enchem de esperança e fazem suas análises, e essa atividade é que define os preços. A dúvida a que me refiro é mais profunda, mais fundamental."

"No caso de Deus?"

"No caso de Deus também. Mas, em primeiro lugar, estou me referindo a uma dúvida relativa ao crescimento e aos lucros futuros. Nada é mais perigoso para um mercado valorizado do que o surgimento de uma dúvida séria. Um sentimento de apreensão pode quebrar a Bolsa e lançar o mundo inteiro numa depressão."

"Mas não é somente esse tipo de dúvida que pode produzir consequências graves, não é mesmo?"

"Com certeza. Também podemos começar a duvidar da própria ideia, de toda essa criação imaginária."

"Imaginária?"

"Claro que estou provocando um pouco a plateia e peço desculpas. Mas o mercado financeiro não existe no mesmo sentido que você e eu existimos, Karin, ou no mesmo sentido em que esta garrafa aqui na mesa existe. O mercado é uma construção. No instante em que pararmos de acreditar, ele deixará de existir."

"Você não está exagerando um pouco, Leo?"

"Não, não. Pense bem! O que é o mercado?"

"O que ele é?"

"É um acordo. Decidimos que lá, naquele lugar, vamos deixar que nossos medos, nossos sonhos, nossas ideias e nossas expectativas sobre o futuro ditem o valor de moedas, empresas e commodities."

"É uma ideia ousada."

"Não é tão ousada assim, Karin. E nem precisa ser para deixar o mercado numa situação pior ou menos estável. Muitas coisas importantes da nossa vida, como as nossas instituições e a nossa herança cultural, por exemplo, também são criações da fantasia humana."

"E o dinheiro, claro."

"Com certeza, e hoje mais do que nunca. Quer dizer... não estamos mais na época do Tio Patinhas, com as pessoas literalmente mergulhando em montes de dinheiro ou então guardando notas embaixo do colchão. Hoje as nossas economias são dígitos numa tela, dígitos que mudam de valor o tempo inteiro. Mesmo assim, confiamos totalmente neles. Agora, imagine se..."

A respiração de Leo Mannheimer tornou-se irregular de novo.

"Sim?"

"Imagine se começarmos a nos preocupar com a ideia de que os dígitos possam não apenas aumentar e diminuir de acordo com as oscilações do mercado, mas também ser apagados como números num quadro-negro — o que aconteceria?"

"Toda a sociedade viria abaixo."

"Claro. Foi o que aconteceu meses atrás."

"Você se refere ao ataque hacker sofrido pela Finance Security, que antigamente era conhecida como Central de Papéis de Valor da Suécia?"

"Isso mesmo. Durante o ataque, enfrentamos uma situação em que, por algum tempo, os dígitos simplesmente não existiram. Eles não podiam ser encontrados no ciberespaço, e nesse período o mercado sofreu um enorme abalo. A coroa se desvalorizou quarenta e seis por cento."

"E a Bolsa de Estocolmo reagiu depressa, fechando todos os balcões de negociação."

"De fato os responsáveis por essas medidas merecem elogios. Só que a queda também foi contida pelo fato de que ninguém na Suécia podia fazer qualquer tipo de negócio, uma vez que não havia acesso ao dinheiro. Mas pode ter certeza de que algumas pessoas ficaram ainda mais ricas. Na verdade, essa é a parte vertiginosa de todo esse raciocínio. Você consegue imaginar quanto os responsáveis pela quebra da Bolsa devem ter ganho? Seria necessário assaltar milhões de bancos para chegar a uma soma parecida."

"É verdade, muitos artigos foram escritos a esse respeito, inclusive pelo jornalista Mikael Blomkvist, da *Millennium*, que está sentado lá no fundo do auditório. Mas, Leo, falando sério... Qual foi a gravidade desse incidente?"

"Na realidade não foi muito grande. Tanto a Finance Security como os bancos suecos têm um sistema de backup muito abrangente. Mas palavras como 'realidade' e 'objetivamente' nem sempre interessam a um mercado regido pela esperança e pelo temor. O mais preocupante foi que, durante certo tempo, chegamos a duvidar da existência do capital no mundo digital."

"E os ataques hacker vieram acompanhados de um volume maciço de desinformação produzido nas mídias sociais."

"Ah, claro, não faltaram tweets falsos sobre a impossibilidade de reconstruir nosso patrimônio, o que de novo demonstra que se tratou mais de um ataque contra a nossa confiança do que contra o nosso dinheiro — se é que se pode separar uma coisa da outra."

"Hoje já parece haver a convicção de que tanto o ataque hacker como a campanha de desinformação foram lançados da Rússia."

"Sim, e mesmo que a partir de agora passemos a redobrar os cuidados, o que aconteceu dá muito o que pensar. Talvez no futuro as guerras venham a ser deflagradas dessa forma. Poucas coisas causariam mais caos do que perder a confiança na existência do nosso dinheiro. E não podemos esquecer de uma coisa: nem é necessário que *a gente* duvide disso; basta acreditar que *os outros* duvidam."

"Explique melhor essa ideia, Leo."

"É como estar numa multidão. Não importa você saber que a situação está sob controle e que nada grave aconteceu. Se as pessoas começam a correr, também precisamos correr. Keynes, o lendário economista, certa vez comparou a Bolsa de Valores a um concurso de beleza."

"A um concurso de beleza?"

"Sim, é um exemplo que ficou bastante conhecido. Keynes imaginou um tipo especial de concurso de beleza no qual o júri não escolheria a concorrente mais bonita, mas aquela que, de acordo com a opinião geral, deveria ser a vencedora."

"E qual é o resultado disso?"

"Que é preciso ignorar as nossas preferências pessoais e refletir sobre o gosto e as opiniões das outras pessoas. Ou pior: que precisamos refletir sobre que candidata os outros acham a mais bonita. É um metaexercício bastante avançado, quando você começa a pensar mais a fundo."

"Parece bem maluco."

"Pode ser, porém o mais estranho é que isso é o que acontece o tempo todo no mercado financeiro. A Bolsa de Valores não é apenas resultado de análises sobre valores fundamentais das empresas e do mundo ao redor. Os fatores psicológicos desempenham um papel igualmente importante, junto com outros mecanismos psicológicos e palpites a respeito deles. Palpites sobre os palpites alheios. Tudo acaba sendo distorcido porque todos querem levar vantagem; querem, por assim dizer, sair correndo antes que os outros possam correr; desde a época de Keynes nada disso mudou, pelo contrário: as operações automatizadas de compra e venda trouxeram uma dimensão especular aos mercados. Programas de computador examinam ordens de compra e venda em tempo real e atuam com base nessas análises, reforçando os padrões existentes. É um risco considerável. Um movimento repentino na Bolsa de Valores pode se acelerar em segundos e se transformar em algo incontrolável. E, numa situação como essa, com frequência o mais racional é agir de maneira irracional — correr, mesmo que você saiba que é uma loucura. De que adiantaria ficar parado, gritando 'Seus idiotas, seus imbecis, não existe nenhum perigo!', quando todos estão correndo para salvar a vida?"

"Você tem razão", disse Karin, "mas quando a correria não tem sentido, em geral o mercado se corrige, não é isso?"

"Com certeza, mas essa reação pode demorar, então não importa se você está certo ou não. Você pode ficar arruinado. Como disse Keynes, você pode ter razão até falir."

"Isso é lamentável."

"Mas existe uma esperança na capacidade que o mercado tem de refletir sobre si mesmo. Quando um meteorologista estuda o clima, o clima não muda por causa disso. Já quando estudamos economia, as nossas previsões, as nossas análises passam a fazer parte do organismo econômico. Por isso a Bolsa de Valores é tão neurótica. Ela tem a capacidade de se desenvolver e de se tornar um pouco mais inteligente."

"Mas com isso a Bolsa também se torna menos previsível, não é?"

"Exatamente. Mais ou menos como eu neste palco. Não há como saber quando virá o tombo."

Dessa vez ouviram-se risadas sinceras, de alívio. Leo abriu um sorriso discreto, se levantou e deu um passo à frente.

"Vista dessa maneira, a Bolsa é um paradoxo", disse. "Todo mundo quer entendê-la e ganhar dinheiro com ela. Mas se realmente a entendêssemos, esse entendimento acabaria por transformá-la. Um modelo definitivo de mercado financeiro alteraria o tipo de relação que mantemos com ele hoje, e no instante seguinte o mercado já seria outra coisa. Como na mutação de um vírus. Podemos dizer com certeza que o mercado financeiro não funcionaria se o compreendêssemos de forma definitiva."

"Nossas discordâncias é que são a alma do negócio, no caso."

"Isso mesmo, afinal precisamos de compradores e de vendedores, otimistas e pessimistas, e essa é justamente a parte mais interessante. Muitas vezes o coro de vozes discordantes faz com que o mercado aja de forma muito inteligente, muito mais inteligente do que qualquer um de nós, quando nos arriscamos a bancar o guru no sofá da nossa casa. Quando as pessoas ao redor do mundo passam o tempo inteiro pensando 'Como posso ganhar a maior quantia de dinheiro possível?', quando existe um equilíbrio perfeito entre previsões e conhecimento, entre a esperança dos compradores e a incerteza dos vendedores, pode surgir daí uma sabedoria quase profética. O problema é saber captar esses momentos de sabedoria do mercado e saber distingui-los dos momentos em que se corre para todos os lados, como uma multidão em pânico."

"E como podemos fazer essa distinção, Leo?"

"Esse é o problema. Costumo dizer, quando quero fazer uma bravata, que hoje sei tanto sobre o mercado financeiro que cheguei à conclusão de que não consigo entendê-lo."

Malin cochichou no ouvido de Mikael: "Ele não parece nem um pouco burro, não é mesmo?".

Mikael ia responder, quando seu celular vibrou no bolso. Era Annika, sua irmã. Ele se lembrou da conversa com Holger, pediu licença e saiu do auditório, pensativo, sem perceber que sua saída tinha deixado uma marca de preocupação no rosto de Leo. Malin, que observava e analisava Leo com extrema atenção, se lembrou da noite em que o viu no escritório, escrevendo num papel pardo, e do quanto aquela cena tinha lhe dado a impressão de ser um momento importante e estranho. No auditório, Malin sentiu essa sensação outra vez e decidiu falar com Leo no fim da palestra, para perguntar a respeito do que havia acontecido naquela noite.

Mikael estava no cais, olhando para Gamla Stan e para o Palácio Real na outra margem, a superfície da água completamente imóvel. Ao longe, um cruzeiro se aproximava para ser rebocado. Mikael resolveu telefonar para Annika pelo aparelho com Android e usar o aplicativo Signal para encriptar a conversa. Ela atendeu no primeiro toque e parecia ofegante. Mikael perguntou o que tinha acontecido, e Annika contou que estava voltando de Flodberga e que Lisbeth havia sido interrogada pela polícia.

"Ela está sendo acusada de alguma coisa?"

"Ainda não, e com sorte deve escapar. Mas o que aconteceu foi grave, Mikael."

"Então me conte o que foi!"

"Tudo bem, calma. Benito Andersson, uma sádica que ameaçava e manipulava tanto funcionários como outras detentas, está internada no Hospital Universitário de Örebro com ferimentos graves na mandíbula e no crânio. Ela sofreu uma agressão violenta no pavilhão."

"E o que a Lisbeth tem a ver com isso?"

"Alvar Olsen, o chefe de segurança, assumiu a agressão. Disse que foi obrigado a agredir Benito porque ela ia atacar uma detenta com um canivete."

"Dentro da prisão?"

"É um escândalo terrível, e paralelamente foi aberta uma investigação para saber como o canivete foi parar lá dentro. Por isso não acho que a agressão em si constitua um problema. Não será difícil alegar legítima defesa, e Alvar Olsen conta com o testemunho de Faria Kazi, a garota de Bangladesh da qual eu te falei. Faria afirmou que Alvar praticamente salvou a vida dela."

"Então qual é o problema com a Lisbeth?"

"Em primeiro lugar, o depoimento dela."

"Ela testemunhou a cena, então?"

"Deixe eu explicar mais detalhadamente."

"Claro."

"Existem contradições entre o depoimento de Faria Kazi e o depoimento de Alvar. Ele disse que acertou Benito na traqueia com dois golpes de punho fechado, enquanto Faria diz que ele a acertou com uma cotovelada que derrubou Benito de cara no chão. Nessa parte não há nenhum problema. Qualquer investigador criminal sabe como é normal as pessoas terem lembranças muito diferentes de episódios traumáticos. O pior são as imagens das câmeras de segurança."

"O que elas mostram?"

"Essa confusão toda aconteceu um pouco depois das sete e meia da noite, o pior horário no pavilhão de segurança. É justamente durante o trancamento das celas que as agressões são mais comuns, e ninguém sofria mais com isso do que Faria Kazi, fato que Alvar confirmou. Ele sabia o que vinha ocorrendo lá, mas nunca teve coragem de intervir. Ele mesmo confirmou isso; nesse sentido está ajudando, está sendo sincero — eu acompanhei uma parte do interrogatório. Às 19h32 de ontem ele estava em seu escritório, quando o telefone tocou e ele recebeu a notícia que vinha esperando fazia muito tempo: a transferência de Benito para outra prisão tinha sido autorizada. Porém, ele não prolongou a conversa e desligou logo."

"Por quê?"

"Porque tinha acabado de notar que eram sete e meia, pelo que disse. Ficou impaciente, se levantou, abriu a porta da eclusa e saiu correndo pelo corredor do pavilhão de segurança. O mais estranho é que..."

"O quê?"

"É que nesse exato momento outra interna, uma mulher chamada Tine Grönlund, saiu apressada da cela da Faria Kazi. No pavilhão, Tine Grönlund é conhecida como braço direito ou guarda-costas de Benito, então cabe perguntar: por que ela saiu de lá com tanta pressa? Porque ouviu Alvar chegando ou por outro motivo? Alvar disse que não a viu, que estava ocupado abrindo caminho entre as internas que haviam se aglomerado em frente à porta de Faria, e que ao entrar viu Benito com o canivete na mão. Então ele a atingiu com força na traqueia. Por questões de privacidade, não existem câmeras no interior das celas, portanto não há como confirmar esse relato. Me parece que ele está sendo sincero. Mas a Lisbeth também estava na cela de Faria."

"E a Lisbeth não é do tipo que fica vendo alguém ser agredido sem tomar uma atitude."

"Principalmente no caso de uma mulher como Faria Kazi. Mas o pior nem foi isso."

"Foi o quê?"

"O clima do pavilhão, Mikael. Num presídio, como sempre, ninguém quer falar, mas a gente percebe a eletricidade no ar. Quando atravessei o refeitório com a Lisbeth, as presas começaram a bater suas canecas. Deu para ver que ela está sendo considerada uma heroína, só que ao mesmo tempo... uma heroína condenada à morte. Ouvi as palavras 'Dead woman walking'. Mesmo que esse título que deram a ela seja um símbolo de status, também há nele uma ameaça grave, e não achei isso apenas pela sensação desagradável que essa expressão me causou. A polícia também não entendeu. Se foi Alvar Olsen quem quebrou a mandíbula de Benito, por que a Lisbeth estaria recebendo ameaças?

"Entendi", disse Mikael, pensativo.

"Agora a Lisbeth está isolada e sendo vista com enorme desconfiança. É fato que muitas coisas jogam a favor dela. Por exemplo, ninguém imagina que uma garota tão pequena como ela pudesse desferir um golpe tão brutal como o que Benito recebeu. Ninguém entende também por que Alvar Olsen assumiria a culpa e receberia o apoio da Faria Kazi se não fosse ele o agressor. Mas, Mikael, para alguém tão inteligente, a Lisbeth cometeu uma burrada e tanto."

"O que ela fez?"

"Recusou-se a falar sobre o que aconteceu. Disse que só tinha duas coisas a dizer."

"Que coisas?"

"Que Benito teve o que mereceu."

"E a outra coisa?"

"Que Benito teve o que mereceu."

Mikael riu sem saber por quê. Sentia-se profundamente inquieto.

"E o que você acha que aconteceu de fato?", perguntou.

"O meu trabalho não é achar nada, apenas proteger minha cliente", disse Annika. "Mas um cenário hipotético eu posso descrever: a Benito tem o perfil exato de uma pessoa com quem a Lisbeth não se daria muito bem."

"E eu tenho como ajudar?"

"Foi também por isso que eu te liguei."

"Diga."

"Você pode me ajudar com o caso da Faria Kazi. Eu vou assumir a defesa dela — a pedido da Lisbeth, como eu já te disse. Parece que a Lisbeth fez pesquisas sobre o passado dessa garota na prisão, e achei que você e a revista poderiam ter interesse em me ajudar no caso. Talvez ele possa virar uma história forte e importante para vocês. O namorado dela morreu atropelado por um trem do metrô. Será que podemos nos ver hoje à noite?"

"Eu vou me encontrar com o Holger Palmgren às nove horas."

"Mande um abraço para ele. O Holger tentou falar comigo hoje. Nove horas? Então a gente pode jantar antes. Que tal nos encontrarmos às seis no Pane Vino?"

"Tudo bem", respondeu Mikael. "Combinado."

Ele desligou, olhou para o Grand Hôtel, depois para o Kungsträdgården e pensou se devia voltar ao seminário. Em vez disso, começou uma série de buscas no celular, e só depois de vinte minutos ou mais se dirigiu ao auditório.

Mikael voltou apressado e, quando passou em frente à mesa de livros, junto à entrada, deu de cara com Leo Mannheimer. Mikael quis apertar a mão dele e fazer um breve comentário amistoso sobre a entrevista no palco, mas uma coisa estranha aconteceu. Leo estava tão perturbado que Mikael achou melhor não dizer nada, e o deixou sumir rumo à luz do sol com movimentos nervosos.

Permaneceu imóvel por algum tempo, pensando. Depois entrou no auditório e procurou Malin. Ela não estava mais na poltrona, e Mikael se irritou consigo mesmo por ter demorado tanto. Será que ela tinha se cansado e ido embora? Olhou novamente ao redor. No palco, um homem mais velho falava, apontando para curvas e linhas projetadas numa tela branca. Mikael não prestou muita atenção nele.

Continuou procurando Malin naquele mar de gente até por fim avistá-la sentada junto ao balcão do bar, à direita, onde já tinham colocado taças de vinho tinto para o intervalo. Malin, meio encolhida, já havia surrupiado um copo e parecia triste.

Alguma coisa devia ter acontecido.

8. 19 DE JUNHO

Faria Kazi estava encostada na parede da cela, de olhos fechados, e pela primeira vez em muito tempo com vontade de se olhar no espelho. Tinha sentido uma esperança cautelosa, mesmo que o medo ainda estivesse em seu corpo. Pensou no pedido de desculpas que havia recebido do chefe de segurança, em Annika, sua nova advogada, nos policiais que a interrogaram e, como não poderia deixar de ser, em Jamal.

Ela enfiou a mão no bolso da calça e tirou de lá um estojo de couro marrom. Dentro dele havia o cartão de visitas que Jamal tinha lhe dado depois do debate na Kulturhuset.

Jamal Chowdhury, dizia o cartão. *Blogueiro, escritor e doutor em biologia pela Universidade de Daca.* Depois vinham seu e-mail, o número do celular e, mais abaixo, com uma tipografia diferente, o endereço de uma página na internet: www.muktomona.com. A qualidade do papel era péssima. O cartão estava amassado e o texto já se apagando. Com certeza o próprio Jamal o havia imprimido. Faria não tinha feito nenhuma pergunta a respeito, por que deveria? Não havia como saber que o cartão era propriedade do namorado. Na noite depois do primeiro encontro entre eles, Faria tinha se deitado e ficado olhando para o cartão debaixo das cobertas, relembrando a conversa que tiveram e cada traço do rosto dele. Devia ter ligado para Jamal na primeira oportunidade. Devia ter entrado em contato naquela mesma noite. Mas ela era jovem e inocente, não queria parecer ansiosa, e, além disso, como poderia imaginar que logo tudo lhe seria tirado — o telefone, o computador, até mesmo a possibilidade de dar uma volta de *niqab* pelo quarteirão onde morava?

Na cela, quando aquele primeiro raio de luz brilhou em sua vida, Faria se lembrou do verão em que sua tia Fatima reconheceu que havia mentido a pedido da sobrinha, quando então Faria passou a viver como uma prisioneira em sua casa. Ela foi trancada ali e lhe disseram que teria que se casar com um primo em segundo grau que ela nem ao menos conhecia, proprietário de três fábricas de produtos têxteis em Daca, *três* — nem se lembrava mais de quantas vezes tinha ouvido esse número ser repetido.

"Já imaginou, Faria? Três fábricas!"

Para ela não teria feito nenhuma diferença se o primo tivesse trezentas e trinta e três fábricas. Ela achava Qamar Fatali um homem repugnante. Nas fotos ele parecia arrogante e ameaçador, e não chegou a ser uma surpresa descobrir que Qamar era salafista e um oponente fervoroso do movimento secularista de Bangladesh. Nem a exigência de que ela vivesse como uma sunita pura e intocada até o primo chegar para salvá-la dos costumes do Ocidente.

Nessa época, ninguém da família sabia sobre Jamal. Além das suspeitas sobre o que de fato ela teria feito quando havia mentido sobre estar com tia Fatima, outras coisas tinham aparecido e estavam sendo usadas contra ela — fotografias antigas e inocentes de Faria postadas no Facebook, boatos que, para a família, só confirmavam que ela tinha virado uma "vadia".

A porta foi trancada à chave, e como seus irmãos Ahmed e Bashir estavam desempregados, passavam o tempo inteiro em casa, vigiando-a. Faria não tinha muito a fazer senão limpar a casa e preparar e servir as refeições, ou então ficar no quarto lendo o que havia para ler: o Alcorão, a poesia e os contos de Rabindranath Tagore e biografias de Maomé e dos primeiros califas. A maior parte do tempo, porém, ela sonhava acordada. Bastava pensar em Jamal para que seu rosto corasse. Ela tinha plena consciência de que aquela situação era patética. Mas também era uma dádiva que a família havia lhe concedido. Ao ser retirada dela qualquer possibilidade de alegria, até mesmo um simples passeio ao longo da Drottninggatan, ela podia fazer o mundo estremecer. Embora já estivesse vivendo numa prisão naquela época, nunca havia se permitido sucumbir à resignação ou à desesperança.

Em vez de ficar deprimida, sentiu-se furiosa, e a lembrança de Jamal oferecia um consolo cada vez menor com o passar dos dias. A simples lembrança daquela conversa entre eles, em que as palavras voavam livres, fazia com que todas as trocas em sua casa parecessem duras e formais, e nem mesmo Deus poderia amenizar aquilo.

Deus não era um conceito espiritual e enriquecedor — pelo menos não na família dela. Era pouco mais do que um martelo usado para acertar a cabeça das pessoas, uma ferramenta mesquinha e opressiva, exatamente como Hassan Ferdousi tinha dito. A respiração de Faria estava ofegante, o coração batia acelerado, até que ela não aguentou mais. Precisava fugir a todo custo. Já era setembro, o tempo estava mais fresco, e o olhar dela havia ganho uma nova clareza.

Seus olhos buscavam sempre vias de escape, ela não pensava em praticamente mais nada. À noite sonhava em fugir e ao longo do dia se entregava a devaneios sobre o mesmo tema. Muitas vezes olhava para Khalil, o irmão caçula. O garoto também era maltratado, era proibido de ver as séries americanas e inglesas de que gostava e de se encontrar com Babak, seu melhor amigo, porque ele era shia. Às vezes Khalil a olhava com uma dor profunda nos olhos, como se entendesse perfeitamente pelo que a irmã estava passando. Será que ele poderia ajudá-la?

Faria começou a pensar nisso. Ficou obcecada por essa ideia e aos poucos se fixou em outra coisa: telefones — nos telefones dos irmãos e do pai, em todos os telefones ao redor. Começou a seguir os irmãos de longe pelo apartamento. Prestava atenção nas mãos que mexiam nos celulares e digitavam senhas. Acima de tudo, prestava atenção na maneira como os celulares eram deixados em mesas e cômodas, e também em lugares menos óbvios, como em cima da TV ou ao lado da torradeira e do bule na cozinha. De vez em quando ocorriam breves cenas ridículas, nas quais os irmãos não encontravam seu celular e começavam a brigar e a ligar um para o outro e a praguejar ainda mais quando percebiam que o aparelho tinha ficado no modo silencioso e eles eram obrigados a localizá-lo apenas pelo ruído abafado das vibrações.

Essas situações ridículas representavam grandes chances para Faria. Aos poucos ela entendeu que precisava aproveitar as oportunidades, mesmo que elas envolvessem riscos. E não se tratava apenas do risco de destruir a honra da família; havia também o risco de arruinar as economias do pai e dos irmãos. Aquelas três fábricas de produtos têxteis seriam uma dádiva do céu, capaz de trazer conforto para todos eles. Se estragasse o casamento, as consequências poderiam ser terríveis, e escapar dessa armadilha parecia cada vez mais difícil.

Um veneno começou a se espalhar pelo apartamento quando, além da honra e da cobiça, outro sentimento passou a brilhar nos olhos de seus irmãos mais velhos: a preocupação de que ela comesse mais. Eles achavam que Faria não podia ser muito magra, pois Qamar gostava de mulheres corpulentas, e assim eles a obrigavam a se alimentar em excesso. Faria não deveria de forma alguma se macular, não deveria de forma alguma ser livre. Os irmãos a observavam com olhos de águia, e a ela caberia se resignar e desistir. No entanto, numa manhã de meados de setembro, quase dois anos antes, a situação chegou ao limite. Ela tomava o café da manhã e seu irmão mais velho, Bashir, mexia em seu celular.

Malin tomou um gole de vinho tinto no balcão provisório montado para o seminário no auditório do Fotografiska. Mikael lembrava que ela estava alegre e animada quando ele saiu para telefonar para Annika. Agora, com uma das mãos enfiada em seu cabelo longo, parecia uma flor que havia murchado.

"Oi", Mikael disse em voz baixa, para não atrapalhar a palestra.

"Quem te ligou?", Malin perguntou.

"Minha irmã."

"A advogada."

Mikael fez um gesto afirmativo com a cabeça.

"Aconteceu alguma coisa?", ele perguntou.

"Não, nada. Eu só falei com o Leo."

"E a conversa não foi boa?"

"Foi ótima."

"Não está parecendo."

"Na teoria, foi ótima. Trocamos um monte de palavras amistosas. Eu fui legal e disse que ele tinha se saído muito bem no palco, que estava com saudade... blá-blá-blá. Mesmo assim, fiquei com a impressão de que alguma coisa havia mudado."

"Mudado como?"

Malin hesitou. Olhou ao redor, como se para se certificar de que Leo não estava mesmo por ali e não poderia ouvi-la.

"A conversa pareceu... vazia", ela disse. "Como se só tivéssemos nos dito palavras vazias. Ele pareceu constrangido ao me ver."

"Nem todas as amizades duram para sempre", Mikael disse de um jeito carinhoso, passando a mão no cabelo dela.

"Eu sei, poxa, e consigo me virar muito bem sem o Leo Mannheimer. Mesmo assim fiquei chateada. A gente ainda era... por um tempo a gente foi muito..."

Mikael escolheu bem as palavras.

"Vocês foram muito próximos", disse.

"Sim, muito próximos. Mas o pior não foi isso; ele parecia esquisito."

"Como?"

"O Leo me disse que ficou noivo da Julia Damberg."

"E quem é Julia Damberg?"

"Ela trabalhou como analista na Alfred Ögren, é uma mulher legal, simpática e tudo mais, só que não é lá muito esperta. O Leo nunca gostou dela, dizia que era infantil. Eu simplesmente não entendo como de repente os dois ficaram noivos."

"Complicado."

"Pode parar!", ela exclamou. "Eu não estou com ciúme, se é isso que você está pensando. Só estou..."

"O quê?"

"Confusa. Completamente atordoada, para ser sincera. Tem alguma coisa aí que não fecha."

"Alguma coisa além do fato de o Leo ter se apaixonado por essa garota, você quer dizer."

"Blomkvist, às vezes você parece burro, sabia?"

"Eu só quero entender."

"Você não vai conseguir nem de um jeito nem de outro", Malin retrucou.

"Por que não?"

"Porque..."

Malin parecia não encontrar as palavras.

"... porque esse assunto não está encerrado", ela continuou. "Primeiro preciso verificar uma coisa."

"Não me venha com enigmas!", ele exclamou, bufando.

Dessa vez foi Mikael quem perdeu a paciência. Talvez estivesse sendo injusto, mas sua cabeça andava cheia de preocupações, com Lisbeth, com o incidente em Flodberga, com o número de verão da revista que exigia muita dedicação. Malin o encarou assustada.

"Me desculpe", ele disse.

"*Eu* é que peço desculpa. Agi como uma maluca."

Mikael se esforçou para ser simpático e amistoso de novo.

"Do que você estava falando então?"

"Da mesma coisa de antes."

"O quê?"

"Aquela noite em que eu vi o Leo escrevendo no escritório. Pareceu suspeito."

"Você pode explicar melhor?"

"Para início de conversa, o Leo devia ter me ouvido quando voltei."

"Por quê?"

"Porque ele tem hiperacusia."

"Tem o quê?"

"Hiperacusia. Hipersensibilidade auditiva. O Leo ouve tudo, cada passo, cada vibração de asa de uma borboleta. Ele se acha uma aberração por causa disso. Não sei como fui me esquecer. Ou melhor, acho que a minha percepção foi inconsciente. Mas quando alguém arrastou uma cadeira aqui no auditório e ele teve aquela reação exagerada, quase caiu, eu me lembrei. Vamos embora? Eu não quero ficar ouvindo esta conversa sobre compra e venda", disse Malin, terminando o vinho.

Faria Kazi estava sentada em sua cela e logo seria interrogada novamente, mas ela não estava tão nervosa quanto havia imaginado que estaria. Por duas vezes tinha não apenas contado sobre as agressões e humilhações que sofria no pavilhão como também mentido. Não era exatamente fácil. Os policiais não paravam de fazer perguntas sobre Salander.

Por que Lisbeth estava na cela de Faria? Que papel ela tinha naquela história? A vontade de Faria era gritar: "Foi ela quem me salvou, não Alvar Olsen!", mas conseguiu manter a promessa de não dizer nada. Achava que seria melhor para Lisbeth. Quando tinha sido a última vez que alguém intercedera por ela como Lisbeth havia feito? Faria não se lembrava, e voltou a se recordar daquela manhã no apartamento em Sickla, quando ela tomava café e seu irmão Bashir mexia em seu celular próximo a ela.

Fazia um dia bonito. Na rua, o sol iluminava todo aquele mundo que Faria estava proibida de usufruir. Na época já fazia algum tempo que a família assinava um jornal matutino e ainda mais tempo que o pai sintonizava o rádio na P1 todas as manhãs. A família praticamente havia se afastado do convívio social.

Bashir bebeu um gole de chá e levantou o rosto.

"Sabe por que o Qamar está demorando?", ele perguntou.

Faria olhou para a rua.

"Ele foi descobrir se você é ou não uma puta. Você é uma puta, Faria?"

A irmã não respondeu. Nunca respondia a perguntas desse tipo.

"Ah, e um apóstata de merda andou procurando você."

Esse comentário Faria não deixou passar:

"Quem?"

"Um desertor qualquer de Daca", disse Bashir.

Talvez ela devesse ter se irritado, porque Jamal não era um desertor. Pelo contrário: era um herói, um homem que havia lutado pela democracia e por mais qualidade de vida em Bangladesh. Faria sentiu a mais pura alegria, o que no seu caso era natural. Com o passar dos meses, é comum que as lembranças e os sentimentos que se tem por alguém diminuam, especialmente quando tudo que você fez com a pessoa foi dar um passeio na rua e depois nunca mais vê-la.

No caso de Faria, não era estranho que ela pensasse em Jamal dia e noite, pois vivia trancada em casa, sem nada para fazer. Mas Jamal era livre e com certeza passava boa parte do tempo em seminários e recepções. Provavelmente já tinha encontrado outra mulher mais interessante do que ela. Mas naquele momento, ao saber que Jamal a tinha procurado, enquanto Bashir cuspia ofensas, Faria soube que ele queria vê-la outra vez, e isso era maravilhoso.

Em seu mundo limitado por quatro paredes, aquilo significava muito, e ela teve vontade de se afastar, levando consigo toda a alegria que estava sentindo. Mas nem assim se descuidou. Um simples rubor no rosto poderia colocar sua vida em risco. Uma atitude simples como gaguejar ou um olhar nervoso poderiam traí-la. Portanto, Faria manteve-se firme por trás de sua máscara.

"Quem?" Um desertor?", perguntou. "Então não me interessa."

Ela se levantou da mesa e somente mais tarde percebeu que havia cometido um erro. Na tentativa de parecer indiferente, tinha exagerado em sua atuação, embora no momento pensasse ter obtido uma vitória. Quando se recuperou do choque, estava mais focada do que nunca. Precisava a todo custo de um telefone. Ficou possuída por essa ideia, e sua inquietude deve ter chamado a atenção. Bashir e Ahmed passaram a vigiá-la ainda mais de perto, e claro que ninguém esqueceu chaves nem celulares perto dela.

Os dias se passaram e outubro chegou. Num sábado à noite, a casa se encheu de vida e movimento, e demorou para Faria entender o que estava acontecendo. Seu relacionamento com a família era tão distante que nem sequer a haviam informado de que era a festa de seu noivado. "Festa" talvez não fosse a melhor palavra, pois ninguém parecia muito alegre. Qamar não quis comparecer, alegando ter enfrentado problemas na viagem; e também faltavam algumas pessoas, gente com quem sua família havia se decepcionado ou que se afastara da crença dos irmãos. A reunião evidenciou o isolamento cada vez maior da família. Mas Faria aproveitou para se concentrar no rosto dos convidados. Será que algum deles poderia ajudá-la?

Mais uma vez, o melhor candidato lhe pareceu ser Khalil, seu irmão mais novo, de dezesseis anos. Na festa de noivado, ele ficou o tempo todo a seu lado, lançando olhares nervosos para ela. Quando a família morava em Vallholmen e os dois dividiam um quarto, costumavam ficar acordados até tarde conversando. Na época — logo depois que a mãe deles morreu —, Khalil ainda não tinha começado a treinar corrida por horas a fio. Ele era uma pessoa especial para Faria, um garoto quieto que gostava de costurar e desenhar e que com frequência mencionava a saudades que sentia de casa — de um país que ele nem tinha como lembrar.

Faria olhou para o irmão e se perguntou se ele concordaria em ajudá-la a fugir naquele exato instante, aproveitando a chance que a festa oferecia. Nervosa demais, foi ao banheiro fazer xixi. Para se distrair, ou já como um cacoete habitual de sua busca incessante, seus olhos varreram o ambiente, até darem com um celular no alto do armário azul-escuro. A princípio ela não acreditou no que via, mas era mesmo um telefone, e ele não pertencia a nenhum convidado — era o celular de Ahmed. Faria olhou para a fotografia exibicionista na tela, na qual o irmão aparecia sorrindo em cima de uma motocicleta que nem era dele. Seu coração começou a bater forte e ela tentou se lembrar — pois havia observado com muita atenção — como o irmão desbloqueava a senha. O desenho tinha o formato de L — talvez fosse um, sete, oito, nove. Faria experimentou. Não deu certo. Testou outra variante. Também não deu certo, e ela começou a ficar com medo. O que aconteceria se digitasse a senha errada pela terceira vez? Do lado de fora ouviam-se passos e vozes. Será que estavam à procura dela? O pai e os irmãos a vigiavam o tempo todo na festa, portanto seria melhor sair do banheiro o quanto antes e deixar o telefone onde o havia encontrado. Ainda assim, Faria arriscou mais uma senha, e dessa vez sentiu um calafrio — tinha dado certo! Já fazia tempo que não precisava do cartão de visitas de Jamal — sabia o número do celular dele tão bem quanto o próprio nome. Apavorada, entrou na banheira, o ponto mais afastado da porta. E fez a ligação.

Os sinais de chamada tinham parecido sirenes em meio à névoa, pedidos de socorro num mar escuro. De repente ouviu um barulho na linha, alguém havia atendido. Faria fechou os olhos e ficou escutando ansiosa, enquanto olhava na direção do corredor e pensava em desligar. Mas então ouviu a voz e o nome dele, e sussurrou:

"Sou eu. Faria Kazi."

"Oi!", ele disse.

"Eu não posso falar muito."

"Estou ouvindo", ele disse.

A voz do rapaz fez seu coração se apertar, e Faria pensou em pedir a ele que chamasse a polícia. Mas não teve coragem. Disse apenas:

"Eu preciso encontrar você."

"Eu também gostaria muito de encontrar você de novo", ele disse, e Faria teve vontade de gritar: *Como sou feliz! Acho que vou explodir de felicidade!*

Mas apenas respondeu:

"Não sei quando vou poder."

"Eu quase sempre estou em casa. Moro num apartamento alugado na Upplandsgatan e passo a maior parte do tempo lendo e escrevendo. Venha quando puder", ele disse, e deu a ela um endereço e o código de acesso da porta do prédio.

Faria excluiu o número de Jamal da lista de ligações feitas e recolocou o celular em cima do armário. Saiu do banheiro, passou em meio a parentes e conhecidos e foi para o quarto. Lá também havia gente. Ela pediu que saíssem, e os convidados a obedeceram com sorrisos forçados. Depois, se deitou sob as cobertas e decidiu que iria fugir, não importava a que preço. E foi dessa forma que Faria encontrou a felicidade e também o sofrimento.

Malin e Mikael abriram caminho pelo público, passaram pela mesa de livros junto à entrada do auditório e saíram para a rua. Pararam em frente aos barcos no cais e ficaram olhando para a montanha do outro lado da estrada. Permaneceram calados por um bom tempo. Fazia calor. Mikael já havia deixado a irritação de lado, porém Malin continuava um pouco desconcertada.

"Interessante o que você falou sobre a audição do Leo", disse Mikael.

"É mesmo?"

Malin parecia distraída.

"Carl Seger, o psicólogo atingido há vinte e cinco anos durante a caçada na floresta, escreveu a tese dele sobre a influência da audição na nossa autopercepção", Mikael disse.

Malin olhou para ele.

"Você acha que pode ter sido por causa do Leo?"

"Não sei, mas não parece ser um tema muito comum. Como essa sensibilidade excessiva do Leo se manifestava?"

"Às vezes a gente estava numa reunião e de repente eu percebia a atenção dele se voltar para outro lugar, e eu ficava sem entender nada. Logo depois alguém entrava na sala. Ele sempre pressentia esse tipo de coisa, e uma vez eu toquei no assunto com ele, e o Leo disse que não era nada. Mas depois... um pouco antes de eu sair da Alfred Ögren ele me contou que a vida inteira havia sido atormentado por essa audição excessivamente sensível. Tinha sido um péssimo aluno por causa disso."

"Achei que ele era o gênio da turma."

"Eu também. Mas nos primeiros anos de escola ele praticamente não conseguia sentar quieto, queria estar na rua a toda hora. Foi uma grande preocupação, e se ele tivesse nascido numa família mais tradicional com certeza o teriam mandado para uma classe especial ou então o considerado uma criança-problema. Mas como ele era um Mannheimer, todos os recursos foram empregados. Descobriram que o Leo tinha uma audição excepcional, fora do comum. Por isso ele não aguentava a sala de aula. Os menores ruídos o perturbavam. Decidiram que o melhor seria ele ter aulas particulares em casa, e o resultado foi que ele se tornou aquele garoto com Q.I. altíssimo a respeito de quem você leu."

"Então ele nunca se orgulhou dessa audição extraordinária?"

"Talvez, não sei... Talvez ele sentisse que era uma coisa vergonhosa e útil ao mesmo tempo."

"Ele devia ser bom em escutar a conversa dos outros."

"O psicólogo que você mencionou escreveu sobre audição extremamente aguçada?"

"De certa forma", disse Mikael, "embora eu ainda não tenha conseguido um exemplar da tese. Mas em outros artigos ele escreveu que uma habilidade vantajosa num determinado período evolutivo pode se tornar um fardo em outro. Na época em que o homem caçava para sobreviver, aquele com a melhor audição era o mais alerta numa floresta e o mais capaz de voltar para casa levando o jantar. Já em tempos de poluição sonora, na cidade a mesma pessoa corre o risco de ficar transtornada. De ser mais receptor do que participante."

"Ele escreveu mesmo isso? Mais receptor do que participante?"

"Se não me engano, escreveu."

"Que triste."

"Por quê?"

"Porque é uma descrição perfeita do Leo. Ele sempre foi um observador."

"A não ser durante aquela semana de dezembro."

"É, a não ser naquela semana. Você está achando que a morte do psicólogo na floresta parece meio suspeita, não é?"

De repente Blomkvist percebeu uma curiosidade na voz de Malin, e viu isso como um bom sinal. Talvez ela pudesse falar mais um pouco sobre o que havia parecido tão estranho naquele encontro com Leo no escritório.

"Estou começando a me interessar pelo assunto", ele disse.

Leo jamais se esquecera de Carl Seger. Mesmo quando adulto, em algumas terças-feiras, às quatro da tarde, sentia uma saudade profunda de suas sessões com Carl. Por vezes chegava a conversar com seu ex-psicólogo em pensamento, como se fosse com um amigo imaginário.

No entanto, as coisas corriam cada vez melhores para ele, e, conforme Carl havia previsto, aos poucos Leo aprendeu a lidar bem com o mundo e com os ruídos externos. Cada vez mais, sua audição aguçada e seu ouvido absoluto só pareciam beneficiá-lo. Eram, sem dúvida, uma vantagem para ele ao piano, e por muito tempo Leo havia se dedicado a tocar, sonhando ser um pianista de jazz. Já na adolescência, tinha sido convidado a gravar e a lançar um disco pelo selo Metronome. Ele se recusou, pois não achava ter um material bom o suficiente.

Quando foi estudar na Handelshögskolan, em Estocolmo, passou a ver esse episódio como um breve interlúdio; assim que reunisse um número suficiente de boas composições, gravaria seu disco, viveria de música e seria considerado o novo Keith Jarrett. Mas no fim esse breve interlúdio acabou se transformando no restante de sua vida, uma reviravolta que Leo nunca soube explicar. Teria sido medo de não alcançar o sucesso esperado e decepcionar os pais? Ou teria sido a depressão, que reaparecia com a mesma regularidade das estações do ano?

Por um bom tempo, Leo permaneceu mais isolado, o que também era difícil de entender, pois as pessoas procuravam se aproximar dele, as mulheres sentiam-se atraídas, porém ele não tinha necessidade de estar com os outros. Numa reunião social, por exemplo, tudo que ele queria era voltar logo ao silêncio e à tranquilidade de sua casa. Até um dia se apaixonar por Madeleine Bard.

Na verdade, nem o próprio Leo foi capaz de explicar essa paixão, uma vez que os dois não eram muito parecidos. Ainda assim, não achava que tinha sido atraído somente pela beleza ou pela riqueza de Madeleine; Leo a via como alguém especial, tanto por seus olhos azuis e reluzentes, que pareciam ocultar um segredo, como pela melancolia que às vezes despontava como uma nuvem negra em seu belo rosto.

Madeleine e ele ficaram noivos e foram morar por algum tempo no apartamento dele, na Floragatan. Na época, Leo tinha acabado de herdar a participação do pai na corretora de valores Alfred Ögren, e os pais de Madeleine — que não sofriam com a falta de atitudes esnobes — o acharam um excelente partido. O relacionamento de Leo e Madeleine, porém, foi complicado.

Enquanto ela queria jantares constantes, Leo se opunha a eles o máximo possível, os dois brigavam e no fim Madeleine se trancava no quarto para chorar. Mas também havia momentos de muita harmonia, e o casamento poderia ter dado certo — pelo menos era essa a convicção de Leo. Ele e Madeleine conversavam e faziam amor quase sempre com entusiasmo e paixão.

A catástrofe que se abateu sobre o casal foi a prova incontestável de que Leo sabotava a si mesmo e sentia uma proximidade que não era real. Aconteceu em agosto, numa festa do lagostim, oferecida na casa dos Mörner, em Värmdö. Desde o início a atmosfera estava tensa, Leo sentia-se desanimado e achou os convidados desordeiros. Manteve-se alheio a tudo, o que levou Madeleine a se esforçar em dobro para se mostrar simpática e causar boa impressão. Ela zanzava entre os convidados dizendo que tudo estava incrível e maravilhoso, que não dava para acreditar no bom gosto da decoração, e... *que lugar! Estou superimpressionada! Tenho vontade de me mudar para cá agora.* Mas nada disso era sincero, apenas parte da farsa da vida.

À meia-noite, Leo se aborreceu de vez e foi se sentar num cômodo afastado, levando consigo *Really the Blues*, de Mezz Mezzrow, livro que havia encontrado numa das estantes, o que significava que, para ele, a festa já tinha dado tudo que podia. Começou a ler e a sonhar com os clubes de jazz de Nova Orleans e Chicago na década de 1930, alheio às gargalhadas e às canções de bêbado entoadas pelos convidados.

Passadas algumas horas, Ivar Ögren entrou, bêbado como costumava ficar nas festas, com um chapéu preto e ridículo na cabeça e um terno marrom justo demais. Leo tampou os ouvidos com as mãos, caso Ivar, como sempre, começasse a gritar ou a fazer barulho. Ivar disse: "Vou levar sua noiva para um passeio de barco".

Leo protestou: "De jeito nenhum. Você não está em condições". Mas como não era uma alegação muito sólida — Ivar tivera o cuidado de colocar um colete salva-vidas em Madeleine —, só restou a Leo ir até a varanda e ficar olhando o colete vermelho sumir aos poucos no mar.

A água reluzia naquela noite clara de verão, as estrelas brilhavam. Ivar e Madeleine conversavam em voz baixa no barco, mas Leo conseguia ouvir cada palavra. Eram bobagens e trivialidades, até que Madeleine, de repente, pareceu vulgar, o que foi uma revelação dolorosa para ele. Depois o barco se afastou e Leo não conseguiu mais ouvir o que eles diziam. Os dois passaram horas longe.

Quando voltaram, os demais convidados já tinham ido embora. O dia clareava, e Leo permanecia na margem com um nó na garganta. O barco atracou e Madeleine foi ao encontro dele com um jeito hesitante. No táxi, de volta para casa, um muro se levantou entre os dois, e Leo entendeu exatamente o que Ivar tinha dito no mar. Nove dias depois, Madeleine fez as malas e o deixou. No dia 21 de novembro daquele ano, enquanto a neve caía sobre Estocolmo e a escuridão tomava conta do país, Madeleine ficou noiva de Ivar Ögren.

Leo sucumbiu ao que o médico diagnosticou como uma paralisia parcial.

Assim que melhorou, voltou ao trabalho e desejou felicidades a Ivar com um abraço fraterno. Compareceu à despedida de solteiro dele e também ao casamento, tratando Madeleine de forma sempre amistosa, quando se aproximava dela. Manteve as aparências dia após dia, dando a impressão de que entre ele e Ivar existia um laço de infância capaz de resistir a qualquer provação. Mas em segredo Leo alimentava pensamentos muito diferentes. Ele planejava uma vingança.

Ivar Ögren, por sua vez, acreditava ter se saído vitorioso, ainda que por enquanto de maneira parcial. Leo Mannheimer continuava sendo uma ameaça e um rival na liderança da corretora Alfred Ögren. O plano de Ivar era aniquilar Leo por completo.

Malin não contou mais nada sobre seu encontro com Leo. No alto de Hornsgatspuckeln, deteve o passo sem que Mikael soubesse por quê. Estava quente demais, abafado demais para ficarem debaixo do sol. Mas lá estavam os dois, hesitantes, sem saber o que fazer, enquanto as pessoas passavam e um carro buzinava mais adiante. Malin olhou na direção do Mariatorget.

"Mikael", ela disse, "preciso ir pra casa."

Ela o beijou de um jeito meio ausente, desceu depressa os degraus de pedra que levavam à Hornsgatan e correu para o Mariatorget. Mikael continuou parado ali, tão indeciso quanto antes. Depois pegou o celular e ligou para Erika Berger, sua amiga e redatora-chefe da *Millennium*.

Explicou que ia passar alguns dias sem aparecer na redação. Não era nada de mais. Os dois tinham acabado de fazer a edição de Natal, logo chegaria o solstício de verão, e pela primeira vez em muitos anos Mikael havia conseguido dinheiro para contratar dois colaboradores temporários e assim aliviar um pouco o fardo dele e dos outros funcionários da revista.

"Você parece chateado. Aconteceu alguma coisa?", Erika perguntou.

"Houve um incidente sério no pavilhão onde a Lisbeth está presa em Flodberga. Uma agressão."

"Nossa! Quem foi agredido?"

"Uma gângster, uma mafiosa. É uma história desagradável. A Lisbeth foi testemunha."

"Ela se vira bem."

"É o que espero. Mas escute... será que você poderia me ajudar com uma coisa?"

"Claro. O que é?"

"Será que você pode pedir que alguém da redação — de preferência a Sofie — vá ao Arquivo Municipal amanhã, solicitar os arquivos de três pessoas, invocando o princípio de proteção às fontes?"

Ele forneceu o nome das três pessoas e deu a Erika os três números do registro nacional que tinha anotado no celular.

"O velho Mannheimer", disse Erika. "Ele já não está morto e enterrado?"

"Há seis anos."

"Estive com ele duas ou três vezes quando era pequena. Meu pai o conhecia. Tem alguma coisa a ver com a Lisbeth?"

"Talvez", respondeu Mikael.

"De que forma?"

"Ainda não sei direito. Como ele era?"

"O Mannheimer? É difícil dizer, eu era muito nova. Mas ele tinha fama de ser um velho desgraçado. Apesar disso, me lembro dele como uma pessoa gentil. Fez perguntas sobre a minha preferência musical. E sabia assobiar muito bem. Por que está interessado nele?"

"Depois eu te explico", disse Mikael.

"Tudo bem, você é que sabe." Em seguida Erika começou a falar do número seguinte da *Millennium* e dos anunciantes.

Mikael não prestou muita atenção. Encerrou a conversa de repente e continuou a subir pela Bellmansgatan. Passou pelo Bishop's Arms, desceu a rua de paralelepípedos, cruzou o portão de seu prédio e subiu para o apartamento no sótão, onde pouco tempo depois se sentou e recomeçou as pesquisas enquanto tomava duas ou três Pilsner Urquell. Concentrou-se acima de tudo no acidente fatal de Östhammar, porém não conseguiu descobrir muita coisa. Mikael sabia que investigar crimes antigos era problemático.

Não havia arquivos digitais para explorar — acima de tudo por questões de privacidade — e, segundo as normas do Arquivo Nacional, os inquéritos eram retirados dos tribunais passados cinco anos. Assim, Mikael decidiu ir ao fórum de Uppsala na manhã seguinte, para pesquisar os autos dos processos. Depois poderia ir até a delegacia ou procurar inspetores de polícia aposentados que ainda se lembrassem do caso. E veria o que ia surgir daí.

Mikael telefonou para Ellenor Hjort, noiva de Carl Seger na época do acidente. De cara percebeu que, para ela, o assunto já fazia parte do passado. Não queria falar sobre Carl. Foi simpática e educada, mas disse que não aguentava mais remoer o que havia acontecido: "Espero que você entenda". No entanto, aceitou encontrar Mikael na tarde seguinte não por causa do conhecido charme do velho repórter nem porque estivesse curiosa sobre a investigação dele, mas porque Mikael, para o bem ou para o mal, mencionou o nome de Leo Mannheimer.

"O Leo!", exclamou Ellenor. "Minha nossa! Há quanto tempo não tenho notícias dele. Como ele está?"

Mikael disse que não sabia.

"Vocês eram próximos?", ele perguntou.

"Muito! Eu e o Carl adorávamos aquele garoto."

Depois de desligar, Mikael foi até a cozinha e ali ficou pensando se deveria ligar para Malin a fim de entender o que ela tanto remoía a respeito de Leo. Resolveu, porém, tomar um banho e trocar de roupa. Às 17h55 saiu do apartamento e foi para o restaurante Pane Vino, em Zinkensdamm, encontrar sua irmã.

9. 19 DE JUNHO

Ela disse que cuidaria de tudo, que Martin não precisava se preocupar. Era a terceira ou a quarta vez que conversavam naquele dia, e ela não dava sinais de impaciência. Mas, ao desligar, murmurou a palavra "covarde" e repassou mentalmente o que Benjamin lhe havia pedido.

Rakel Greitz era psicanalista, professora de psiquiatria e conhecida por uma série de qualidades, em especial por sua organização. Era uma mulher incrivelmente eficiente, característica que havia se mantido mesmo depois de diagnosticada com câncer de estômago, quando, então, adquirira uma fixação quase asséptica por limpeza. Rakel se comportava como uma verdadeira maníaca. Cada grão de poeira à sua frente desaparecia como num passe de mágica, e nenhuma mesa ou balcão de cozinha eram tão limpos quanto aqueles próximos a ela. Tinha setenta anos, estava doente, mas continuava em plena ação.

Vivia o tempo todo num estado quase febril de atividade. Eram sete da noite, e parecia tarde demais; ela devia ter agido de imediato. Mas eram as coisas de sempre. Martin Steinberg estava extremamente ansioso, ao passo que ela se sentia feliz, porque, contrariando a sugestão que ele havia feito de manhã, ela já tinha recorrido a contatos na companhia telefônica e no serviço público de saúde. Talvez não fosse o suficiente e a essa altura muita coisa já pudesse ter acontecido. O velho maluco podia ter recebido alguma visita e falado de coisas que sabia ou das quais suspeitava. A operação tinha sido um risco, continuava sendo, mas não havia alternativa. Muita coisa estava em jogo, e muita coisa sob a responsabilidade de Rakel dera errado.

Lavou as mãos com álcool gel e entrou no banheiro. Sorriu para o espelho, apenas para mostrar que ainda era capaz de parecer alegre. Na perspectiva de Rakel Greitz, o que havia acontecido não era de todo mau. Tinha passado tanto tempo vivendo num túnel de dor e doença que agora precisava conferir à sua vida um significado elevado, uma nova solenidade. Rakel Greitz sempre tinha gostado da ideia de haver outro sentido, mais frio e mais distante, para a vida. Morava sozinha em Estocolmo, num apartamento de cento e oito metros quadrados na Karlbergsvägen.

Tinha terminado a quimioterapia e se sentia razoavelmente bem, seu cabelo estava ralo e fino, claro, mas havia restado o suficiente. O gorro usado ao longo do tratamento fora eficaz. Ainda era uma mulher estilosa, alta, elegante e de boa postura, com feições bem definidas e uma autoridade natural revelada desde que se tornara professora do Instituto Karolinska.

As marcas vermelhas no pescoço ainda estavam lá. Mesmo que esses sinais de nascença tivessem ocasionado diversas preocupações durante a juventude, Rakel tinha aprendido a gostar delas. Ostentava-as com orgulho e, apesar de nos últimos tempos usar sempre blusas de gola rulê, a escolha da roupa não era motivada pela timidez ou pela vergonha. Blusas desse tipo se adequavam perfeitamente a seu temperamento rígido, além de deixá-la sempre arrumada, sem estar arrumada demais. Rakel usava vestidos e tailleurs que havia mandado fazer sob medida ainda na juventude e que nunca tinham necessitado de ajustes. Embora houvesse um traço de frieza e austeridade em sua personalidade, todos a respeitavam. Era uma mulher competente e que conhecia de perto o valor da lealdade, e isso valia tanto para os seus próprios ideais quanto para as pessoas. Nunca tinha dado com a língua nos dentes, nem mesmo sobre seu marido, o saudoso Erik.

Rakel foi até a sacada, apoiou a mão direita sobre a grade de proteção e olhou para a rua que se estendia lá embaixo e para a praça Odenplan. Em seguida voltou ao interior do apartamento e começou a arrumar coisas aqui e ali. De um armário no corredor, tirou uma maleta de médico de couro marrom. Encaixotou tudo que Benjamin — seu leal amigo e assistente — havia lhe entregado durante o dia e voltou ao banheiro. Maquiou-se de maneira estranhamente vulgar e pôs uma peruca de fios pretos de gosto um tanto duvidoso. Por um instante sorriu outra vez. Ou talvez fosse um tique nervoso. Mesmo com toda a sua experiência, Rakel sentiu de repente o nervosismo invadi-la.

Mikael e a irmã estavam sentados no lado de fora do restaurante Pane Vino, na Brännkyrkagatan. Os dois pediram macarrão com trufas e vinho tinto, comentaram sobre o verão e o calor e um pouco sobre os planos que tinham para as férias. Depois Annika fez uma descrição breve mas detalhada sobre a situação em Flodberga e começou a falar a respeito do que realmente interessava.

"Mikael, às vezes a polícia age como um bando de idiotas", ela disse. "Você sabe como está a situação hoje em Bangladesh?"

"Mais ou menos."

"A religião oficial deles é o islã. Ao mesmo tempo, pelo menos de acordo com a Constituição, Bangladesh é um país secular com garantias de liberdade de imprensa e de expressão, o que não é necessariamente uma contradição."

"Mesmo assim não dá certo."

"O governo sofre pressão dos islamistas e foi obrigado a criar leis que proíbem qualquer tipo de manifestação que possa ferir sentimentos religiosos. Que *possa* ferir, veja bem, e você sabe que, quando as pessoas querem muito, vale qualquer coisa. As leis são interpretadas de maneira implacável, e vários jornalistas foram condenados a longas penas de reclusão. Mas o pior não é isso."

"O pior é que a legislação acolhe esses abusos."

"Para os islamistas, a lei foi como um vento de popa. Jihadistas e terroristas começaram a fazer ameaças constantes, a assediar e assassinar pessoas com uma visão de mundo diferente, e poucos deles foram a julgamento. Um dos mais perseguidos foi o site Mukto-Mona, que defende a liberdade de expressão, o esclarecimento da população e uma sociedade aberta e secular. Diversos colaboradores desse site foram assassinados, outros receberam ameaças e tiveram seus nomes colocados em listas negras. Jamal Chowdhury, um biólogo, foi um deles. De vez em quando ele escrevia para o Mukto-Mona e acabou sendo condenado à morte pelo movimento islamista de Bangladesh. Com a ajuda da unidade sueca da PEN internacional — organização que tem entre seus princípios a defesa da liberdade de expressão de escritores perseguidos, Jamal fugiu para a Suécia e por muito tempo conseguiu respirar aliviado. Jamal ficou deprimido, claro, mas aos poucos começou a melhorar e um dia foi a um seminário sobre a opressão religiosa das mulheres na Kulturhuset de Estocolmo."

"E lá conheceu Faria Kazi."

"Parabéns, estou vendo que você fez a lição de casa", disse Annika. "Faria estava sentada no fundo do auditório, e posso dizer com toda a tranquilidade: ela é uma garota linda. O Jamal não conseguia tirar os olhos dela, e quando o seminário terminou ele se aproximou de Faria. E aí teve início não só uma grande paixão, mas uma verdadeira tragédia, uma versão moderna de *Romeu e Julieta*."

"O que você quer dizer?"

"Exatamente o que eu disse. Como em *Romeu e Julieta*, a família de Faria e de Jamal estão em lados opostos de um conflito. O Jamal lutou em defesa de uma Bangladesh livre e aberta, enquanto o pai e os irmãos de Faria juntaram-se aos islamistas do país, principalmente depois que Faria foi obrigada a ficar noiva de seu primo Qamar Fatali."

"Quem é esse?"

"Um homem corpulento de quarenta anos que mora numa casa grande em Daca, com vários serviçais. Ele é dono de um pequeno grupo de empresas têxteis e financia diversas *qawmi* no país."

"*Qawmi?*"

"São escolas que ensinam o Alcorão sem nenhum controle do governo, onde jovens jihadistas recebem treinamento ideológico. Qamar Fatali já tinha uma mulher da mesma idade que ele, mas na primavera passada caiu de amores por Faria ao ver fotografias dela e resolveu tomá-la como segunda esposa. Como não foi nada fácil para ele conseguir visto de entrada na Suécia, sua frustração tornou-se enorme."

"E, como se não bastasse, Jamal Chowdhury entrou na história."

"Exatamente. E Qamar e os irmãos Kazi tinham pelo menos duas razões para querer matá-lo."

"Então o Jamal não se suicidou? É isso que você está querendo dizer?"

"Por enquanto não estou querendo dizer nada, Mikael. Estou apenas te passando algumas informações, um resumo da conversa que tive com a Lisbeth. Jamal se transformou no inimigo número um da família Kazi, um verdadeiro Montecchio. Era muçulmano praticante, porém muito mais liberal. Como seus pais — os dois são professores universitários —, considerava fundamental a garantia dos direitos humanos em qualquer sociedade. Só isso bastaria para que Jamal Chowdhury fosse visto por Qamar e pela família de Faria como um inimigo. Mas por causa do envolvimento com Faria ele passou a ser também uma ameaça para a honra do pai dela e dos irmãos, assim como para as finanças deles. Havia motivos claros para tirá-lo do caminho, e Jamal não demorou para perceber que tinha se envolvido num jogo de apostas altas. Só que não havia mais o que fazer. Ele escreveu sobre tudo isso em seu diário; a polícia solicitou uma tradução do bengali e reproduziu alguns trechos na investigação preliminar. Posso ler para você?"

"Claro."

Mikael bebeu um gole de *chianti* enquanto Annika retirava de sua pasta uma cópia do inquérito e a folheava.

"Aqui", ela disse. "Escute isto."

Annika começou a ler:

Desde que vi meus amigos serem mortos e me senti obrigado a abandonar nosso país, foi como se o mundo se cobrisse de cinzas. Tudo que eu via tinha perdido a cor, e eu não encontrava mais nenhum sentido na vida.

Annika se interrompeu: "Esta última frase foi usada mais tarde para reforçar o argumento de que ele teria cometido suicídio na estação de metrô. Mas ouça um pouco mais".

Apesar de tudo, eu continuava procurando coisas para fazer, e um dia, em junho, fui assistir a um debate em Estocolmo sobre opressão religiosa. Eu não tinha expectativa nenhuma; tudo o que parecia tão importante para mim de repente havia se tornado indiferente, e eu não conseguia entender por que o imã, no palco, acreditava que ainda havia razões para lutar. Eu já tinha desistido, me sentia dentro de um túmulo. Era como se eu também tivesse sido morto.

"O tom é meio melodramático", disse Annika.

"Não, nada disso. O Jamal era jovem, não era? Nessa idade todo mundo escreve assim. O estilo me lembra um pouco o do meu pobre colega Andrei. Mas continue!"

Eu me achava morto e perdido para o mundo, mas de repente vi uma garota de vestido preto no fundo da sala. Ela tinha lágrimas nos olhos e era tão bonita que chegava a doer. A vida em mim voltou a despertar como um choque elétrico, e entendi que eu precisava me aproximar dela. De alguma maneira eu sabia que pertencíamos um ao outro e que cabia a mim lhe oferecer consolo. Me aproximei, falei uma bobagem qualquer e achei que tinha estragado minha chance. Mas ela sorriu e saímos juntos para a rua, como se desde sempre soubéssemos que aquele era o nosso destino. Seguimos por uma rua de pedestres e passamos em frente ao Parlamento.

"Bom, vou parar por aqui. Jamal nunca tinha conseguido falar com ninguém sobre o que aconteceu com seus amigos que escreviam no Mukto--Mona, mas Faria fez as palavras brotarem dele. Ele contou tudo para ela, está registrado em detalhe no diário, e quando Faria, um quilômetro depois, disse que precisava ir embora, ele lhe deu um cartão de visitas e ela prometeu ligar em breve. Mas não ligava. Jamal ficou esperando, angustiado. Depois descobriu o número do celular dela na internet e deixou uma mensagem na caixa postal. Gravou quatro, cinco, seis mensagens. Mas ela não ligava para ele. Quem telefonou foi um homem, bufando e dizendo para ele nunca mais ligar. 'A Faria despreza você, seu merda', o homem disse, e Jamal ficou arrasado. Depois ele desconfiou daquilo e resolveu investigar. Claro que não conseguiu descobrir tudo, não fazia a menor ideia de que o pai e os irmãos de Faria haviam, por exemplo, confiscado o celular dela nem que monitoravam seus e-mails e telefonemas e a mantinham como prisioneira. Mas percebeu que existia alguma coisa errada e procurou o imã Ferdousi, que também ficou preocupado. Juntos, os dois procuraram as autoridades, mas não conseguiram nenhum tipo de ajuda. Nada aconteceu, absolutamente nada, e por fim Ferdousi resolveu visitar a família, mas foi mandado embora. Jamal, então, começou a revirar o mundo, até que…"

"O quê?"

"Até que um dia Faria ligou de um número diferente e disse que queria se encontrar com ele. Na época Jamal, com a ajuda da editora Norstedts, tinha alugado em segredo um apartamento na Upplandsgatan. O que aconteceu depois não ficou claro. Sabemos apenas que Khalil, o irmão mais novo de Faria, a ajudou a fugir e que ao sair de casa ela foi direto para a Upplandsgatan. O encontro foi como os de filmes ou sonhos. Os dois passaram dias e noites fazendo amor e conversando. Até mesmo Faria, que costuma permanecer em silêncio nos interrogatórios, confirmou essa parte. Depois eles decidiram procurar a polícia e a PEN sueca, para que os ajudassem a fugir. Mas no fim... Ah, é uma história triste. A Faria quis se despedir, e como àquela altura confiava no irmão mais novo, combinou um encontro com ele num café próximo à Norra Bantorget. Era um dia frio de outono. Para ir até lá, ela vestiu uma jaqueta acolchoada de Jamal, azul, que tinha um capuz que ela usou para cobrir o rosto. Estava com uma bota de borracha e calça jeans. Mas Faria nunca chegou lá."

"Era uma armadilha?"

"Com certeza — temos duas testemunhas. Mas nem eu nem a Lisbeth achamos que Khalil a enganou. Suspeitamos que os irmãos estavam de olho nele e que o seguiram até o café. Os dois estavam esperando Faria num Honda Civic na Barnhusgatan e, numa movimentação rápida, a puxaram para dentro do carro e a levaram para o apartamento de Sickla. Os irmãos primeiro pensaram em mandar Faria de volta para Daca, mas depois viram os riscos que essa operação envolvia. Como fariam para contê-la no aeroporto e durante o voo? Será que iam precisar dopá-la?"

"E no fim eles resolveram escrever uma carta."

"Exato. Mas eu não levei essa carta muito a sério, Mikael. A caligrafia deve ser mesmo de Faria, mas o conteúdo sugere que foi ditada pelos irmãos ou pelo pai — a não ser pelas mensagens secretas que Faria incluiu no texto. Ela escreveu: 'Eu dizia o tempo todo que nunca tinha amado você'. Sem dúvida uma mensagem secreta, porque no diário o Jamal escreveu que todas as manhãs e todas as noites eles reafirmavam o amor que sentiam um pelo outro."

"E o alarme de Jamal dever ter soado quando ele notou que Faria não tinha voltado do encontro com o irmão."

"Claro, ele chamou a polícia, que agiu como um bando de idiotas. Dois oficiais foram ao apartamento em Sickla, o pai de Faria abriu a porta e disse que estava tudo bem, a não ser pela gripe da filha, e aí os dois simplesmente foram embora. Mas Jamal não desistiu. Ele telefonou para todo mundo que você possa imaginar, e acho que aí a família se deu conta de que era preciso agir depressa."

"Não parece nada bom", disse Mikael.

"Não mesmo, e o dia fatídico foi a segunda-feira, 9 de outubro. Jamal escreveu no diário, ou no relato completo encontrado depois que ele morreu, que ao acordar teve uma sensação de morte. A polícia levou a sério, como se ele tivesse se resignado e desistido de viver, mas para mim foi apenas uma forma de expressão. Jamal estava dilacerado, sangrando por dentro. Não conseguia dormir, não conseguia pensar, mal se sentia vivo. Caminhava 'aos tropeções', vivia 'em desespero'. Jamal escreveu desse jeito e a polícia interpretou tudo de forma exagerada. Pelo menos é o que eu acho. Nas entrelinhas, ele parecia mais o tipo de pessoa disposta a brigar para conseguir de volta o que havia perdido, e, acima de tudo, parecia preocupado. 'O que a Faria está fazendo agora?', ele se perguntou. 'Será que a estão machucando?' Ele não mencionou a carta de Faria em nenhum instante, apesar de ela estar em cima da mesa da cozinha. O provável é que tenha percebido a farsa de imediato. Sabemos que a seguir Jamal procurou Ferdousi, mas ele estava em Londres para uma conferência. Então Jamal telefonou para Fredrik Lodalen, um professor de biologia de Estocolmo de quem tinha ficado amigo. Os dois se encontraram às sete da noite na Hornsbruksgatan, onde Lodalen mora com a mulher e dois filhos. A visita foi demorada — as crianças foram dormir e a mulher dele também. Fredrik Lodalen mostrou-se preocupado e solidário com a situação de Jamal, mas a certa altura também inquieto, pois precisava acordar cedo no dia seguinte. Como muitas pessoas em crise, Jamal não parava de se repetir, contou sua história diversas vezes, até que por volta da meia-noite Fredrik disse que precisava dormir e prometeu falar com a polícia e com a delegacia da mulher no outro dia. Jamal foi embora e, a caminho do metrô, telefonou para o escritor Klas Fröberg, que havia conhecido através da PEN sueca. Klas não atendeu, e Jamal entrou na estação de Hornstull. Era madrugada da terça-feira, 10 de outubro, 00h17. Uma tempestade estava se armando e de repente começou a chover."

"Não havia muita gente na rua."

"Na plataforma do metrô só havia uma mulher, uma bibliotecária. As câmeras de monitoramento gravaram Jamal passando por ela, e ele parecia infinitamente triste. Mas nada de estranho nisso. Desde que Faria havia desaparecido ele quase não dormia e sentia-se abandonado por todo mundo. Jamal, porém, nunca pensou em abandonar Faria, Mikael, principalmente na hora em que ele sabia que ela mais precisava dele. Uma das câmeras de monitoramento da plataforma não estava funcionando, o que deve ter sido apenas uma coincidência infeliz. Ou não. O que não me parece coincidência foi um rapaz ter puxado papo em inglês com a bibliotecária bem na hora em que o trem chegava à plataforma e o Jamal caiu nos trilhos. A mulher não viu o que aconteceu, portanto não soube dizer se o Jamal pulou ou foi empurrado. E também não conseguiram identificar o rapaz."

"O que o maquinista disse?"

"Ele se chama Stefan Robertsson, e foi por causa do depoimento dele que o incidente foi considerado suicídio. O Robertsson garantiu que o Jamal pulou por vontade própria. Também ficou muito chocado, claro, e me atrevo a dizer que devem ter feito perguntas tendenciosas a ele."

"De que maneira?"

"O policial que o interrogou não via outra possibilidade para explicar o caso. No primeiro depoimento que Robertsson deu — antes de oferecer uma narrativa coerente e mais organizada —, ele mencionou uma agitação exagerada de Jamal, como se ele tivesse braços e pernas demais. Não voltou a se referir a esse detalhe e, curiosamente, a memória dele melhorou à medida que o tempo passou."

"E o segurança do andar de cima? Ele ou ela deve ter visto o suposto criminoso descer e subir correndo."

"Ele estava assistindo a um filme em seu iPad, disse que várias pessoas passaram por ali, mas que não percebeu nada nem ninguém estranho; teve a impressão de que a maioria era de passageiros do metrô. E disse que não tinha uma ideia muito clara do horário."

"O andar de cima também tem câmeras?"

"Tem, eu assisti às gravações, e uma coisa me chamou a atenção. Não é nada decisivo, mas... Praticamente todas as pessoas que aparecem podem ser identificadas, a não ser por um rapaz de aspecto comum que mantém a cabeça baixa o tempo inteiro; não dá para ver o rosto dele em nenhum momento. O rapaz parece inseguro, nervoso, sua linguagem corporal é frenética, bastante suspeita. É uma vergonha que não o tenham investigado melhor."

"Entendo. Vou dar uma olhada nisso mais de perto", disse Mikael.

"Além do mais, temos o crime da própria Faria Kazi, que a levou à prisão", prosseguiu Annika. Estava prestes a contar a história, quando a comida chegou. Os dois se desconcentraram por instantes não apenas por causa da preocupação que o garçom demonstrava com os talheres e o queijo parmesão, mas também por causa de um grupo de jovens barulhentos que passou por eles em direção a Yttersta Tvärgränd e Skinnarviksberget.

Holger Palmgren estava deitado, pensando na guerra na Síria e em seus próprios infortúnios — na dor que o afligia no quadril, como se fossem punhaladas, na conversa desastrada, por telefone, no dia anterior e na sede enorme que estava sentindo. Tinha bebido pouco líquido durante o dia, não havia comido muito também, e Lulu ainda demoraria para chegar e assumir todas as rotinas da noite — isso se ela viesse.

Tudo parecia estar dando errado naquele dia. Os telefones não funcionavam e ele não tivera nenhum tipo de ajuda. Marita não tinha ido trabalhar e ele não havia feito nada além de ficar na cama, se irritando mais e mais a cada hora que passava; teria motivos de sobra para acionar o alarme. O controle remoto do alarme estava pendurado num cordão em seu pescoço, e, mesmo que hesitasse em acioná-lo, naquele momento parecia ser a coisa certa a fazer. Estava com tanta sede que mal conseguia pensar. E também com calor. O quarto não fora ventilado o dia inteiro, nenhuma janela tinha sido aberta. Assim, quase em desespero, Palmgren apurava os ouvidos, tentando captar os barulhos do corredor. Será que estava ouvindo o elevador chegar? O elevador não parava de funcionar; as pessoas, no prédio, chegavam e saíam, mas ninguém parava em frente à sua porta. Palmgren praguejou, se retorceu na cama e sentiu uma angústia terrível, sobretudo por uma coisa: em vez de telefonar para o professor Martin Steinberg — sem dúvida um canalha —, devia ter procurado a psicóloga mencionada nas anotações sigilosas, chamada Hilda von Kanterborg, que supostamente havia quebrado o sigilo profissional e passado informações sobre o Registro para a mãe de Lisbeth. Se alguém pudesse ajudá-lo, seria essa mulher, e não o responsável por todo o projeto! Ele tinha agido como um imbecil. Ah, como estava com sede! Pensou em pedir ajuda, em gritar com todas as forças em direção ao corredor. Talvez um vizinho o ouvisse. Mas bem naquele instante ouviu passos no corredor, e dessa vez muito próximos ao seu apartamento. Palmgren abriu um sorriso enorme. Devia ser Lulu, sua maravilhosa Lulu.

"Olá! E como foram as coisas em Haninge? Como é mesmo o nome dele...?", disse Palmgren com as forças que lhe restavam, enquanto a porta do apartamento se abria e se fechava e um sapato era limpo no tapete de entrada. Não houve resposta, e de repente ele teve a impressão de que os passos eram mais leves que os de Lulu, mais cadenciados e decididos. Palmgren olhou ao redor em busca de proteção, mas em seguida deu um suspiro aliviado ao ver uma mulher alta e elegante, de blusa preta de gola rulê, aparecer na porta e sorrir para ele. Devia ter sessenta, setenta anos, com traços de rosto bonitos e bem definidos. O olhar sugeria uma ternura contida. Trazia na mão uma maleta de médico que parecia remontar a tempos antigos e mantinha as costas empertigadas. Havia uma dignidade natural naquela figura e um sorriso cultivado.

"Bom dia, sr. Palmgren", a mulher disse. "Lulu ficou triste de não poder vir hoje."

"Ela não está bem?"

"Não, não, assuntos particulares, mas nada sério", ela disse, e Holger sentiu uma ponta de frustração.

Também sentiu outra coisa, que a princípio não entendeu o que era. Estava confuso demais, com muita sede.

"Será que a senhora poderia me trazer um copo d'água?", ele perguntou.

"É para já", a mulher respondeu, exatamente como a velha mãe dele dizia em tempos já distantes.

Ela calçou luvas de látex, desapareceu por instantes e voltou com dois copos. A visão da água fez Palmgren pisar de novo em terra firme. Bebeu com mão trêmula e sentiu o mundo aos poucos recuperar suas cores. Depois olhou para a mulher. Os olhos dela pareciam cheios de ternura e afeto, mas ele não gostou daquelas luvas nem daquele cabelo preto e grosso que não combinava com a aparência geral dela. Será que estava usando peruca?

"Sente-se melhor agora?", ela perguntou.

"Bem melhor! A senhora começou a trabalhar como cuidadora há pouco tempo?", ele perguntou.

"Às vezes trabalho por alguns períodos no corpo de bombeiros. Mas como já tenho setenta anos, eles têm me chamado cada vez menos", a mulher explicou enquanto desabotoava o pijama dele, encharcado de suor depois de um dia inteiro passado na cama.

Ela pegou um emplastro de morfina na bolsa de couro, elevou a cama hospitalar e, com movimentos precisos e cuidadosos, limpou um ponto no alto das costas dele com um chumaço de algodão. Ela tinha jeito, sem dúvida. Holger se sentiu em boas mãos, não havia o menor sinal de inabilidade das outras cuidadoras. Mas aquela eficiência também fez com que se sentisse rendido, como se o profissionalismo da mulher o dominasse.

"Mais devagar", ele pediu.

"Claro, claro, vou tomar cuidado. Li sobre suas dores no prontuário. Parece um caso bem complicado."

"Tento me arranjar como posso", ele respondeu, pensativo.

"Se *arranjar*?", ela repetiu. "Se arranjar não é o suficiente. A vida pode ser melhor do que isso. Vou lhe dar uma dose um pouco mais forte hoje. Acho que as outras enfermeiras estão sendo econômicas demais com o senhor."

"A Lulu...", Palmgren começou a dizer.

"A Lulu é maravilhosa, mas não é ela quem decide a dose correta de morfina. Está além da competência dela", a mulher disse, interrompendo-o. Com mãos hábeis e autoridade, ela aplicou o emplastro em Palmgren.

Foi como se a morfina tivesse atuado no mesmo instante.

"A senhora é médica, não é?"

"Não, não cheguei tão longe. Mas por muitos anos trabalhei como ortopedista no hospital Sophiahemmet."

"Não diga." Palmgren percebeu um gesto levemente nervoso na mulher, um espasmo discreto nos lábios. Mas talvez não fosse nada.

Tentou se convencer de que não era. Ainda assim, começou a analisar aquele rosto com mais atenção. Ela tinha classe, sem dúvida, era alguém que saberia se comportar em círculos refinados. Mas o penteado não tinha classe nenhuma, e as sobrancelhas tampouco. Eram da cor errada e pareciam ter sido ajeitados às pressas. Holger pensou em como todo aquele dia havia sido estranho e na conversa com Steinberg na véspera. Olhou para a blusa de gola rulê da mulher. Tinha alguma coisa estranha naquilo, não? Não sabia dizer o quê, porque o quarto estava quente e abafado. Sem nem perceber o que estava fazendo, Holger levou a mão ao alarme.

"A senhora não falou que ia abrir uma janela?"

Não houve resposta. A mulher passou a mão pelo pescoço dele com dedos macios e decididos. Em seguida levantou o cordão do alarme e disse, sorrindo:

"As janelas precisam ficar fechadas."

"Hein?"

O comentário foi feito com uma simplicidade tão inquietante que Palmgren mal conseguiu digeri-lo. Simplesmente olhou para a mulher e se perguntou o que devia fazer. Mas não era fácil — ela havia pego o alarme. Ele estava preso àquela cama, enquanto ela tinha uma maleta de médico e uma atitude profissional. Além do mais, tudo parecia estranho, com a imagem da mulher borrada, como se estivesse fora de foco. E de repente Palmgren se deu conta de que o quarto todo era um borrão.

Ele se sentia cada vez mais distante. Começou a perder a consciência e lutou contra aquilo com todas as forças que conseguiu reunir. Balançou a cabeça, agitou a mão saudável, tomou fôlego, enquanto a mulher simplesmente ia abrindo um sorriso cada vez mais largo, triunfante. A seguir ela aplicou mais um emplastro nas costas dele, o vestiu com o pijama, ajeitou-o no travesseiro e baixou a cama hospitalar. Ela o afagou, como se quisesse ser especialmente atenciosa como uma forma de compensação perversa.

"Agora o senhor vai se encontrar com a morte, Holger Palmgren", ela disse. "Já estava na hora, não é mesmo?"

Annika e Mikael beberam o vinho e passaram um tempo em silêncio antes de olhar para Skinnarviksberget.

"Faria Kazi achava que a vida dela corria mais perigo que a de Jamal", Annika prosseguiu. "Mas os dias foram passando e nada aconteceu. Sabemos pouco sobre o que houve de verdade no apartamento em Sickla, pois Faria se manteve calada durante boa parte dos interrogatórios policiais, e seu pai e irmãos pintaram um quadro tão coeso e floreado que ele só pode ser falso. O que se sabe com certeza é que todos estavam nervosos. Os boatos se espalharam e denúncias foram encaminhadas à polícia, então não foi fácil acalmar Faria. Os irmãos devem ter percebido que era necessário agir depressa."

"Entendo", disse Mikael, pensativo.

"Sabemos apenas duas ou três coisas sobre o que aconteceu naquela noite no apartamento de Sickla, no quarto andar", Annika prosseguiu. "No dia seguinte à morte de Jamal no metrô, Ahmed, o irmão mais velho, estava na sala, próximo a uma janela grande de vidro, pouco antes das sete horas. Faria apareceu, os dois conversaram rapidamente, até que de repente, sem motivo nenhum, Faria perdeu a cabeça, se atirou sobre Ahmed e o empurrou pela janela. Por quê? Porque ele contou à irmã que Jamal estava morto?"

"Parece uma hipótese razoável."

"Sem dúvida. Deve ter sido isso que aconteceu. Mas será que ela soube de mais alguma coisa? Alguma coisa que a tenha feito dirigir toda a sua fúria e todo o seu desespero contra o irmão?"

"Ótima pergunta."

"E acima de tudo: por que Faria se recusa a falar do que aconteceu? Em tese, ela só teria a ganhar se fizesse isso. No entanto, insiste em ficar calada nos interrogatórios e agiu do mesmo modo no julgamento."

"Mais ou menos como a Lisbeth."

"Verdade, mas de um jeito diferente. Faria está aprisionada numa tristeza densa, silenciosa, e se nega a se voltar para o mundo e a se defender das acusações."

"Não é difícil entender por que a Lisbeth não gosta que mexam com essa garota", disse Mikael.

"Eu sei, e estou preocupada."

"Por acaso a Lisbeth teve acesso a um computador em Flodberga?"

"Hein? Não, não", disse Annika. "Eles são rigorosos com esse tipo de coisa. Nada de computadores, nada de celulares. Os visitantes são minuciosamente revistados. Por que a pergunta?"

"Tenho a impressão de que, na prisão, a Lisbeth fez novas descobertas sobre seu passado. Mas também pode ser que o Holger é quem tenha passado a ela informações novas."

"Pergunte a ele. Vocês vão se encontrar hoje, não vão?"

"Às nove horas."

"O Holger tentou falar comigo."

"Você falou."

"Eu liguei para ele hoje, mas os telefones dele não estavam funcionando."

"Os *telefones*?"

"Liguei para o celular e para o fixo. Os dois estavam fora de área."

"Então o telefone fixo também estava quebrado... A que horas você ligou?", quis saber Mikael.

"Por volta da uma."

Mikael olhou para a montanha e, em seguida, com um jeito pensativo, disse:

"Se importa de pagar nosso jantar desta vez, Annika? Eu preciso ir."

E desapareceu no interior da estação de metrô de Zinkensdamm.

Por entre um borrão cada vez mais espesso, Holger Palmgren viu a mulher pegar o celular dele e os documentos sobre Lisbeth e colocá-los na maleta de médico. Ouviu-a revirar as cômodas e gavetas do apartamento. Ele não conseguia se mexer. Era como se estivesse afundando num oceano de águas negras, e por um instante acreditou que teria a graça de sucumbir a um sono profundo.

Em vez disso, acordou em pânico, como se o próprio ar fosse um veneno. Seu corpo foi trazido à superfície e depois não conseguiu mais respirar. As águas se fecharam em torno dele, enquanto afundava mais e mais. Palmgren achou que era o fim. Ainda conseguiu perceber vagamente uma movimentação. Um homem, alguém conhecido, arrancou suas roupas e o emplastro de morfina que tinha nas costas, e então Holger se esqueceu de tudo mais. Concentrou-se ao máximo e lutou desesperado, como um mergulhador em águas profundas que precisa subir à superfície antes que seja tarde demais. Levando-se em conta a droga que havia impregnado seu corpo e a depressão respiratória que o acometia, era uma verdadeira façanha.

Abriu os olhos e conseguiu pronunciar cinco palavras; deviam ter sido seis, mesmo assim eram o início de uma revelação importante.

"Fale com..."

"Com quem? Com quem?", gritou o homem.

"Com Hilda von..."

Mikael tinha subido a escada correndo e encontrado a porta aberta. Assim que entrou e percebeu a falta de ventilação no apartamento, achou que havia alguma coisa errada. Encontrou documentos espalhados pelo corredor que conduzia ao quarto. Deitado numa posição estranha na cama, Holger Palmgren tinha um cobertor marrom no quadril, a mão direita apontada para o pescoço e os dedos mexendo-se em movimentos espasmódicos. Seu rosto estava cinza-pálido e a boca congelada numa careta desesperada e estupefata. O velho parecia ter sofrido uma morte terrível. Por instantes, Mikael ficou parado ali, chocado e perplexo. Mas logo notou alguma coisa em Holger, talvez um brilho no olhar, que o tirou de sua paralisia e o fez telefonar para a central de alarme. Em seguida, sacudiu Holger e ficou observando os movimentos do peito e da boca. Ao ver que o velho não estava recebendo oxigênio suficiente, Mikael não hesitou: fechou o nariz de Holger e começou a introduzir ar para dentro das vias aéreas a intervalos regulares. Os lábios do velho continuavam frios e arroxeados, e por algum tempo Mikael imaginou que aquele esforço não ia adiantar nada. Mesmo assim não desistiu, e teria continuado com aquilo até a ambulância chegar, se o velho de repente não tivesse começado a se debater e a agitar a mão boa.

A princípio Mikael interpretou aqueles movimentos descontrolados como espasmos, como sinais de vida e força, e sentiu um lampejo de alegria e esperança. Mas começou a refletir sobre a mão. Será que Holger estava tentando dizer alguma coisa? A mão abanava em direção às costas, e Mikael arrancou depressa o paletó do pijama, encontrando no alto das costas dois emplastros. Sem pensar duas vezes, puxou os adesivos e os examinou. O que estava escrito ali? Que diabos estava escrito ali? Seus olhos não conseguiam focalizar direito as palavras.

Princípio ativo: fentanil.

O que era aquilo? Mikael olhou para Holger e hesitou um segundo. O que devia priorizar? Mikael pegou o celular e abriu a Wikipédia. *O fentanil*, dizia o site, *é um fármaco do grupo dos opioides* [...]. *O fentanil é aproximadamente cem vezes mais poderoso que a morfina.*

Seus efeitos colaterais incluem depressão respiratória, cãibras na musculatura da traqueia [...]. *O antídoto é o naloxon.*

"Merda, merda!"

Mikael telefonou de novo para a central de alarme, explicou quem era e disse que tinha acabado de ligar. E quase berrou:

"Vocês precisam trazer naloxon, entendeu? Ele precisa receber uma injeção de naloxon. Está sofrendo de depressão respiratória profunda."

Mikael desligou e ia continuar a respiração boca a boca, quando Holger tentou falar.

"Depois", disse Mikael, interrompendo Holger. "Economize suas forças."

Holger balançou a cabeça e sussurrou alguma coisa. Mas era impossível entender aquele sibilo rouco, era um estertor quase mudo e horrível de ouvir. Mikael mordeu os lábios e estava prestes a introduzir mais ar para dentro do velho, quando teve a impressão de entender duas palavras:

"Fale com…"

"Com quem? Com quem?"

Com suas últimas forças, Holger rouquejou o que Mikael achou ser "a Hilda do…"

"A Hilda de onde?"

"Com Hilda von…", sussurrou Holger.

Parecia ser importante, decisivo até.

"Von o quê? Essen? Rosen? O quê?"

Holger o encarou cheio de desespero. De repente o olhar se transformou, as pupilas se dilataram, a mandíbula relaxou. O estado de Holger piorou de forma dramática, e Mikael começou a fazer tudo que estava a seu alcance — respiração boca a boca, massagem cardíaca, tudo, e por instantes teve a impressão de que estava funcionando. A mão de Holger se ergueu de um jeito majestoso, os dedos afilados crisparam-se. O velho levantou o punho fechado poucos centímetros acima da cama, como se estivesse fazendo um gesto zombeteiro. Depois a mão tornou a cair sobre as cobertas e os olhos se arregalaram.

O corpo teve um espasmo, e tudo acabou. Embora tivesse entendido isso instintivamente, Mikael não poupou esforços e continuou realizando compressões ritmadas no peito de Holger e soprando ar nas vias aéreas dele. Deu tapas no rosto e gritou para que não se entregasse e tentasse respirar. Por fim, viu-se obrigado a reconhecer que nada daquilo adiantaria. Não havia mais pulso, não havia mais respiração, não havia mais nada. Mikael esmurrou o criado-mudo com tanta força que o estojo de remédios caiu e os comprimidos rolaram pelo chão. Ele olhou na direção de Liljeholmen. Eram quase quinze para as nove. Do lado de fora do apartamento, duas ou três meninas davam risadas.

Havia um leve cheiro de comida no ar. Mikael fechou os olhos de Holger Palmgren, ajeitou as cobertas e observou seu rosto. Nada de bom poderia ser dito sobre seus traços, tudo parecia torto, disforme, velho. Ainda assim, restava certa dignidade naquela expressão — pelo menos Mikael achava isso. De repente era como se o mundo tivesse se tornado um lugar pior. Mikael sentiu um nó na garganta e pensou em Lisbeth, na visita que havia feito a ela e em tudo mais.

Logo depois chegou a ambulância e os socorristas, dois rapazes por volta dos trinta anos. Mikael contou o que tinha acontecido da forma mais objetiva possível e falou sobre o fentanil. Disse que Holger provavelmente havia sofrido uma overdose e explicou que as circunstâncias pareciam suspeitas e que a polícia devia ser chamada. Seus comentários foram recebidos com tanto tédio e indiferença que ele teve vontade de gritar e de comprar uma briga. Mesmo assim, aguentou firme e não fez mais do que menear a cabeça quando um dos atendentes cobriu o corpo de Holger com um lençol enquanto aguardava um médico para redigir o atestado de óbito. Mikael ficou no apartamento. Juntou os comprimidos que haviam caído no chão, abriu a porta que dava para a sacada, sentou no sofá preto junto à cama e tentou organizar os pensamentos. Não adiantou, tinha coisas demais na cabeça. De repente se lembrou dos documentos que viu espalhados pelo corredor quando chegou ao apartamento.

Ele se levantou, pegou as folhas no chão e começou a ler, de pé, junto à porta. Mesmo sem entender como aquelas coisas se relacionavam, um nome chamou sua atenção de imediato: Peter Teleborian. Teleborian era o psiquiatra que tinha escrito um relatório falso sobre Lisbeth, quando, com doze anos, ela se vingou do pai jogando um coquetel molotov nele, na Lundagatan. Teleborian era o homem que havia manifestado o desejo de proteger Lisbeth e tratar dela, para que voltasse a ter uma vida normal, mas que na verdade a tinha torturado dia após dia, hora após hora, mantendo-a amarrada à cama e submetendo-a a todo tipo de abusos, inclusive sexual. O que papéis a respeito desse homem estavam fazendo no corredor de Holger?

Depois de examinar rapidamente os documentos, Mikael constatou que não traziam nada de novo. Pareciam apenas fotocópias das mesmas observações sóbrias e desconcertantes que levaram Peter Teleborian a ser condenado por violação de conduta e ter o registro de médico cassado. Também era evidente que os papéis não tinham muita relação entre si, que não formavam um dossiê coeso. Uma das páginas terminava no meio de uma frase e outra continuava a partir de um ponto diferente. Era razoável supor que faltavam algumas partes. Estariam no apartamento? Será que tinham sido levadas?

Mikael pensou se não devia procurá-las nas gavetas e nos armários. No fim resolveu não interferir no inquérito policial que provavelmente seria instaurado; ligou para o inspetor Jan Bublanski e contou o que acontecera. Em seguida telefonou para o pavilhão de segurança da prisão de Flodberga. Quem atendeu foi um homem chamado Fred, com voz arrastada e arrogante. Mikael quase perdeu a paciência, sobretudo quando olhou para a cama e viu os contornos do corpo de Holger que o lençol branco delineava. Apesar disso, manteve-se composto, explicou, com a autoridade que a ocasião exigia, que uma pessoa da família de Salander havia falecido e por fim conseguiu falar com ela.

Não foi exatamente a conversa que gostaria de ter tido.

Lisbeth desligou e foi escoltada de volta à cela ao longo do corredor por dois carcereiros. Ela não percebeu a profunda hostilidade no rosto do guarda Fred Strömmer. Não percebeu nada do que acontecia ao redor nem deixou que seu rosto expressasse tudo que ela sentia. Naturalmente ignorou a pergunta "Alguém morreu?" — nem ergueu os olhos. Limitou-se a continuar andando, ouvindo apenas seus passos, sua respiração, nada mais, e não entendeu por que os guardas a acompanharam até o interior da cela. Mas era evidente que pretendiam infernizar sua vida. Depois da briga com Benito, não perdiam a chance de dificultar sua existência ali, e tudo indicava que naquele momento iriam revistar sua cela de novo. Não porque suspeitassem de alguma coisa, mas pela excelente oportunidade de revirarem tudo e jogar o colchão de Lisbeth no chão. Talvez quisessem que ela surtasse, para assim terem motivo para agredi-la. E quase conseguiram. No fim, Lisbeth se conteve e nem olhou para eles quando saíram.

Em seguida, pôs o colchão de volta no lugar, sentou na beira da cama e concentrou-se no que Mikael havia contado. Pensou no emplastro de morfina que ele tinha arrancado das costas de Holger, nos documentos espalhados pelo corredor e no nome "Hilda von". Refletiu muito sobre essas três informações, mas não conseguiu associá-las a nada. Depois se levantou, deu um soco na mesa e chutou o guarda-roupa e a pia.

Por um instante vertiginoso, sentiu-se pronta para matar, mas em seguida se recompôs e concluiu que o melhor seria fazer tudo com a devida calma e no devido tempo. Primeiro era necessário descobrir a verdade. Depois viria a vingança.

10. 20 DE JUNHO

O inspetor Jan Bublanski costumava dedicar-se a demoradas elucubrações filosóficas. Naquele instante, porém, estava calado. Vestia camisa azul, calça cinza de linho e um mocassim básico. Eram 15h20 de um dia quente e abafado e a equipe havia trabalhado duro ao longo do expediente. Estavam todos na sala de reunião, no quinto andar da delegacia, na Bergsgatan.

Apesar da idade, Bublanski ainda temia muitas coisas na vida e acima de tudo, talvez, a ausência da dúvida. Acreditava em Deus, porém mostrava-se ressabiado ao encontrar convicções fortes demais e explicações simples demais. Com regularidade, dispunha-se a fornecer contra-argumentos e hipóteses diferentes, afinal nada era tão certo que não pudesse ser questionado. Se, de um lado, essa atitude resultava em retardamentos, de outro evitava que se cometessem equívocos. Aquele era um desses momentos em que Bublanski via a necessidade de trazer seus colegas de volta à razão. Mas não sabia por onde começar.

Considerava-se um homem feliz sob muitos aspectos. Estava vivendo com uma nova companheira, a professora Farah Sharif, que — Bublanski mesmo dizia — era mais bonita e mais inteligente do que ele merecia. O casal havia acabado de se mudar para um apartamento junto ao Nytorget, em

Estocolmo. Eles tinham um labrador e com frequência saíam para jantar e visitar exposições de arte. Ao mesmo tempo, o mundo parecia ter enlouquecido, na opinião de Bublanski. A mentira e a ignorância alastravam-se com uma rapidez jamais vista. Demagogos e psicopatas dominavam o cenário político, e o preconceito e a intolerância envenenavam o mundo, e por vezes até mesmo o senso de julgamento de sua equipe, composta de policiais em geral bastante razoáveis. Sonja Modig — sua colega mais próxima — brilhava como um sol, e corriam boatos de que estava apaixonada, situação que estava irritando Jerker Holmberg e Curt Svensson. Os dois a interrompiam e a criticavam o tempo todo e, para piorar, Amanda Flod, a integrante mais nova da equipe, além de haver tomado o partido de Sonja, na maioria das vezes fazia comentários pertinentes. Talvez Svensson e Holmberg sentissem sua autoridade ameaçada. Bublanski tentou sorrir de maneira encorajadora.

"A rigor...", disse Jerker Holmberg.

"'A rigor' é um bom começo", replicou Bublanski.

"A rigor não vejo por que alguém se preocuparia em provocar a morte de um homem de noventa anos", prosseguiu Jerker.

"De oitenta e nove anos", Bublanski o corrigiu.

"Exato, um homem de oitenta e nove anos que mal conseguia sair de casa e que poderia morrer a qualquer momento de causas naturais."

"Mesmo assim, parece que foi o que aconteceu, não é? Sonja, por favor faça um resumo do que descobrimos até agora."

Sonja abriu um sorriso radiante, e até mesmo Bublanski desejou que ela controlasse um pouco aquela alegria, nem que fosse apenas para pacificar o ambiente.

"Temos a Lulu Magoro", disse Sonja Modig.

"Já não falamos bastante dessa mulher?", disse Curt Svensson, interrompendo.

"Não", retrucou Bublanski de forma um tanto brusca. "É preciso repassar tudo, para termos o panorama completo."

"Quer dizer, não temos só a Lulu", prosseguiu Sonja. "Também temos a Sofia Care, a empresa de home care que cuidava de Holger Palmgren. Ontem de manhã, os responsáveis de lá receberam um telefonema da emergência do hospital Ersta, informando que Holger Palmgren tinha dado entrada com dores fortes no quadril. Ninguém na Sofia Care achou que devia questionar essa informação. A pessoa que ligou se identificou como Mona Landin, médica-chefe e ortopedista. Pareceu uma comunicação legítima, e assim essa pessoa obteve acesso ao estado de saúde de Holger e aos medicamentos que ele usava. Diante disso, a empresa de home care suspendeu temporariamente o envio de cuidadores. A Lulu Magoro, que era bastante próxima de Holger, quis ir visitá-lo no hospital e tentou obter informações da ala onde Holger tinha sido internado, mas como ele não estava no hospital ninguém lá soube dizer nada. Na mesma tarde ela foi procurada por essa Mona Landin, que agora sabemos tratar-se de um nome falso. A pessoa disse que estava tudo bem com Holger, mas como ele tinha feito uma pequena cirurgia e ainda não havia voltado da anestesia, não devia ser perturbado. Mais tarde Lulu ligou para o celular de Holger, e a linha estava... cancelada. Ninguém na Telia, a operadora de telefonia dele, soube explicar o que tinha acontecido. De manhã o número foi cancelado, e não descobriram, no sistema, o responsável por essa operação. Alguém com excelentes conhecimentos de informática e bons contatos na operadora deixou Holger Palmgren totalmente isolado."

"E é aí que eu pergunto: por que todo esse esforço?", disse Jerker.

"Há uma circunstância que precisamos levar em conta", disse Bublanski. "Assim como eu, Holger Palmgren tinha ido ver Lisbeth Salander em Flodberga, e, como sabemos que ela vem sofrendo ameaças, é razoável supor que talvez Palmgren tenha se envolvido nesse problema — quem sabe tenha recebido informações sensíveis ou oferecido ajuda. Lulu contou que no sábado o Holger pediu que ela fosse buscar numa cômoda uma pilha de papéis sobre a Salander e que ele ficou lendo tudo muito concentrado. Semanas antes, esses documentos tinham sido entregues ao Holger por uma mulher que no passado teve algum tipo de relação com Lisbeth."

"Quem?"

"Ainda não sabemos quem é essa pessoa. A Lulu não sabe o nome da mulher e a Lisbeth não quis revelar. Mas temos uma pista que pode nos trazer mais informações."

"Que pista?"

"Como vocês sabem, o Mikael Blomkvist encontrou alguns documentos no corredor do apartamento do Holger, papéis que talvez estivessem com ele, Holger, ou que o criminoso tenha deixado cair quando foi embora. Parecem ser registros do setor de psiquiatria infantil do hospital de Sankt Stefan, onde a Salander esteve internada na infância, e nesses apontamentos aparece o nome de Peter Teleborian."

"Aquele espertinho."

"Aquele porco, você quer dizer", emendou Sonja Modig.

"Já temos notícias do Teleborian?"

"A Amanda falou com ele hoje. Ele mora com a mulher e um pastor-alemão num apartamento bacana na Amiralsgatan. Disse que lamentava a morte do Palmgren, mas que não sabe nada a respeito. E não quis falar mais. Ah, também disse que não conhece nenhuma Hilda von qualquer coisa."

"Pelo jeito, vamos ter que procurá-lo outra vez", disse Bublanski. "Nesse meio-tempo, vamos analisar os papéis e os pertences do Holger Palmgren. Mas, Sonja, fale-nos um pouco mais sobre Lulu Magoro."

"Lulu Magoro cuidava do Holger à noite, quatro ou cinco vezes por semana", disse Sonja. "Toda vez que ela ia até lá, aplicava nele um emplastro analgésico da marca Norspan, cujo princípio ativo… Jerker, você pode me ajudar?"

Boa jogada, pensou Bublanski. Envolva-o! Faça com que se sinta capaz.

"Buprenorfina", respondeu Jerker. "É um opioide preparado com papoulas de ópio, que pode ser encontrado, por exemplo, no medicamento Subutex, usado por dependentes de heroína, mas comumente utilizado como analgésico pelos idosos."

"Perfeito. O Holger recebia uma dose bem modesta dele", acrescentou Sonja Modig. "Mas o que Mikael Blomkvist arrancou das costas do Holger foi uma coisa totalmente diferente: dois emplastros da marca Fentanyl Actavis, que, juntos, resultavam numa dose letal, não é, Jerker?"

"Sem dúvida. Aquilo lá teria matado um cavalo."

"Isso mesmo. Chega a ser inacreditável que o Holger tenha conseguido articular algumas palavras."

"Palavras interessantes…", comentou Bublanski.

"São mesmo, embora nosso dever seja encarar com um pouco de ceticismo o que um homem dopado e numa situação como aquela diz. As palavras, vocês já conhecem: 'Hilda von', mais exatamente: 'Fale com Hilda von'. Segundo o depoimento de Mikael Blomkvist, Holger deu a impressão de que era uma informação importante, talvez o nome da pessoa responsável pelo que havia ocorrido. Como vocês sabem, uma mulher elegante de óculos escuros e cabelo preto, idade indefinida, foi vista descendo a escada às pressas, com uma maleta marrom na mão, ontem à noite. É uma informação pouco específica, por enquanto não tenho como avaliar sua importância. Além do mais, não acho que Palmgren iria dizer 'Fale com', se estivesse se referindo à pessoa que o tinha envenenado. Me parece mais provável que Hilda von seja alguém que detenha informações importantes, ou então alguém irrelevante, sem ligação com o que aconteceu, que apenas surgiu nos pensamentos dele na hora de morrer."

"Claro, pode ser isso. Mesmo assim, o que descobrimos sobre esse nome?"

"No começo ficamos esperançosos", disse Sonja, "porque aqui na Suécia o prefixo 'von' está ligado a famílias nobres, e com isso nosso círculo de pesquisa fica bem restrito. Mas acontece que Hilda também é um nome comum na Alemanha e lá o prefixo 'von', que significa 'de', é apenas uma preposição. No universo germânico, portanto, nosso grupo de candidatas se amplia demais. Jan e eu achamos melhor esperar mais um pouco antes de sairmos por aí interrogando todas as nobres chamadas Hilda. Mas continuamos fazendo buscas e verificações."

"E o que a Lisbeth Salander falou?", perguntou Curt Svensson.

"Não muito, infelizmente."

"É típico dela."

"Pode ser", prosseguiu Sonja, "mas nós mesmos ainda não falamos com ela. Só recebemos uma ajuda dos nossos colegas de Örebro, que tinham acabado de ouvir a Salander como testemunha de outro caso — uma agressão violenta sofrida pela Beatrice Andersson na prisão de Flodberga."

"E quem diabos teve coragem de atacar a Benito?", exclamou Jerker.

"Alvar Olsen, chefe do pavilhão de segurança. Ele garante que não teve alternativa. Depois eu explico melhor."

"Espero que o Alvar Olsen tenha guarda-costas", disse Jerker.

"A segurança do pavilhão foi reforçada e a Benito vai ser transferida para outro presídio assim que se restabelecer. No momento está internada no hospital de Örebro."

"Não é o suficiente, tenho certeza", disse Jerker. "Você faz ideia do tipo de pessoa que a Benito é? Já viu as vítimas dela? Acredite, ela não vai largar do pé do Alvar Olsen enquanto não tiver cortado a garganta dele. E bem devagar."

"Tanto nós como a direção do complexo penitenciário estamos cientes de que a situação é grave", prosseguiu Sonja, levemente irritada. "Mas por enquanto não vemos nenhum tipo de perigo. Será que posso continuar? Ótimo. Como eu dizia, nossos colegas de Örebro não conseguiram nada de útil com a Lisbeth Salander. Estamos torcendo para que o Bublanski, em quem ela deposita alguma confiança, obtenha resultados melhores. Como estamos vendo — e acho que todos aqui concordam com isso, não é verdade? —, a Salander é fundamental para esse caso. O Mikael Blomkvist disse que o Palmgren estava preocupado com ela e que comentou ter feito alguma coisa precipitada ou estúpida por causa dessa preocupação. Isso é interessante. O que pode ter sido? Além do mais, o que um idoso paralisado poderia fazer de precipitado?"

"Talvez um telefonema ou uma pesquisa descuidada no computador", sugeriu Amanda Flod.

"Isso mesmo! Mas não descobrimos nada de importante por aí. A não ser que o celular de Palmgren desapareceu."

"Isso parece suspeito", disse Amanda.

"Sem dúvida. E acho que há mais uma coisa que precisa ser levada em conta. Jan, é melhor você assumir a partir de agora", disse Sonja.

Bublanski se torceu na cadeira, como se quisesse escapar daquela situação. Em seguida, contou a história de Faria Kazi, a respeito da qual tinha sido informado de manhã.

"Como vocês sabem, a Salander não quis falar com a polícia de Örebro sobre o encontro que teve com Holger Palmgren. E também não quis dizer muita coisa sobre a agressão sofrida por Benito. Mas havia um assunto que ela se mostrou disposta a discutir: a investigação sobre a morte de Jamal Chowdhury. Na opinião da Salander, a investigação policial está sendo mal conduzida, e sou obrigado a concordar."

"Por quê?"

"Pela rapidez com que a morte de Jamal foi considerada suicídio", disse Bublanski. "Se fosse apenas mais uma investigação sobre esses pobres-diabos que acabam debaixo de um trem do metrô, talvez eu até entendesse essa rapidez. Mas o que aconteceu com Jamal Chowdhury provavelmente não foi um incidente corriqueiro. Havia uma *fatwa* contra ele, e essas sentenças de morte precisam ser levadas a sério. Aqui em Estocolmo há um pequeno grupo que se radicalizou sob a influência de forças extremistas de Bangladesh e que está disposto a matar por muito pouco. Levando em consideração os motivos que trouxeram Jamal à Suécia, um simples escorregão numa casca de banana já devia ser encarado com muita desconfiança. Além disso, ele se apaixonou por Faria Kazi, ao passo que o pai e os irmãos dela pretendiam casá-la com um islamista rico de Daca. Vocês podem imaginar a fúria que a família deve ter sentido quando Faria fugiu de casa e foi se esconder no apartamento de Jamal. A partir desse momento, Jamal deixou de ser apenas o homem que tinha destruído a honra da família Kazi para se tornar também o inimigo religioso e político que um dia acabou debaixo de um trem do metrô. E o que os nossos colegas fizeram? Apesar dessas outras circunstâncias em torno do caso, concluíram que a morte de Jamal foi suicídio — com a mesma rapidez com que eles costumam encerrar uma investigação de arrombamento em Vällingby. E, como se não bastasse, o que aconteceu um dia depois da morte de Jamal? Faria Kazi, num surto de raiva, empurrou seu irmão Ahmed pela janela do apartamento da família, em Sickla. Tenho dificuldade em imaginar que isso não tenha relação com o que aconteceu no metrô."

"Tudo bem, eu entendo. Mas qual a ligação dessa história com a morte de Holger Palmgren?", perguntou Curt Svensson.

"Talvez nenhuma, mas não podemos esquecer que Faria Kazi está no mesmo pavilhão de segurança de Flodberga que a Salander e que, também como ela, vem recebendo ameaças. Existem razões para acreditar que seus irmãos querem vingança. Hoje a Polícia Federal nos confirmou que eles estavam em contato com Benito. Os irmãos se autodenominam radicais. Mas isso tem mais a ver com a Benito do que com os muçulmanos em geral, e para se vingar de Faria seus irmãos não poderiam escolher pessoa melhor do que a Benito."

"Imagino", disse Jerker.

"Também descobrimos que a Benito já havia demonstrado interesse pela Faria e pela Lisbeth."

"E como descobrimos isso?"

"Através da investigação que está em curso no complexo penitenciário para descobrir como a Benito conseguiu levar um canivete para dentro do pavilhão de segurança. Tudo, absolutamente tudo, foi verificado, e num dos cestos de papel do pavilhão de visitas do prédio H encontraram uma folha, com a letra da Benito, cheia de informações alarmantes. Nela havia o endereço da escola para a qual Alvar Olsen, há alguns meses, tinha transferido sua filha de nove anos e também informações sobre uma tia de Faria chamada Fatima, a única pessoa da família com quem ela mantinha alguma proximidade. E — o que para nós é particularmente relevante — informações sobre algumas pessoas ligadas a Lisbeth Salander: Mikael Blomkvist, um advogado chamado Jeremy MacMillan, de Gibraltar, que eu ainda não sei quem é, e Holger Palmgren."

"Sério?", exclamou Amanda Flod.

"Infelizmente, sim. Chega a dar arrepios pôr os olhos nessas informações, ver tudo que sabiam sobre o Palmgren, endereço, números de telefone..."

"Não parece nada bom", disse Jerker Holmberg.

"Não mesmo. Claro que por enquanto as informações desse papel que encontraram em Flodberga não têm nenhuma ligação com o assassinato dele ou com o que estamos pressupondo ser um assassinato. Mas salta aos olhos, não salta?"

"Se salta", disse Sonja Modig.

Mikael Blomkvist caminhava pela Hantverkargatan, em Kungsholmen, quando seu celular tocou. Era Sofie Melker, da redação, querendo saber como ele estava. Ele respondeu "Estou indo", imaginando que bastaria. Sofie era a oitava pessoa a ligar naquele dia para lhe dar os pêsames. Não havia nada de errado nisso, porém Mikael não aguentava mais. Queria encarar a situação como costumava encarar qualquer morte — trabalhando duro.

Tinha passado a manhã em Uppsala, lendo a sentença dada ao chefe de finanças da Rosvik, julgado pela morte do psicólogo Carl Seger. Naquele momento estava indo se encontrar com Ellenor Hjort, noiva de Seger na época.

"Obrigado, Sofie", disse Mikael, "mas nos falamos depois. Agora tenho uma reunião."

"Tudo bem. Discutimos o assunto mais tarde, então."

"Que assunto?"

"Sobre aquele material que a Erika pediu que eu fosse buscar para você no Arquivo Municipal."

"Ah, claro! Você conseguiu?"

"Depende", ela disse.

"Como depende?"

"Nos arquivos pessoais do Herman e da Viveka Mannheimer não encontrei nada de estranho."

"Achei mesmo que não haveria nada neles. Eu estava mais interessado no arquivo do Leo. Em saber se ele foi adotado ou se existe alguma informação sensível ou surpreendente sobre o passado dele."

"Eu imaginei. No arquivo de Leo também não há nada que chame a atenção. Consta que nasceu no povoado de Västerled, onde os pais moravam. A coluna 20, com a rubrica 'Anotações sobre pais e filhos adotivos', está em branco. Não existe rasura nem algum tipo de sigilo decretado para o documento. Tudo parece normal. Os outros povoados nos quais ele morou na infância e na adolescência também estão citados lá."

"E por que você disse 'depende' quando eu perguntei se você tinha conseguido o material?"

"É que aconteceu o seguinte. Depois de ver os arquivos dos Mannheimmer, acabei ficando um pouco curiosa para ver como era o meu próprio arquivo e aproveitei para solicitá-lo. O Arquivo Municipal me cobrou oito coroas, que nem pensei em repassar para a *Millennium*."

"É muita generosidade sua."

"Sabe, eu sou apenas três anos mais velha que o Leo e mesmo assim o meu arquivo está com uma aparência totalmente diferente da aparência do arquivo dele."

"De que forma?"

"A apresentação dos meus dados não está tão organizada. Me senti meio velha lendo aquilo. Na coluna 19, por exemplo, constam anotações sobre as datas em que eu me mudei e fui transferida para outros vilarejos. Não sei quem foi o responsável por essas anotações, mas imagino que tenham sido burocratas da igreja. Tudo parece meio bagunçado, há anotações feitas à mão, depois outras datilografadas, algumas partes foram carimbadas, em outras há registros todos tortos, como se a pessoa não tivesse conseguido escrever o tempo todo na linha. Mas no arquivo do Leo tudo é perfeito, uniforme, as informações estão datilografadas, e aparentemente na mesma máquina de escrever."

"Como se o documento tivesse sido refeito depois?"

"Bom...", disse Sofie. "Se essa pergunta tivesse vindo de outra pessoa, ou se eu só tivesse visto o arquivo do Leo, essa ideia jamais me passaria pela cabeça. Mas você deixa todo mundo meio paranoico, Mikael, você sabe disso. Com você a gente começa a desconfiar de tudo. Então, sim. Levando tudo em consideração, eu não descartaria a hipótese de que o arquivo pessoal do Leo tenha sido refeito depois. Mas por que você desconfia disso?"

"Não sei bem. E, Sofie... Você não mencionou meu nome, certo?"

"Exerci meu direito de fazer a consulta como anônima; a Erika me orientou a agir assim. Por sorte não sou uma celebridade como você."

"Ótimo. Então se cuide, e obrigado!"

Ele desligou o telefone e lançou um olhar melancólico em direção ao mercado de Kungsholm. Fazia um dia lindo, detalhe que servia apenas para deixar tudo pior. Seguiu até o endereço fornecido, Norr Mälarstrand 32, onde Ellenor Hjort, a ex-noiva de Carl Seger, morava sozinha com a filha de quinze anos. Ellenor Hjort tinha cinquenta e dois anos, era curadora da casa de leilões de arte Bukowskis, havia se divorciado fazia três anos, participava de uma série de organizações humanitárias e também atuava como técnica do time de basquete de sua filha. Sem dúvida era uma mulher ativa.

Mikael olhou para as águas tranquilas do lago Mälaren e depois para o prédio de Ellenor, em frente. O calor era opressivo, e Mikael se sentia suado, pesado, quando digitou o código que dava acesso ao edifício. Depois pegou o elevador até o último andar e tocou a campainha. Não foi preciso esperar muito para que a porta se abrisse.

A aparência de Ellenor Hjort era surpreendentemente jovem. Ela tinha cabelo curto, olhos castanho-escuros e uma pequena cicatriz branca na testa, trajava um tailleur preto com calça cinza. A casa era repleta de livros e quadros. Ofereceu chá com biscoitos a Mikael e parecia nervosa; as xícaras tremiam quando as depositou na bandeja. Os dois foram se sentar em um conjunto de sofás azul-escuros sob uma pintura a óleo com uma paisagem colorida de Veneza.

"Admito que estou surpresa por você ter ressuscitado essa história depois de tantos anos", ela disse.

"Eu entendo perfeitamente, e lamento ter que mexer nessas feridas antigas. Mas gostaria de saber um pouco mais sobre Carl."

"E por que esse interesse agora?"

Mikael hesitou, mas por fim respondeu com sinceridade.

"Eu gostaria muito de poder lhe trazer mais informações, mas... É que acredito que exista alguma outra história ainda não revelada por trás da morte dele. Certos detalhes não fecham."

"No que você está pensando, mais especificamente?"

"Por enquanto é pouco mais do que intuição apenas. Acabo de voltar de Uppsala, li os depoimentos de todas as testemunhas da época, e a verdade é que não há nada de estranho neles. Mas se há uma coisa que aprendi com o passar dos anos é que a verdade por vezes pode ser inesperada, até mesmo um pouco ilógica, já que nós, humanos, não somos criaturas totalmente racionais. Por outro lado, a mentira — em especial as mentiras mal contadas — são uniformes, genéricas, e com frequência beiram o clichê."

"Então você acha que a investigação sobre a morte do Carl é um clichê?", ela perguntou.

"A investigação parece bem amarrada demais", Mikael explicou. "Praticamente não existem inconsistências nem pontas soltas."

"E por acaso você acha que poderia vir aqui me dizer coisas que nunca tivessem me ocorrido?"

Ellenor Hjort lutava para conter o sarcasmo.

"Eu poderia dizer que a pessoa apontada como sendo o atirador, Per Fält...", Mikael começou.

Ellenor o interrompeu e disse que, apesar do respeito que tinha pelo trabalho e pela capacidade de observação de Mikael, no que dizia respeito ao inquérito sobre a morte de Carl Seger ele não tinha como apresentar nenhum fato novo.

"Li aquilo tudo mil vezes", disse Ellenor, "conheço todos os detalhes que você está mencionando, eles estão cravados como um punhal nas minhas costas. Ou você por acaso acha que não gritei, não berrei e não esperneei com o Hermann e com o Alfred Ögren, que não perguntei 'O que é que vocês estão querendo esconder, seus desgraçados?'. É isso que você acha?"

"E o que eles responderam?"

"Primeiro eles responderam com sorrisos indulgentes e palavras amistosas: 'Sabemos como está sendo difícil para você, lamentamos muito, coitado'. Mas no fim, quando eu insisti, comecei a ser ameaçada. Disseram que eu devia tomar cuidado, que eles eram pessoas poderosas, que minhas insinuações não passavam de mentiras e difamação, que eles possuíam os melhores advogados, coisas desse tipo, e eu estava fraca demais, triste demais para continuar lutando sozinha. O Carl era a minha vida. Fiquei arrasada, não consegui mais estudar, trabalhar, não consegui fazer mais nada, nem as atividades mais corriqueiras do meu dia a dia."

"Entendo."

"Mas também aconteceu uma coisa surpreendente, e é por isso que concordei em falar com você. Quem você acha que mais consolou, que mais me ofereceu conforto — mais do que meu pai, minha mãe, mais do que meus irmãos e amigos?"

"O Leo?"

"Ele mesmo. Que pessoinha especial era o Leo. Ele estava tão inconsolável quanto eu. Nós dois ficamos lá na casa da Grönviksvägen, chorando e amaldiçoando o mundo e todos aqueles desgraçados que tinham participado da caçada na floresta, e quando eu chorei e gritei dizendo que haviam levado metade de mim ele disse que se sentia do mesmo modo. Na época o Leo não passava de uma criança, mesmo assim nos unimos na tristeza."

"Por que o Carl era tão importante para ele?"

"Os dois se encontravam todas as semanas no consultório, mas não era só isso, claro. O Leo não via o Carl apenas como terapeuta, mas também como um amigo, talvez como a única pessoa no mundo que o entendia de verdade, enquanto o Carl desejava..."

"O que ele desejava?"

"Ele queria ajudar o Leo a entender que ele possuía um enorme talento, um futuro com possibilidades incríveis e, claro... não posso omitir esta parte: o Leo também era importante para a pesquisa que o Carl estava fazendo para sua tese de doutorado."

"O Leo tinha hiperacusia."

Ellenor olhou surpresa para Mikael e disse, pensativa:

"Bem, isso foi uma parte da história. O Carl queria descobrir se essa condição contribuía para o isolamento do Leo e também se ele via o mundo de forma diferente das demais pessoas. Mas não pense que o Carl era um cínico. Entre os dois havia um laço verdadeiro e que nem eu entendia direito."

Mikael decidiu arriscar:

"O Leo era adotado, não era?"

Ellenor tomou um gole de chá e olhou para a sacada à esquerda.

"Talvez", disse.

"Por que talvez?"

"Porque o passado dele era um assunto delicado. Às vezes eu sentia isso."

Mikael decidiu arriscar mais uma vez:

"Por acaso o Leo fazia parte do povo das estrelas?"

Ellenor ergueu o rosto com uma expressão atenta.

"Que engraçado", disse.

"Por quê?"

"Às vezes eu me lembro..."

"Do quê?"

"Um dia o Carl nos levou para almoçar em Drottningholm."

"E o que aconteceu?"

"Na verdade nada, mas agora me lembrei de novo desse dia. Eu e o Carl nos amávamos muito, mas às vezes era como se ele tivesse segredos comigo — mais segredos do que seria natural por causa do seu trabalho como terapeuta. E esse foi um dos motivos para que eu sentisse tanto ciúme, e o almoço em Drottningholm foi um desses momentos."

"De que maneira?"

"O Leo estava chateado porque alguém o tinha chamado de consertador de panelas, e o Carl em vez de simplesmente perguntar 'Quem foi o idiota que disse isso?', começou a explicar, de um jeito meio pedagógico, o significado da expressão 'consertador de panelas' e de como ela era ofensiva e um resquício de um período negro da história. O Leo concordava com a cabeça, como se já tivesse ouvido aquilo antes. Ele ainda era criança na época, no entanto sabia sobre o povo das estrelas e de sua relação com os roma, e também sobre os ataques dirigidos contra esse grupo de pessoas — esterilizações forçadas, lobotomizações e até mesmo limpeza racial em certos povoados. E aquilo me pareceu, sei lá... meio demais para um menino saber."

"E o que aconteceu?"

"Nada, não aconteceu absolutamente nada", Ellenor disse. "Quando mais tarde tentei voltar ao assunto com o Carl, ele se recusou a entrar em detalhes, e tive a impressão de que não era por causa do sigilo profissional, mas que ele estava me escondendo coisas que faziam parte de um contexto maior. Por isso esse episódio ainda me incomoda de vez em quando."

"Por acaso foi um dos filhos do Alfred Ögren quem chamou o Leo de consertador de panelas?"

"Foi o Ivar, o mais novo, o filho temporão, o único que seguiu os passos do pai. Você sabe alguma coisa sobre ele?"

"Muito pouco", respondeu Mikael. "Ele era uma pessoa maldosa, não era?"

"Terrivelmente maldoso."

"Por quê?"

"Era o que as pessoas se perguntavam. Havia uma rivalidade não apenas entre os meninos, mas também entre os pais deles. O Hermann e o Alfred punham os filhos numa rinha de galos e competiam para ver qual garoto era o mais inteligente, o mais bem-sucedido. Se o Ivar tirava sempre as melhores notas em disciplinas que exigiam força bruta, o Leo era sempre o melhor nos assuntos intelectuais, o que sem dúvida motivou um ciúme enorme. O Ivar sabia da hiperacusia do Leo e, em vez de se solidarizar com o problema, nos verões em Falsterbo ele o acordava com o som em volumes insuportáveis. Uma vez chegou a comprar um pacote de balões, encheu todos e depois foi estourar um por um perto do Leo. Quando o Carl soube disso, deu uns tapas no Ivar. Foi um escândalo, como você pode imaginar. O Alfred Ögren ficou louco."

"Houve agressões contra Carl nesse círculo?"

"Com certeza. Mas me sinto na obrigação de dizer que os pais do Leo sempre defenderam o Carl. Eles sabiam o quanto ele era importante para o menino. Por isso acabei aceitando — ou pelo menos tentei — a ideia de ter sido uma tragédia, de que o tiro foi acidental. Hermann Mannheimer jamais mataria o melhor amigo do filho dele."

"E como o Carl conheceu a família de Leo?"

"Através da universidade. Acho que ele deu sorte com o timing. Até então não havia escolas especializadas em crianças superdotadas, porque a ideia de uma escola nesses moldes ia contra os ideais suecos de igualdade. Mas, de outro lado, não havia nas escolas comuns um conhecimento que permitisse identificar e compreender os processos mentais dessas pessoas. Muitos alunos inteligentes sentiam-se tão pouco estimulados que passavam a adotar comportamentos agressivos e eram colocados na turma de observação. Afirmava-se que na psiquiatria existia uma representação exagerada de crianças com talentos especiais. O Carl não concordava com esse conceito nem com essa situação e lutava por esses meninos e meninas especiais. Poucos anos antes o teriam taxado de elitista. Mas no fim ele recebeu convites para integrar comitês do governo nacional e, por intermédio de Hilda von Kanterborg, na época a supervisora dele, acabou tendo contato com Hermann Mannheimer."

Mikael levou um susto.

"Quem é Hilda von Kanterborg?"

"Ela era professora em várias instituições psicológicas e foi orientadora de dois ou três doutorandos", respondeu Ellenor Hjort. "Era jovem, não muito mais velha do que o Carl, e tudo indicava que teria um futuro profissional brilhante. Por isso me parece tão trágico que..."

"Ela morreu?", Mikael perguntou, impaciente.

"Não que eu saiba. Mas ela se envolveu num escândalo, e ouvi dizer que virou alcoólatra."

"Que tipo de escândalo?"

Por um instante Ellenor Hjort pareceu desconcentrada. Depois olhou fundo nos olhos de Mikael.

"Foi depois da morte do Carl, então tudo que eu sei foi de ouvir falar. Mas a história toda me pareceu muito injusta."

"Por quê?"

"A Hilda von Kanterborg, como muitos acadêmicos, tinha uma autoconfiança bastante elevada. Estive com ela duas ou três vezes, na companhia do Carl, e a presença daquela mulher era incrível. Os olhos dela pareciam engolir você. Diziam que ela tinha muitos envolvimentos amorosos, que já tinha ido para a cama com alguns alunos, o que obviamente não pegou muito bem. Mas como todos eram adultos e ela era admirada, brilhante, ninguém se importou muito — pelo menos no começo. A Hilda tinha uma fome insaciável — de vida, de novos conhecimentos e de homens também. Não estou querendo dizer que ela fosse má pessoa ou calculista. Mas ocupava bastante espaço, sem dúvida."

"E no fim o que aconteceu?"

"Eu não sei muito bem. Só sei que de repente a direção da instituição conversou com alguns alunos que afirmaram, ou melhor, insinuaram, de forma evasiva, que Hilda vendia o corpo para eles. A história toda parecia vulgar, como se não tivessem conseguido pensar em nada melhor do que apresentá--la como uma puta. O que você está fazendo?"

Sem dar por si, Mikael tinha se levantado, procurando seu celular.

"Uma Hilda von Kanterborg mora na Rutger Fuchsgatan. Você acha que pode ser ela?", ele perguntou.

"Bom, acho que não existem muitas pessoas com esse nome. Por que você está interessado nela?"

"Porque..." Mikael não chegou a terminar a frase. "É uma história complicada. Mas a nossa conversa foi muito valiosa para mim."

"E você está indo embora..."

"De fato estou com um pouco de pressa. Tenho a impressão de que..."

Mais uma vez Mikael não terminou a frase. Malin ligou e pareceu tão afobada quanto ele. Mikael pediu que ela telefonasse mais tarde, apertou a mão de Ellenor Hjort, agradeceu mais uma vez e desceu a escada correndo. Já na rua, telefonou para Hilda von Kanterborg.

Dezembro, um ano e meio antes
O que pode ser perdoado e o que não pode? Leo e Carl discutiam o assunto com frequência. Era uma questão importante para os dois, e a posição deles costumava ser generosa: quase tudo podia ser perdoado — até mesmo as provocações de Ivar. Por algum tempo, Leo fez as pazes com ele. Achava que Ivar não tinha consciência de suas atitudes, que era uma pessoa maldosa, assim como existem pessoas tímidas e outras desprovidas de talento musical. Ivar não sabia lidar com os sentimentos dos outros, da mesma forma que pessoas sem ouvido para música se atrapalham com acordes e melodias. Leo o tratava com indulgência e de vez em quando recebia em troca uma pequena gentileza, um tapinha no ombro, um olhar compreensivo. Muitas vezes Ivar pedia-lhe conselhos, talvez por interesse próprio, assim mesmo... Às vezes Ivar chegava a elogiá-lo:

"Você até que não é tão burro, Leo!"

O casamento de Ivar com Madeleine Bard, porém, destruiu tudo, e Leo passou a sentir um ódio que nenhuma terapia pôde curar ou afastar. Ele simplesmente acolheu esse ódio, recebeu-o de braços abertos, como uma febre, uma tempestade, e os piores momentos eram à noite e de madrugada. A fúria e a sede de vingança pulsavam na fronte e no peito dele. Leo começou a fantasiar sobre tiros acidentais, humilhações, doenças, acidentes e erupções cutâneas terríveis. Chegou a furar velhas fotografias de Ivar, e com a força do pensamento tentava fazê-lo despencar de sacadas e coberturas. Estava realmente à beira da loucura. Mas nada aconteceu. Ivar, de seu lado, tornou-se mais prudente, passou a tomar mais cuidado em sua rotina diária, passou a sentir-se mais ansioso, e talvez tivesse começado a tramar contra Leo. O tempo corria, às vezes as coisas entre os dois melhoravam um pouco, às vezes pioravam, até que por fim chegou o mês de dezembro.

A neve caía e fazia mais frio do que o normal. A mãe de Leo estava em seu leito de morte, ele a visitava três vezes por semana e tentava ser um bom filho e lhe oferecer consolo. Mas não era fácil. A doença não a transformara numa pessoa mais branda. A morfina servira apenas para que ela retirasse de si mais uma camada de autocontrole, e em duas ocasiões ela disse em voz baixa:

"Leo, você sempre foi uma decepção."

Leo não respondeu. Jamais retrucava quando o temperamento destrutivo de sua mãe mostrava-se acirrado. Sonhava em deixar o país para sempre e mantinha contato praticamente só com Malin Frode. Malin estava se divorciando e também se desligando da empresa. Leo sabia que não a amava, mesmo assim era muito bom estar com ela. Os dois tinham se auxiliado e rido juntos nessa época, o que, no entanto, não serviu para acabar com a raiva que o habitava ou com impressões equivocadas. Às vezes Leo sentia medo de Ivar Ögren e chegou a achar que estava sendo seguido — talvez por um detetive contratado por Ivar. Já não tinha ilusões; acreditava que Ivar Ögren era um homem capaz de qualquer coisa.

Leo acreditava que também ele era um homem capaz de qualquer coisa. Talvez um dia fosse se atirar sobre Ivar e machucá-lo de verdade. Ou então seria atacado de forma sorrateira. Leo procurava afugentar essas ideias e se convencer de que elas não passavam de bobagens, de paranoias. Mesmo assim, esses pensamentos não o deixavam. Sempre achava ter ouvido passos atrás de si e imaginava estar sendo observado, discernir vultos junto a portões e esquinas, e em algumas ocasiões, enquanto caminhava por Humlegården, havia se virado de repente para flagrar seu perseguidor. Nunca viu nada que fugisse à normalidade.

Na sexta-feira, 15 de dezembro, nevava ainda mais. Estocolmo cintilava em meio às decorações de Natal, e ele foi para casa cedo. Vestiu uma calça jeans e um blusão de lã e colocou uma taça de vinho tinto em cima do piano de cauda, um Bösendorfer Imperial de noventa e sete teclas. O próprio Leo afinava o instrumento todas as segundas-feiras. O banquinho era um Jansen de couro preto. Ele sentou e tocou uma música nova que havia composto, que partia de uma escala no modo dórico e, ao fim de cada fraseado, voltava de maneira quase obsessiva para a sexta, criando assim uma sonoridade ao mesmo tempo melancólica e trágica. Passou um bom tempo profundamente concentrado ao piano, sem ouvir nada, nem mesmo passos no corredor. De repente teve uma sensação estranha que imaginou ser uma mistura de estresse e hiperacusia e a impressão de que, de algum lugar, alguém o acompanhava ao violão. Leo parou de tocar e foi até a porta. Será que devia abrir? Pensou em se aproximar apenas da fresta da caixa de correspondências e gritar: "Quem está aí?".

No fim resolveu abrir a porta. E nesse instante foi como se perdesse contato com a realidade.

11. 20 DE JUNHO

As presas do pavilhão de segurança tinham acabado de jantar e aos poucos deixavam o refeitório. Algumas se exercitavam, duas ou três fumavam e fofocavam no pátio, enquanto outras assistiam a um filme que parecia ser *Onze homens e um segredo*. As demais caminhavam pelos corredores e pelas salas de recreação ou então tinham ido para as celas cochichar umas com as outras, as portas escancaradas. Embora parecesse um dia qualquer, nada estava como antes. Nunca mais as coisas ali seriam como antes.

E não apenas porque havia mais guardas que o normal e naquele dia o direito a visitas e ligações telefônicas tinha sido suspenso. Se o ambiente estava quente e abafado e a presença inusitada do diretor do complexo penitenciário inquietava os carcereiros, já preocupados com o clima da penitenciária antes mesmo da chegada de Rikard Fager, o ar vibrava com uma sensação de alívio.

Os passos e os sorrisos das internas expressavam um sentimento novo de liberdade, o qual também podia ser reconhecido no burburinho que se ouvia; se antes ele era produzido invariavelmente por manifestações associadas ao medo e a ameaças, agora era um ruído mais leve e excitado, como nos movimentos que se seguem à queda de um poderoso tirano. Por outro lado, exatamente como ocorre nesses casos, havia sinais também de agitação e de um vazio de poder. Algumas internas, como Tine Grönlund, pareciam temer algum ataque traiçoeiro, e por todos os lados, o tempo inteiro, discutia-se o que havia acontecido e o que ainda poderia acontecer. Apesar das mentiras e histórias fantasiosas contadas, as presas estavam mais bem informadas do que os guardas e a polícia. Elas sabiam que Lisbeth é quem havia quebrado a mandíbula de Benito e que, por isso, sua vida estava em perigo. Corriam boatos de que pessoas próximas a Lisbeth já estavam sendo assassinadas e que a vingança seria terrível, sobretudo quando se confirmou que o rosto de Benito ficaria desfigurado para sempre. Todas sabiam que havia um prêmio pela cabeça de Faria Kazi, e murmurava-se que islamistas e xeiques muito ricos estariam por trás dessa recompensa.

Todas ainda sabiam que Benito seria transferida para outra prisão assim que recebesse alta e que grandes mudanças estavam a caminho. A presença do diretor do complexo penitenciário representava um claro sinal disso. Rikard Fager era a pessoa mais odiada do presídio — com exceção de algumas mulheres do prédio C que haviam matado os próprios filhos. No entanto, pela primeira vez as internas olharam para o diretor não apenas com hostilidade, mas também com esperança. Será que as coisas ali não poderiam ficar mais fáceis agora que Benito estava longe?

Rikard Fager olhou para seu relógio de pulso e dispensou as internas que haviam se aproximado para reclamar do calor. Tinha quarenta e nove anos e, apesar do olhar um pouco duro, era um homem charmoso. Usava um terno cinza, gravata vermelha e sapatos novos da Alden. Mesmo que a diretoria do complexo penitenciário tivesse por hábito vestir-se de forma discreta, para não provocar as internas, Rikard Fager insistia em fazer o contrário, a fim de fortalecer sua autoridade. Nesse dia, porém, se arrependeu. O suor escorria por sua testa e ele estava incomodado com a gravata e com as pernas da calça, que colavam à sua pele. Ele telefonou para um ramal interno.

Depois fez um aceno de cabeça, se aproximou de Harriet Lindfors, a chefe de segurança interina, e cochichou algo em seu ouvido. Em seguida os dois se encaminharam para a cela sete, onde Lisbeth Salander estava isolada desde a noite anterior.

Lisbeth estava sentada junto à mesa, fazendo cálculos sobre alguns aspectos dos "flocos de Wilson", que ganharam posição central nas tentativas dela de criar uma gravidade quântica em loop, quando Rikard Fager e Harriet Lindfors entraram. Lisbeth, porém, não viu motivo para levantar a cabeça e interromper seu trabalho. Por isso não percebeu quando o diretor do complexo penitenciário cutucou Harriet e pediu que ela anunciasse sua chegada.

"O diretor Rikard Fager está aqui para falar com você", disse Harriet, ao mesmo tempo furiosa e contrariada. Só então Lisbeth se virou e viu Rikard Fager limpando os braços do paletó, como se estivesse receoso de ter se sujado lá dentro.

Os lábios dele fizeram movimentos quase imperceptíveis e os olhos se apertaram, como se estivesse se esforçando para conter uma careta. Não parecia gostar muito de Lisbeth, o que tornava as coisas bastante práticas. Ela tampouco gostava dele. Tinha lido e-mails suficientes.

"Tenho boas notícias", disse Rikard Fager.

Lisbeth permaneceu calada.

"Boas notícias", ele repetiu.

Lisbeth não disse nada, e Rikard Fager irritou-se visivelmente.

"Por acaso você é surda?", ele perguntou.

"Não."

Ela manteve os olhos fixos no chão.

"Que bom", prosseguiu o diretor. "Você sabe que ainda tem nove dias de pena para cumprir. Mas vamos soltá-la amanhã cedo. Daqui a alguns instantes você será interrogada pelo comissário Jan Bublanski, de Estocolmo, e todos contamos com a sua colaboração."

"Então vocês não me querem mais por aqui?"

"Não é isso. Temos diretivas a seguir e fomos informados de que…"

Rikard Fager parecia com dificuldade de completar a frase.

"… de que você teve um bom comportamento, atendendo assim aos requisitos para uma soltura antecipada."

"Eu não tive um bom comportamento", disse Lisbeth.

"Não? Eu li relatórios que…"

"Não passam de um monte de lixo perfumado. Como os relatórios que você escreve."

"O que você sabe sobre os relatórios que *eu* escrevo?"

Com os olhos ainda pregados no chão, Lisbeth respondeu de maneira rápida e objetiva, como se estivesse lendo um texto:

"Eu sei que eles são mal escritos e prolixos, que com frequência você usa as preposições erradas, se expressa de forma pedante e que, acima de tudo, seus relatórios são bajuladores e incompetentes. E às vezes também mentirosos. E que você sonega informações. Por exemplo, você convenceu a direção do serviço correcional de que o pavilhão de segurança é um lugar maravilhoso, e isso é muito grave, Rikard. Você contribuiu para que a pena da Faria Kazi se transformasse num inferno. Mais um pouco e ela teria morrido, e saber disso me revolta."

Rikard Fager não respondeu. Estava literalmente boquiaberto, com movimentos espasmódicos nos lábios e o rosto pálido. Ainda assim, limpou a garganta e disse:

"O que você está dizendo, garota? O que está querendo insinuar? Que leu meus relatórios, que eles são documentos públicos?"

"Pode ser que alguns sejam."

Rikard Fager parecia descontrolado quando disse:

"Você está mentindo!"

"Não estou. Eu li seus relatórios. Como tive acesso a eles não é da sua conta."

Rikard Fager sentia o corpo inteiro tremer.

"Você é uma..."

"Uma o quê?"

O diretor não encontrava uma palavra forte o bastante.

"Eu gostaria de lembrá-la que posso reverter sua libertação neste exato momento!", ele bufou.

"Pode reverter o que você quiser. Eu só quero uma coisa."

O suor brotou acima do lábio de Fager.

"E o que é?", ele perguntou com um tom de voz distante.

"Que Faria Kazi receba todo o apoio necessário e seja mantida na mais absoluta segurança até Annika Giannini, a advogada dela, conseguir tirá-la daqui. Depois ela deve ser aceita no serviço de proteção às testemunhas."

Rikard Fager berrou: "Você não está em condições de exigir nada!".

"Engano seu. Você é que não está em condições de fazer nada", respondeu Salander. "Você não passa de um mentiroso, de um hipócrita que permitiu que gangues tomassem conta do pavilhão mais importante da sua prisão."

"Você não sabe o que está dizendo", ele balbuciou.

"Estou me lixando para o que você pensa. Eu tenho provas contra você, e tudo que me interessa é saber como Faria Kazi vai ser tratada de agora em diante."

Os olhos de Fager corriam descontrolados de um lado para o outro.

"Nós vamos cuidar dela", disse.

Pareceu envergonhado dessas palavras e acrescentou em tom intimidador: "Mas devo lembrar você de que Faria Kazi não é a única pessoa que vem sofrendo ameaças sérias nesta prisão".

"Saia daqui", disse Lisbeth.

"Você foi avisada. Eu não vou tolerar…"

"Saia!"

A mão direita de Rikard Fager tremia e seus lábios faziam pequenos movimentos involuntários. Por um ou dois segundos pareceu paralisado. Queria ter continuado a falar, a ameaçar, mas em vez disso deu as costas a Lisbeth Salander e ordenou que Harriet trancasse a cela. Em seguida bateu a porta enquanto sua voz trovejava pelo corredor.

Faria Kazi ouviu aqueles passos e pensou em Lisbeth Salander. Volta e meia se lembrava do momento em que Lisbeth tinha se lançado sobre Benito e a derrubado no chão. Faria mal pensava em outra coisa. A cena se reproduzia sem parar na sua cabeça. Às vezes se punha a fazer associações que a levavam a outros pensamentos, a tudo que havia concorrido para que ela estivesse na prisão naquele momento.

Lembrava-se que, dias depois da conversa com Jamal, havia passado algum tempo em seu quarto, no apartamento em Sickla, lendo os poemas de Tagore. A certa altura, Bashir tinha aberto a porta e dito que garotas não deviam ler, porque senão acabavam se transformando em putas e em apóstatas. Concluiu lhe dando um bofetão. Mas daquela vez Faria não se irritou nem se ofendeu. Em vez disso, tirou forças daquela agressão: levantou-se e, com o olhar, começou a seguir Khalil, seu irmão mais novo, pelo apartamento.

A cada minuto que passava ela fazia planos diferentes para aquela tarde.

Cogitou pedir a Khalil que a deixasse fugir num momento de distração dos outros irmãos. Pediria que ele telefonasse para o serviço social, ou para a polícia, ou para sua antiga escola. Daria um jeito de fazer com que o irmão entrasse em contato com algum jornalista, ou fosse procurar o imã Ferdousi ou a tia Fatima. Diria a Khalil que estava disposta a cortar os pulsos se ele não a ajudasse.

Mas Faria não disse nada nem fez nada. Pouco antes das cinco da tarde, abriu seu guarda-roupa, onde não havia muito mais que véus e casacos. Fazia tempo que vestidos e saias tinham sido ou cortados ou jogados no lixo. Ainda restavam uma calça jeans e uma blusa preta. Faria vestiu a blusa, o jeans, calçou um tênis de ginástica e foi até a cozinha, onde Bashir e Ahmed a receberam com um olhar desconfiado. Sua vontade era gritar e quebrar copos e louças, mas permaneceu imóvel, ouvindo passos que se aproximavam da porta de entrada — os passos de Khalil. Nesse instante, Faria agiu como se envolta por uma névoa de irrealidade e desespero e, antes de voltar à sala, conseguiu pegar uma faca numa gaveta e escondê-la sob a blusa sem os irmãos perceberem.

Khalil estava na porta de entrada, vestido com seu abrigo de treino, parecendo arrasado e perdido. Devia ter ouvido os passos da irmã, pois começou a mexer, nervoso, na corrente da porta. Ofegante, Faria disse a ele:

"Khalil, você precisa me deixar sair. Não posso continuar vivendo desse jeito. Vou acabar tirando minha própria vida."

Khalil se virou para a irmã e a encarou com um olhar tão triste que Faria recuou alguns passos. Nesse instante, ao ouvir Bashir e Ahmed se levantarem da mesa na cozinha, ela puxou a faca e disse em voz baixa:

"Finja que ameacei você, Khalil, diga qualquer coisa, mas me deixe sair!"

"Eles vão me matar", retrucou o irmão, e naquele instante Faria achou que estava tudo perdido.

Não haveria saída possível, e esse era um preço que ela não estava disposta a pagar. Bashir e Ahmed se aproximaram, e nesse instante ela ouviu vozes no corredor. Os dois estavam encurralados, não havia mais o que fazer. Mas deu certo. Com aquele mesmo olhar de profunda tristeza, Khalil abriu a porta. Faria deixou a faca cair no chão e saiu depressa. Correndo, passou por Razan e pelo pai do lado de fora, no corredor, desceu a escada e por algum tempo não ouviu nada além de seus passos e de sua respiração. Logo vozes irromperam no andar de cima, passos furiosos começaram a persegui-la, e só então Faria se lembrou de que estava fugindo. Era estranho demais, fazia três meses que não saía na rua. Mal havia se movimentado durante esse tempo e devia estar em péssima forma física. Mesmo assim, era como se o vento do outono e o frio refrescante a enchessem de energia.

Correu como nunca fizera antes, entre as casas, ao longo das margens em Hammarbyhamnen e depois subindo as ruas do outro lado da ponte, em direção à Ringvägen. Lá pegou um ônibus que a levou até Vasastan, onde continuou a correr, apesar de algumas quedas ocasionais. Os cotovelos de Faria estavam ensanguentados quando ela chegou ao portão da Upplandsgatan, subiu correndo os três lances de escada, parou em frente à porta da direita e tocou a campainha.

Lembrou-se de ter ouvido passos no interior do apartamento enquanto estava lá parada e que havia começado a rezar de olhos fechados. De repente a porta se abriu e Faria foi tomada por um verdadeiro pavor. Àquela hora da tarde Jamal estava apenas de roupão, tinha a barba por fazer, o cabelo desgrenhado, e parecia desorientado e com medo. Por um instante ela achou que tinha cometido um erro ao ir até lá. Jamal, no entanto, estava apenas surpreso por vê-la e exclamou:

"Graças a Deus!"

Ao cair nos braços dele, Faria começou a tremer da cabeça aos pés, sem querer largá-lo. Jamal a levou para o interior do apartamento e passou a corrente na porta, gesto que, naquele momento, pareceu a Faria tornar o lugar ainda mais aconchegante. Os dois ficaram muito tempo calados. Depois se jogaram na cama estreita e, à medida que as horas transcorriam, começaram a conversar, a trocar beijos, e por fim fizeram amor. Aos poucos a opressão foi diminuindo no peito de Faria, o medo também, e ela e Jamal se aproximaram de uma forma que jamais haviam experimentado. O que ela sabia com certeza — e ao mesmo tempo não gostaria de saber — era que uma grande transformação havia ocorrido no apartamento em Sickla. Sua família agora tinha um novo inimigo: seu irmão Khalil.

Mikael tinha dificuldade para entender Malin Frode. Estava tão concentrado em localizar Hilda von Kanterborg que mal prestava atenção ao que ela dizia. Seguia de táxi pela Västerbron, a caminho da Rutger Fuchsgatan, próximo a Skanstull. Lá embaixo, no parque, as pessoas tomavam sol estendidas na grama. Em Riddarfjärden barcos a motor cruzavam as águas.

"Escute bem o que eu vou dizer, Micke. Por favor. Foi você quem me arrastou para essa confusão."

"Eu sei. Me desculpe. Só estou meio desconcentrado. Vamos repassar tudo com calma. É sobre aquela vez em que você viu o Leo no escritório, escrevendo num papel pardo, não é?"

"Exato. Eu vi na hora que havia alguma coisa errada."

"Você teve a impressão de que ele estava fazendo um testamento."

"Isso mesmo, mas o que achei estranho foi o jeito como ele estava escrevendo."

"Que jeito?"

"Com a mão esquerda, Mikael, o Leo sempre foi canhoto. Ele escrevia com a mão esquerda, era a mão que ele usava para pegar qualquer coisa, maçã, laranja, qualquer coisa. Só que agora ele é destro."

"Parece bem estranho."

"Mas é a verdade. Quando vi o Leo na TV um tempo atrás, devo ter me lembrado inconscientemente dessa noite. Ele estava fazendo uma apresentação com PowerPoint e segurava o controle remoto com a mão direita."

"Malin, não me leve a mal, mas isso não é significativo, a ponto de me convencer de que há algo errado com ele."

"Eu também ainda não entendo bem, Mikael. A princípio não registrei esse detalhe, não percebi nada. Mas, como alguma coisa continuava remoendo dentro de mim, na palestra do Fotografiska resolvi observá-lo de novo com atenção. Ele e eu tínhamos nos aproximado bastante pouco antes de eu sair da Alfred Ögrens, eu já vinha prestando atenção a pequenos detalhes nele, na maneira como pegava os objetos, coisas assim."

"Sei."

"Na apresentação no Fotografiska ele fez tudo do jeito de sempre, porém ao contrário. Como uma pessoa destra, segurou a garrafa de água com a mão direita, abriu a tampa com a esquerda, encheu o copo e o pegou com a mão direita. Foi aí que percebi tudo de forma clara. E depois fui falar com ele."

"Naquela conversa malsucedida."

"Foi um desastre. Ele queria se livrar de mim a todo custo, e quando pegou uma taça de vinho com a mão direita fiquei arrepiada."

"Será que pode ser algum problema neurológico?"
"Foi mais ou menos o que ele disse."
"Como é? Você o confrontou sobre isso?"
"Eu não. Mas depois eu estava me sentindo realmente perturbada. Me negava a acreditar no que tinha visto. Comecei a procurar na internet e a assistir todos os vídeos do Leo que consegui encontrar, liguei para antigos colegas nossos, e tudo parecia indicar que eu é que tinha enlouquecido, porque ninguém havia notado nada de errado nele. Você já se deu conta de como ninguém nunca percebe nada? Até que falei com a Nina West, que trabalhava no departamento de câmbio, uma pessoa muito esperta, e ela me disse que também havia estranhado que o Leo tivesse passado a agir como destro. Você não imagina como foi bom ouvir isso. E foi ela quem perguntou ao Leo o porquê daquela mudança."
"E o que ele respondeu?"
"Ele ficou constrangido, na hora não soube o que dizer. No fim explicou que era ambidestro. Ele disse que passou a usar a mão direita depois que a mãe morreu e que essa mudança até o ajudou a superar a perda, ele procurou novas formas de levar a vida."
"E essa explicação não a convenceu?"
"Não sei. Hiperacusia e ambidestria ao mesmo tempo? Parece meio demais pra mim."
Mikael ficou algum tempo em silêncio, olhando para Zinkensdamm.
"Não acho impossível o Leo ter duas habilidades incomuns. Mesmo assim..." Mikael ficou em silêncio de novo. "Talvez você esteja certa quando diz que algumas coisas nessa história parecem estranhas. Podemos nos encontrar mais tarde?"
"Claro", ela respondeu.
Quando desligou, Mikael seguia em direção a Skanstull e a Hilda von Kanterborg.

No transcorrer dos anos, Jan Bublanski tinha passado a sentir uma simpatia cada vez maior por Lisbeth Salander, apesar de ainda não se sentir exatamente à vontade em sua companhia. Sabia que Lisbeth não gostava nem um pouco da polícia, e, embora fosse um sentimento compreensível, diante do passado dela, Bublanski não concordava com esse tipo de generalização.

"Você vai ter que aprender a confiar nas pessoas, Lisbeth", ele disse. "Inclusive nos policiais, senão as coisas vão ser ainda mais complicadas para você."

"Posso tentar", ela respondeu de um jeito seco.

Bublanski estava sentado em frente a Salander, um tanto inquieto, na ala de visitas do prédio H.

Achou-a com uma aparência jovem e notou reflexos vermelhos no cabelo preto dela.

"Em primeiro lugar, eu gostaria de dizer que lamento muito a morte do Holger Palmgren. Deve ter sido um golpe duro para você. Lembro que quando perdi minha mulher..."

"Corta essa!", Lisbeth o interrompeu.

"Tudo bem, vamos direto ao assunto então. Você faz ideia de por que alguém teria planejado a morte do Palmgren?"

Lisbeth Salander pôs a mão no ombro, logo acima do peito, no lugar onde certa vez havia levado um tiro. Em seguida começou a falar com uma frieza impressionante, que deixou Bublanski ainda menos à vontade. Mas as coisas que dizia tinham a vantagem de ser concisas e exatas — de certa forma, o sonho de todo interrogador.

"Há umas duas semanas, uma senhora chamada Maj-Britt Torell foi ao apartamento do Holger. Ela foi secretária do professor Johannes Caldin, ex--chefe do setor de psiquiatria infantil do hospital Sankt Stefans, em Uppsala."

"Onde você esteve internada?"

"Depois de ler a meu respeito no jornal, essa mulher foi entregar ao Holger alguns documentos que ela achou que pudessem interessar a ele. Holger deu uma lida rápida e concluiu que os papéis não acrescentavam nenhuma novidade ao que a gente já sabia, embora não tivesse entendido aquela parte de me colocarem para adoção quando eu era pequena. Eu mesma sempre achei que essa história da adoção tinha sido uma tentativa desastrada de me afastarem da situação com o porco do meu pai. Mas na verdade fazia parte de um experimento científico conduzido por uma entidade chamada Registro de Estudos em Genética e Meio Ambiente. É um órgão secreto, e eu não consegui descobrir o nome dos responsáveis, o que depois de um tempo começou a me dar nos nervos. No fim liguei para o Holger e pedi que ele examinasse os papéis de novo, com bastante atenção. Não faço a menor ideia do que ele pode ter encontrado. Só sei que o Mikael Blomkvist me telefonou dizendo que o Holger pode ter sido assassinado. Meu conselho é que você procure essa Maj-Britt Torell. Ela mora em Aspudden e pode ter cópias ou backups desses documentos. Além do mais, seria bom vocês não a perderem de vista por enquanto."

"Obrigado", disse Bublanski. "Foram informações valiosas. Você sabe me dizer quais eram as atribuições desse órgão secreto?"

"Acho que o próprio nome já deixa bem claro."

"Mas também pode induzir a erro."

"Era lá que um filho da puta chamado Teleborian trabalhava."

"A polícia já o interrogou."

"Interroguem-no outra vez."

"Você saberia me dizer no que devemos nos focar?"

"Tentem pressionar os chefes do setor de genética em Uppsala. Mas duvido que encontrem alguma coisa."

"Você não pode ser um pouco mais clara, Lisbeth? Do que estamos falando, afinal?"

"De conhecimento — ou melhor, de pseudoconhecimento. De idiotas que imaginaram ser possível conduzir pesquisas com crianças enviadas para adoção sobre a maneira como somos influenciados pelo ambiente social e por nossas heranças genéticas."

"Não parece coisa boa."

"Uma conclusão bastante precisa a sua."

"Você não tem mais pistas para me dar?"

"Não."

Bublanski não acreditou totalmente.

"Você já deve saber que as últimas palavras do Holger foram 'Fale com Hilda von...'. Isso faz algum sentido para você?"

Lisbeth permaneceu em silêncio. As últimas palavras de Holger tinham feito sentido para ela na noite anterior, depois do telefonema de Mikael. Mas por enquanto Lisbeth queria guardar tudo para si. Tinha boas razões para se manter em silêncio, e não mencionou nada sobre Leo Mannheimer nem sobre a mulher com a marca de nascença. A partir desse ponto da conversa, passou a dar respostas curtas às perguntas que Bublanski lhe fazia. Por fim, se despediu dele e voltou para a cela. Às nove horas da manhã seguinte, Lisbeth faria as malas para ir embora de Flodberga. Tinha motivos para crer que Rikard Fager queria se ver livre dela.

12. 20 DE JUNHO

Como sempre, Rakel Greitz estava insatisfeita com as condições do apartamento. Devia ter sido mais rigorosa com o pessoal da limpeza. Agora ela mesma teria que esfregar e secar, regar as plantas, endireitar livros, copos e canecas e, para piorar a situação, continuava sentindo aquele mal-estar e seu cabelo não parava de cair em tufos. Mas se resignou, pois tinha muito a fazer. Mais uma vez pôs-se a ler os documentos que havia pegado no apartamento de Holger Palmgren, e não foi complicado descobrir que aquelas anotações tinham sido a razão do telefonema.

Em si mesmas, não eram registros comprometedores, acima de tudo porque Teleborian referia-se a ela apenas pelas iniciais. Não havia nenhuma descrição sobre as atividades do órgão e nenhuma outra criança era mencionada. A parte desagradável era Holger Palmgren ter lido tudo aquilo depois de tantos anos.

Podia ser mero acaso, claro — Martin Steinberg achava que sim. Os documentos talvez estivessem com Holger fazia anos e num impulso momentâneo ele tinha lido tudo, sem dar importância às novas informações que encontrara. Nesse cenário, a operação teria sido um erro terrível. Mas Rakel Greitz não acreditava em acaso — não quando tantas coisas se equilibravam na beira do abismo e ela sabia que Holger Palmgren tinha visitado Lisbeth Salander na prisão feminina de Flodberga pouco tempo antes.

Rakel Greitz não tinha a menor intenção de subestimar Lisbeth Salander uma segunda vez, principalmente depois de saber que o nome de Hilda von Kanterborg constava nos documentos. Embora o nome de Hilda fosse a única pista capaz de levar Lisbeth Salander até Rakel Greitz, ela tinha certeza de que Hilda não teria dado com a língua nos dentes depois da infeliz amizade que tivera com Agneta Salander. Mas nada era garantido, e talvez houvesse cópias dos documentos circulando por aí. Por isso era de suma importância descobrir como Palmgren os havia obtido. Teria sido durante a investigação de Teleborian ou num momento posterior? Nesse caso, quem teria entregue a Holger? Rakel estava certa de que eles haviam retirado todo o material sensível do setor de psiquiatria infantil do Sankt Stefans, mas talvez... Começou a refletir e de repente uma imagem lhe veio à cabeça: Johannes Caldin, o chefe do setor de psiquiatria infantil. Caldin sempre tinha sido uma pedra no sapato de todos eles e era bem possível que tivesse entregue os documentos a alguém antes de morrer e que essa pessoa tivesse feito o mesmo. Talvez...

Rakel praguejou:

"Claro. Aquela cadela."

Foi até a cozinha e tomou dois analgésicos com um copo de água com limão. Depois telefonou para Martin Steinberg — aquele covarde precisava tomar uma providência — e ordenou que ele entrasse em contato com Maj-Britt "Tourette", como Rakel a chamou mais ou menos de propósito.

"Agora", ela disse. "Neste instante!"

Depois comeu uma salada de rúcula com tomate e nozes e foi limpar o banheiro. Eram cinco e meia da tarde. Fazia calor no apartamento, mesmo com a porta da sacada aberta. Rakel não via a hora de trocar a blusa de gola rulê por uma camisa de linho. Mas resistiu à tentação e voltou a pensar em Hilda. Sentia grande desprezo por Hilda, que, a seu ver, não passava de uma bêbada e de uma vadia. Em outros tempos, porém, Rakel a tinha invejado, pois os homens sentiam-se atraídos por Hilda, mulheres e crianças também. Ficou um bom tempo pensando naquela época, quando todos alimentavam grandes expectativas.

Na verdade, não era um projeto original, existia uma fonte de inspiração em Nova York. Ela e Martin, porém, tinham levado o plano mais longe, e mesmo que os resultados tivessem causado surpresa e, por vezes, frustrações, Rakel nunca achou que o preço fora alto demais. Algumas crianças sofreram mais que outras, quanto a isso não havia dúvida. Mas assim era a loteria da vida.

No fundo, o Projeto 9 era uma ideia nobre e relevante — era como ela pensava. Graças àquele esforço, o mundo talvez pudesse entender melhor como criar indivíduos mais fortes e mais equilibrados, por isso mesmo parecia ainda pior que L. M. e D. B. tivessem colocado tudo em risco e a obrigado a incorrer em tantos excessos. Os exageros não a incomodavam tanto, o que na verdade era um pouco estranho, afinal Rakel Greitz não era uma pessoa desprovida de autocrítica. Ela tinha consciência de sua quase nenhuma inclinação para o remorso, mas preocupava-se com as consequências.

Na Karlbergsvägen ouviam-se gritos e risadas distantes. A cozinha e a sala cheiravam a álcool e desinfetante. Rakel olhou mais uma vez para o relógio, se levantou da mesa de trabalho, pegou outra maleta de médico, preta e moderna, uma peruca mais discreta, óculos escuros diferentes, seringas, ampolas e um pequeno frasco azul-claro. Retirou do guarda-roupa uma pequena bengala com castão de prata e um chapéu cinza da prateleira que havia no corredor. Saiu e esperou Benjamin chegar para levá-la a Skanstull.

Hilda von Kanterborg encheu uma taça de vinho branco e começou a beber devagar. Era evidente que tinha problemas com o álcool, mas também não bebia tanto quanto fazia algumas pessoas acreditar. Gostava de exagerar ao dizer que bebia bastante, assim como de enumerar seus defeitos. Hilda von Kanterborg não era uma nobre que havia acabado na sarjeta, como muitos pensavam, tampouco uma mulher que não fazia nada além de encher a cara. Continuava publicando artigos acadêmicos de psicologia, mas sob o pseudônimo Leonard Bark.

Seu pai, o empresário Wilmer Karlsson, fora preso como estelionatário e condenado por fraude no tribunal de Sundsvall. Algum tempo depois, descobriu um jovem tenente da infantaria chamado Johan Fredrik Kanterberg, morto num duelo em 1787, que não havia deixado descendentes. Graças a uma série de procedimentos escusos e conseguindo burlar as regras um tanto rígidas de Riddarhuset, a Casa da Nobreza, Wilmer Karlsson conseguiu mudar de nome — não para Kanterberg, mas para Kanterborg. E, por iniciativa própria, acrescentou um "von", que aos poucos começou a aparecer nos registros públicos.

Hilda achava o sobrenome arrogante e afetado, principalmente depois que o pai abandonou a família e ela se viu obrigada a ir morar num apartamento de um dormitório no centro de Timrå. Von Kanterborg parecia um nome tão inadequado nesse lugar quanto Hilda haveria de parecer em Riddarhuset, e pode ser que parte de sua personalidade tenha se formado em protesto a esse sobrenome. Durante a adolescência havia experimentado drogas e se envolvido com gangues da cidade.

Ainda assim, nunca foi uma imprestável. Tirava boas notas na escola e, depois do colegial, foi cursar psicologia na universidade de Estocolmo. Embora em seus primeiros meses de faculdade Hilda se preocupasse acima de tudo em frequentar festas e se divertir, não demorou para chamar a atenção dos professores, por sua simpatia, inteligência e ideias originais. Também tinha uma moral bem diferente da que se esperava que as garotas da época tivessem. Não se censurava nem fazia questão de parecer discreta ou bem-comportada. Tinha horror a injustiças e jamais traía a confiança das pessoas.

Logo depois de concluir o doutorado, Hilda encontrou por acaso o professor de sociologia Martin Steinberg num pequeno restaurante da Rörstrandsgatan, em Vasastan. Como todos os doutorandos, Hilda conhecia Martin. Ele era alto e charmoso, tinha um bigode muito bem cuidado e se assemelhava um pouco a David Niven. Era casado com uma mulher chamada Gertrud, catorze anos mais velha que Martin e que às vezes as pessoas pensavam ser sua mãe; ao lado do marido, ela parecia especialmente sem graça.

Corriam boatos de que Martin Steinberg se relacionava de vez em quando com outras mulheres. Dizia-se que elas tinham uma influência bem maior sobre sua carreira do que seu currículo acadêmico levaria a crer, mesmo que este não fosse nada desprezível, afinal Martin havia sido reitor da Socialhögskolan e chefiado comitês do governo nacional. Na época Hilda já o via como um homem dogmático e obtuso; de outro lado, sentia-se atraída pela aparência e pela aura dele, além de considerá-lo um enigma a resolver.

Assim, deteve-se ao vê-lo no restaurante na companhia de uma mulher que, tudo indicava, não era sua esposa. Seu cabelo curto e loiro tinha um tom levemente acinzentado, seus olhos eram bonitos e transmitiam confiança, uma mulher elegante, cuja presença lembrava a de uma rainha, com mãos delicadas de dedos finos e unhas vermelhas. Hilda não teve certeza se era um encontro amoroso, mas Martin Steinberg pareceu um tanto preocupado ao vê-la. Embora Hilda não tivesse presenciado nada de estranho, mesmo assim foi como se aquele encontro tivesse lhe proporcionado um vislumbre da vida secreta de Martin Steinberg que ela havia imaginado. Portanto, sentindo-se de certo modo uma intrusa, logo tratou de ir embora.

Nos dias e semanas que se seguiram, Martin Steinberg a olhava com curiosidade, e uma tarde pediu que o acompanhasse num passeio pelas trilhas da floresta ao lado da universidade. O céu estava escuro, e Martin passou um bom tempo em silêncio, como se estivesse prestes a lhe revelar algum segredo. No fim quebrou o silêncio com uma pergunta que chamou a atenção por sua banalidade:

"Hilda, algum dia você já se perguntou por que é do jeito que é?"

Hilda respondeu de maneira educada:

"Já, Martin, já me perguntei isso."

"Essa é uma das grandes questões não apenas para a sua ou para a minha história, mas para o futuro de maneira geral", ele disse.

E foi assim que tudo começou. Hilda foi recrutada para o Projeto 9, que por muito tempo lhe pareceu uma atividade inocente. As crianças eram enviadas para lares adotivos de diferentes camadas sociais e participavam de testes e de avaliações desde a mais tenra idade. Umas eram muito talentosas, outras não. Os resultados não eram publicados, e Hilda não via nenhum traço preocupante no projeto. Não lhe parecia que as crianças estivessem sendo usadas, pelo contrário: havia um cuidado, uma preocupação com o bem-estar delas, e em algumas áreas foram iniciados projetos científicos novos que talvez viessem a se tornar revolucionários.

Ainda assim se perguntava como as crianças eram escolhidas e por que muitas tinham sido postas em ambientes tão diferentes. Aos poucos, quando começou a entender como tudo funcionava, a porta já tinha se fechado e Hilda continuava vendo o projeto como uma iniciativa aceitável. Era possível lançar um olhar não apenas para o todo, mas também para cada uma das partes, numa luz redentora.

Porém logo mais um outono chegou e com ele a notícia de que Carl Seger havia morrido em consequência de um tiro acidental durante uma caçada ao alce. Nesse momento Hilda teve medo e decidiu se afastar daquilo.

Martin e Rakel Greitz perceberam de imediato, e novas oportunidades lhe foram oferecidas, o que a segurou por mais algum tempo. Hilda queria salvar uma das meninas do projeto, que vivia com sua irmã gêmea num verdadeiro inferno na Lundagatan, em Estocolmo. Como as autoridades não colaboravam, Hilda se dispôs a encontrar ela mesma uma solução e uma família adotiva.

Mas nada era tão simples como ela havia imaginado, por isso resolveu se aproximar da mãe e da menina para defendê-las — decisão que acabou lhe custando a carreira e, por pouco, quase a vida também. De vez em quando Hilda sentia arrependimento, mas na maior parte do tempo a sensação era de orgulho, quando então concluía que aquela tinha sido a melhor coisa que havia feito em seu trabalho no Registro.

Hilda bebia um chardonnay e contemplava a rua pela janela quando a noite desceu. Por todos os lados as pessoas flanavam com ar feliz. Será que ela também não devia sair um pouco e ir se sentar com um livro a uma mesa ao ar livre? Não chegou a concluir esse pensamento, pois em seguida distinguiu ao longe um vulto descendo de um Renault preto: Rakel Greitz, o que não era nem um pouco estranho. De vez em quando Rakel aparecia para enchê-la de mimos e bajulações. Mas nos últimos tempos parecia haver algo estranho, Rakel se mostrava tensa ao telefone, fazendo ameaças, como em outras ocasiões.

Naquele instante viu-a de pé na calçada, inconfundível apesar do disfarce, acompanhada de Benjamin. Benjamin Fors era o braço direito de Rakel, responsável não só por resolver os assuntos que diziam respeito a ela, mas também por coagir pessoas e utilizar a força bruta quando necessário. Hilda teve medo e tomou uma decisão drástica.

Pegou a carteira, o casaco e o celular, que estava em cima da mesa de trabalho, no modo silencioso, saiu e trancou a porta. Porém, não conseguiu ser tão rápida. No hall de entrada ouviu passos e se viu tomada de desespero. Desceu a escada correndo, ciente de que poderia dar de cara com aquelas pessoas. Mas elas provavelmente a aguardavam no elevador, graças a Deus. Hilda saiu depressa para o pátio, única rota possível para evitar o portão de entrada. No pátio havia um muro e, se trouxesse a mesa do jardim para perto dele, conseguiria saltá-lo. A mesa rangeu ao ser arrastada sobre as pedras. Hilda subiu no muro como uma criança desajeitada, saltou para o pátio vizinho e chegou à Bohusgatan, virando em direção ao centro de natação Eriksdalsbadet e ao canal. Caminhava rápido, apesar de seu pé esquerdo doer por causa do salto e de ela não estar totalmente sóbria.

No ginásio a céu aberto de Årstaviken, Hilda pegou o celular. Havia diversas ligações feitas por um mesmo número e, ao escutar os recados, ela gelou, concluindo que alguma coisa devia estar errada. O jornalista Mikael Blomkvist queria falar com ela, e, mesmo que ele tivesse se desculpado de forma muito educada pela insistência com que a vinha procurando, havia tensão em sua voz, em especial na segunda mensagem, quando disse que, depois da morte de Holger Palmgren, era "ainda mais urgente discutir esse assunto".

Holger Palmgren, balbuciou Hilda. Holger Palmgren. De onde conhecia esse nome? Procurou na agenda do celular e então tudo ficou claro. Holger Palmgren era o ex-tutor de Lisbeth Salander. Uma bomba poderia explodir a qualquer momento, e isso não era nada bom. Se a mídia estava à caça de informação, ela devia ser o elo fraco da corrente.

Hilda acelerou o passo, observando o canal, as árvores e as pessoas que passeavam pela rua ou faziam piquenique. Quando o ginásio a céu aberto já havia ficado bem para trás, na esplanada junto à marina viu três adolescentes sentados sobre um pano, bebendo cerveja com uma atitude indiferente e rebelde. Ela parou e olhou mais uma vez seu celular. Hilda von Kanterborg não entendia muito de tecnologia, mas sabia que poderiam rastreá-la por meio do aparelho. Então deu um último e apressado telefonema para sua irmã, do qual se arrependeu assim que desligou. Cada conversa com a irmã a deixava com um sentimento de culpa e também de lamentação. Em seguida se aproximou dos rapazes, escolheu um de cabelo comprido e jaqueta jeans surrada e deu o telefone a ele.

"Tome", disse, estendendo-lhe o aparelho. "É um iPhone novinho. Um presente pra você. Troque o chip e tudo mais."

"Por que diabos está me dando isto?"

"Porque você parece ser um rapaz simpático. Boa sorte. E não vá comprar drogas!", disse enquanto se afastava com passos rápidos sob o sol do entardecer.

Meia hora depois, encharcada de suor, Hilda sacou três mil coroas em dinheiro num caixa eletrônico de Hornstull e seguiu em direção à Estação Central. Estava a caminho de Nyköping, onde pretendia alugar um quarto num pequeno hotel afastado. Havia se escondido ali tempos atrás, quando colegas da universidade a tinham chamado de puta e vadia.

Mikael Blomkvist viu uma mulher de idade junto à porta. Ela usava bengala, parecia feia, e mais atrás dela seguia um homem robusto da mesma idade com cerca de dois metros de altura, olhos pequenos, rosto redondo e braços fortes. Mikael não prestou muita atenção. Estava feliz por ter conseguido entrar no prédio e subir até o apartamento de Hilda von Kanterborg. No entanto, ninguém havia atendido a campainha; não parecia haver gente em casa.

Mikael saiu e caminhou em direção ao Clarion Hotel, próximo a Skanstull, de onde telefonou para Hilda von Kanterborg. Um rapaz com voz arrogante atendeu, talvez o filho de Hilda.

"Alô!"

"Alô", disse Mikael. "Eu gostaria de falar com a Hilda."

"Aqui não tem Hilda nenhuma, porra! Este iPhone agora é meu."

"Como assim?"

"Uma velha bêbada me deu."

"Quando?"

"Agora mesmo."

"Como ela era?"

"Parecia uma velha louca toda estressada."

"Onde você está?"

"Não te interessa", disse o rapaz, e então desligou.

Mikael praguejou. Como não sabia o que fazer, entrou no bar do Clarion Hotel e pediu uma Guinness.

Precisava organizar as ideias, por isso se jogou num sofá ao lado da janela que dava para a Ringvägen. Atrás dele, na recepção, um homem calvo reclamava, exaltado, sobre a conta de sua estadia no hotel. Duas garotas sentadas perto dele falavam aos cochichos.

Os pensamentos de Mikael não o deixavam em paz, e não demorou para que ele começasse a pensar em Lisbeth. Ela havia falado sobre listas de nomes e sobre Leo Mannheimer, cujo psicólogo, Carl Seger, tinha morrido vinte e cinco anos antes, atingido em circunstâncias suspeitas por um tiro acidental. Não era mais um simples palpite que a história tivesse começado havia muito tempo, principalmente depois da morte de Holger Palmgren e daqueles documentos espalhados no corredor de entrada do apartamento de Holger.

"Fale com Hilda von…"

Será que ele tinha se referido a outra pessoa, e não a Hilda von Kanterborg? Era possível, mas não provável, e momentos antes Hilda tinha aparecido toda estressada na frente de um adolescente e dado a ele um iPhone. Mikael bebeu sua Guinness e ficou observando as garotas sentadas à direita no bar. Sentia alguma coisa sussurrando dentro de si. Pegou o celular e pesquisou "Hilda von Kanterborg". Imaginou que aquilo que estava buscando não iria aparecer nos primeiros resultados do Google e que talvez nem estivesse disponível na internet. Mas talvez encontrasse alguns indícios nas entrelinhas. Não havia como saber. As pistas podiam estar ocultas em respostas banais ou evasivas dadas em entrevistas ou então na escolha de assuntos e interesses da entrevistada.

Mikael não achou nada. Hilda von Kanterborg tinha sido uma autora prolífica de artigos científicos até perder o cargo que ocupava na universidade de Estocolmo. Depois disso havia saído de cena, e Mikael não encontrou nenhuma pista no material antigo que ela produzira — nada que parecesse sigiloso ou suspeito ou relacionado com crianças colocadas para adoção, e menos ainda a meninos com hiperacusia que deixaram de ser canhotos.

Hilda parecia uma mulher inteligente e hábil em seus argumentos contra o racismo disfarçado ainda existente na época, apontado em suas pesquisas sobre a correlação entre genética e inteligência. Além disso, havia escrito um artigo curto para o *Journal of Applied Psychology* sobre o "Efeito Flynn", que comprovava aumentos contínuos na inteligência humana desde 1930, possivelmente em razão dos estímulos constantes recebidos por nossos cérebros.

Mikael olhou de novo para a rua e pediu outra Guinness. Pensando em para quem poderia telefonar, pesquisou artigos de coautores e colegas de Hilda. Por fim, procurou "Von Kanterborg" e em toda a Suécia encontrou apenas mais uma pessoa viva com esse sobrenome. Era uma mulher seis anos mais nova que Hilda, chamada Charlotta e que morava a poucos quarteirões dali, na Renstiernas Gata. Era proprietária e cabeleireira de um salão na Götgatan. Mikael procurou fotos de Hilda e de Charlotta von Kanterborg no Google Imagens e percebeu semelhanças entre as duas: deviam ser irmãs. Sem pensar em outra coisa, telefonou para o número de Charlotta.

"Aqui é a Lotta", disse uma voz de mulher ao atender.

"Olá. Meu nome é Mikael Blomkvist, sou jornalista, trabalho na revista *Millennium*", ele disse, notando no mesmo instante o silêncio nervoso da mulher. Não era uma reação inesperada. Mikael lamentava com frequência essa situação e costumava brincar dizendo que devia escrever mais artigos positivos para que as pessoas não se assustassem ao receber um telefonema seu. Mas dessa vez parecia mais do que um susto natural.

"Desculpe incomodá-la, mas preciso falar com Hilda von Kanterborg", disse Mikael.

"O que foi que aconteceu com ela?"

A mulher não perguntou: "Aconteceu alguma coisa?", e sim: "O que foi que aconteceu...?".

"Quando foi a última vez que você teve notícias dela?", Mikael perguntou.

"Uma hora atrás."

"E onde ela está agora?"

"Posso saber por que você está me ligando? Enfim..."

Mikael hesitou.

"Como assim?"

"Não é comum que os jornalistas liguem para ela hoje em dia."

Mikael tomou fôlego.

"Eu não quis preocupar você", disse.

"Ela parecia assustada, como se estivesse sendo perseguida. O que está acontecendo, afinal de contas?"

"Para ser sincero, eu não sei", ele respondeu. "Mas um senhor muito bacana chamado Holger Palmgren foi assassinado. Eu estava lá enquanto ele lutava pela própria vida, e a última coisa que esse homem me disse foi que eu devia falar com a Hilda. Ela deve ter informações importantes."

"Sobre o quê?"

"É o que estou tentando descobrir. Quero ajudar e receber ajuda em troca."

"Tem certeza?"

Mikael deu uma resposta inesperadamente sincera: "No meu tipo de trabalho não é nada simples prometer alguma coisa. A verdade — se eu puder encontrá-la — pode trazer consequências ruins mesmo para quem eu quero bem. Mas as pessoas, ou pelo menos a maioria delas, se sentem melhor depois de falar do que as atormenta".

"Ela está péssima", disse Lotta.

"Eu imagino."

"Na verdade ela tem estado péssima nos últimos vinte anos. Mas hoje parecia pior."

"E você sabe por quê?"

"Não faço a menor ideia..."

Mikael percebeu hesitação na voz de Charlotta e desferiu o bote como uma víbora.

"Posso me encontrar com você? Vi que sua casa é perto de onde estou."

Lotta von Kanterborg pareceu ainda mais nervosa, mas Mikael estava convicto de que ela acabaria cedendo e o receberia em casa. Por isso sua surpresa foi enorme quando ouviu o "não!" decidido e intransigente de Lotta.

"Não quero me envolver", ela acrescentou.

"Se envolver no quê?"

"Bem..."

Lotta permaneceu algum tempo em silêncio e Mikael ouviu uma respiração profunda no outro lado da linha. Percebeu que tudo estava em jogo naquele instante. Era um momento pelo qual já havia passado inúmeras vezes como jornalista. As pessoas, a certa altura, precisam decidir se falam o que sabem ou não. Em momentos como esses, com frequência elas se concentram e tentam imaginar as consequências. Mikael sabe que no fim a maioria das pessoas opta por falar. A própria hesitação as deixa expostas e desperta forças inconscientes. Mas não existem garantias, e Mikael tentava não demonstrar interesse demais.

"Você tem alguma coisa para me dizer?"

"A Hilda às vezes escreve sob o pseudônimo Leonard Bark", disse Lotta von Kanterborg.

"Ah, esse nome é dela então?"

"Você o conhece?"

"Eu sou um jornalista à moda antiga, mas com frequência também dou uma olhada nas páginas de cultura. Eu gosto dele — ou, melhor dizendo, dela. Mas o que você quer dizer com isso?"

"Estou querendo dizer que a Hilda escreveu uma coluna no *Svenska Dagbladet* chamada 'Nascidas juntas, crescidas longe'. Acho que faz uns três anos."

"Certo."

"O artigo era sobre uma pesquisa científica feita por uma universidade de Minnesota. Não tem nada de especial nele, mas era uma coisa importante para ela. Dava para notar quando ela falava a respeito."

"Certo", disse Mikael, "mas o que você está querendo dizer exatamente?"

"Na verdade, nada. Mas eu via que ela estava incomodada."

"Você poderia ser mais específica?"

"Eu não sei de nada mesmo. Nunca fui atrás desse assunto, e a Hilda nunca disse nada, mesmo que eu a tenha pressionado. Mas se você ler o artigo acho que pode tirar as mesmas conclusões que eu tirei."

"Muito obrigado. Vou dar uma olhada."

"Prometa que não vai escrever nada de ruim sobre a Hilda."

"Acho que existem canalhas piores do que ela nessa história", ele respondeu.

Lotta se despediu, Mikael pagou a conta do bar e saiu do Clarion Hotel. Foi até o cruzamento da Götgatan e seguiu em direção a Medborgarplatsen e à Sankt Paulsgatan. Dispensou os conhecidos e os desconhecidos interessados em conversar que encontrava pelo caminho. Não sentia a menor disposição para trocas sociais; tudo o que queria era ler o artigo, e preferiu fazer isso em sua casa, abri-lo em seu computador.

Mikael leu o artigo três vezes, depois uma série de outros textos sobre o mesmo tema e deu dois ou três telefonemas. Quando terminou, já era uma da manhã. Bebeu uma taça de Barolo e pensou que talvez houvesse começado a entender o que tinha acontecido, mesmo que ainda não alcançasse muito bem o papel que Lisbeth desempenhava na história.

Precisava falar com ela — não importava o que a direção do presídio achasse disso.

II. BARULHOS PERTURBADORES
21 DE JUNHO

Um acorde menor com sexta é composto por tônica, terça, quinta e sexta da escala menor melódica.

Mesmo assim, no jazz e no pop americano, o acorde menor mais usado é o de sétima. Esse acorde tem uma sonoridade bonita e elegante. O acorde de sexta menor raramente é usado. Esse acorde tem uma sonoridade dissonante, que prenuncia tragédias.

13. 21 DE JUNHO

Lisbeth Salander havia, enfim, deixado o pavilhão de segurança. Naquele momento estava na guarita do complexo de Flodberga sendo observada dos pés à cabeça por um jovem de cabelo raspado e pele avermelhada, com olhos pequenos e arrogantes.

"O Mikael Blomkvist ligou querendo falar com você", ele disse.

Lisbeth ignorou o recado e nem olhou para o garoto. Eram nove e meia da manhã e ela não via a hora de ir embora daquele lugar. Estava irritada com toda a burocracia que vinha precisando cumprir para sua saída, rabiscou mais alguns garranchos ilegíveis nos formulários que haviam lhe entregado, recebeu de volta seu notebook e seu celular, e por fim foi liberada.

Passou por muros e portões, até cruzar a entrada principal da prisão. Já fora do complexo penitenciário, foi se sentar num banco vermelho junto à estrada, à espera do ônibus 113 com destino a Örebro. Era uma manhã quente e clara, sem vento, com duas ou três moscas voejando ao redor. Mesmo com o rosto virado em direção ao sol, para aproveitar sua luz e calor, Lisbeth não sentia nenhuma alegria especial por ter sido libertada.

Estava mais feliz por ter recuperado seu notebook. Ainda sentada no banco vermelho, abriu o computador no colo, sobre sua calça jeans preta e bem justa, e fez o login. Queria ver se Annika Giannini havia mandado a investigação policial sobre a morte de Jamal Chowdhury, como prometera. O material de fato estava na sua caixa de entrada, o que era uma boa notícia. Lisbeth poderia se ocupar com ele durante a viagem de volta para casa.

Annika Giannini tinha uma suspeita, baseada, de um lado, no fato estranho de Faria Kazi ter insistido em permanecer calada em todos os interrogatórios policiais a que havia sido submetida e, de outro, nas gravações feitas pelas câmeras de segurança da estação de metrô de Hornstull. Annika havia discutido sua teoria com o imã Hassan Ferdousi, de Botkyrka, que achou que ela podia estar no caminho certo. A ideia agora era que Lisbeth, com seu conhecimento sobre computadores, analisasse as gravações. Antes de começar a fazer isso, ela olhou para o muro e a grama amarelada da prisão de Flodberga e pensou em Holger Palmgren. Tinha passado quase a noite inteira pensando nele. "Fale com Hilda von..."

A única "Hilda von" que Lisbeth conhecia era Hilda von Kanterborg, a velha Hilda de gestos amplos que Lisbeth tinha visto muitas vezes durante a infância, na cozinha da casa da Lundagatan, e que era uma das poucas amigas de sua mãe quando tudo desabou. Lisbeth sempre pensou em Hilda apenas como alguém próximo de Agneta, que tinha lhe oferecido apoio, e não como uma pessoa que guardava segredos — por isso mesmo Lisbeth a procurara dez anos antes. As duas haviam passado uma noite toda juntas, bebendo vinho rosé barato, porque Lisbeth queria saber um pouco mais sobre sua mãe. Hilda lhe disse o que sabia, e Lisbeth contou uma ou outra história, depositando em Hilda uma confiança que não tinha nem mesmo em Holger. Naquela longa noite, as duas brindaram a Agneta e a todas as mulheres cuja vida havia sido destruída por homens canalhas e cruéis.

Em nenhum momento Hilda insinuara ter informações sobre o Registro. Será que havia ocultado o mais importante? Lisbeth negava-se a crer nessa possibilidade, em geral pressentia quando as pessoas mostravam-se dispostas a esconder o que sabiam. Mas estava claro que a fachada descontraída de Hilda podia tê-la enganado. Lisbeth se lembrou dos arquivos que havia copiado do computador de Alvar e de duas iniciais que viu neles: HK. Seriam uma referência a Hilda von Kanterborg? Lisbeth começou a fazer buscas na internet e descobriu que Hilda tinha sido uma psicóloga bem mais influente do que imaginava. Uma pontada de fúria começou a arder dentro dela; no entanto decidiu esperar um pouco mais antes de dar seu veredicto.

O ônibus 113 para Örebro se aproximou, levantando uma nuvem de cascalho e poeira pela estrada. Lisbeth pagou ao motorista e foi sentar na última fileira. Ali começou a assistir à sequência gravada na plataforma do metrô de Hornstull pouco antes da meia-noite do dia 10 de outubro, quase dois anos antes. Aos poucos, fixou a atenção num pequeno detalhe — uma irregularidade no movimento da mão direita do suspeito. Será que significava alguma coisa? Ela não tinha certeza.

O reconhecimento gestual ainda era uma ciência pouco desenvolvida, Lisbeth sabia. Mas não tinha nenhuma dúvida de que todas as pessoas possuíam uma impressão digital matemática que diferenciava o modo como gesticulavam. Essa, no entanto, ainda era uma grandeza difícil de mensurar. Cada movimento, por menor que seja, é não determinístico e traz consigo milhares de bits de informação. Cada vez que coçamos a cabeça, fazemos isso com um gesto ligeiramente diferente — gesticulamos sempre de determinada forma, porém jamais de forma idêntica. Seriam necessários sensores, processadores de dados, giroscópios, acelerômetros, algoritmos, análises de Fourier e medições de frequência e distância para descrever e comparar movimentos de maneira precisa. De fato havia uma série de programas disponíveis na internet, mas... Não — Lisbeth não acreditava que ajudasse; levaria tempo demais. Fixou-se, então, em outra coisa.

Pensou em seus amigos da República dos Hackers e na rede neural profunda, onde Praga e Trinity haviam trabalhado por muito tempo. Será que poderiam treiná-la? Parecia uma ideia possível. Ela teria que acessar um banco de dados mais amplo sobre movimentos da mão, para que o algoritmo da Rede Neural Profunda pudesse estudá-lo. Parecia viável.

Enquanto percorria de trem mais um trecho do trajeto até sua casa, Lisbeth continuou trabalhando duro. No fim, teve uma ideia maluca. As autoridades não iam gostar nem um pouco do que ela estava disposta a fazer, principalmente por ser seu primeiro dia de liberdade. Mas no fundo as autoridades não tinham nada a ver com o assunto. Lisbeth desceu do trem no centro de Estocolmo e pegou um táxi até a Fiskargatan, onde continuou trabalhando.

Daniel Brolin deixou o violão — um Ramirez recém-comprado — em cima da mesa de centro e foi até a cozinha preparar um *espresso*. Bebeu tão rápido que queimou a língua. Já eram nove e dez da manhã, o tempo havia passado depressa demais. Ele tinha se concentrado em "Recuerdos de la Alhambra" e se atrasado para o trabalho. Não que estivesse tão preocupado, mas também não queria dar a impressão de que não se importava. Foi para o quarto e abriu o guarda-roupa. Escolheu uma camisa branca, um terno preto e um sapato preto da Church's. Desceu a escada às pressas e, ao chegar à rua, viu que fazia um calor opressivo. O verão tinha vindo com força total, o que não lhe agradava muito.

O terno não parecia ter sido a melhor escolha. A roupa estava séria demais para a estação, ficava austera demais sob a luz do sol, e alguns metros depois Daniel Brolin já estava suando nas costas e debaixo dos braços. O sentimento de inadequação tornou-se mais intenso. Olhou para o pessoal que trabalhava no jardim de Humlegården, incomodou-se com o barulho que os cortadores de grama faziam, depois continuou a passos largos em direção a Stureplan. Ainda preocupado com a roupa, notou com alguma satisfação que outros homens de terno também pareciam igualmente incomodados com seus trajes. O calor tinha chegado de repente, depois de um longo período de chuvas. Mais adiante, na Birger Jarlsgatan, viu uma ambulância parada e pensou na mãe.

A mãe de Daniel Brolin tinha morrido logo depois do parto. Seu pai, músico itinerante, nunca havia se ocupado muito do filho e falecera cedo em decorrência de uma cirrose causada pelas bebedeiras constantes. Daniel crescera num orfanato em Gävle e, com seis anos, foi mandado, com outras três crianças, para uma fazenda no norte de Hudiksvall. Desde pequeno havia trabalhado muito, cuidando de animais, da colheita, transportando esterco e fazendo o abate e o corte dos porcos. Sten, o agricultor e também seu pai adotivo, não fazia segredo sobre ter adotado crianças — sempre meninos — para ter quem o ajudasse na lida do campo. Sten era casado com uma mulher ruiva e atarracada chamada Kristina, quando recebeu a guarda dos meninos. Porém logo Kristina foi embora, e nunca mais eles tiveram notícias dela. Corriam boatos de que havia se mudado para a Noruega, e ninguém que encontrasse Sten se admirava ao saber da partida de sua mulher, imaginando que ela pudesse mesmo ter se cansado daquela vida. Sten não era um homem feio; era alto e elegante, e tinha uma barba bem cuidada que cedo acabou grisalha. Mas os traços duros de seus lábios e a expressão inflexível de sua testa amedrontavam as pessoas. Ele sorria pouco, não gostava do convívio social nem de palavras dispensáveis, e detestava fingimentos e salamaleques.

Dizia com frequência aos meninos: "Não tentem ser especiais. Não pensem que vocês são alguém". Quando, num impulso de alegria, eles falavam que quando crescessem iam ser jogadores de futebol profissional, advogados ou milionários, Sten bufava: "Ponham-se no seu devido lugar!". Dificilmente oferecia elogios, incentivos ou dinheiro. Produzia a própria aguardente, comia a carne dos animais que caçava ou que abatia, era um produtor quase autossuficiente. Na casa não entrava nada que não tivesse sido adquirido numa promoção, que não tivesse sido achado ou que não tivesse com o preço reduzido. Os móveis tinham sido comprados em mercados de pulgas ou doados por vizinhos ou parentes. Ninguém havia entendido o tom gritante de amarelo com que a casa fora pintada, até que se descobriu que Sten havia ganhado a tinta de um vendedor de encalhes.

Sten não possuía senso estético e jamais lia jornais ou livros. Mas Daniel não se incomodava com isso, afinal na escola havia uma biblioteca. O pior era a aversão que Sten manifestava por qualquer música que não fosse sueca e alegre. Daniel não tinha herdado muita coisa de seu pai biológico além do sobrenome e de um violão Levin com cordas de náilon. O instrumento passou muito tempo juntando poeira no sótão até que, aos doze anos, Daniel o tirou de lá e caiu de amores por ele — sentiu que o violão havia estado todo aquele tempo à sua espera e teve certeza de que tocar era a sua vocação.

Aprendeu depressa os acordes e os acompanhamentos básicos, e logo descobriu que era capaz de tocar as músicas do rádio depois de ouvi-las uma única vez. Por muito tempo praticou o repertório habitual de todo jovem de sua geração: "Tush", do zz Top, a balada "Still Loving You", do Scorpions, e "Money for Nothing", do Dire Straits — um clássico do rock depois do outro. Mas então houve uma grande mudança. Foi num dia frio de outono, depois que Daniel saiu do estábulo. Ele tinha catorze anos e achava a escola um inferno. Tinha facilidade para aprender, mas não suportava ficar ouvindo os professores. Os barulhos de lá o incomodavam e não via a hora de voltar para a calma e o silêncio da fazenda, apesar de detestar o trabalho no campo e seus dias intermináveis. Mas tentava escapar o máximo possível e arranjar um tempo para si mesmo.

Naquele dia — passava um pouco das cinco e meia —, ele entrou na cozinha e, assim que ligou o rádio, uma canção melosa e aborrecida qualquer começou a tocar. Ele girou o botão e sintonizou a rádio P2. Daniel não conhecia muita coisa sobre a P2, achava que era uma rádio para velhos, e naquele instante a melodia que ouviu confirmou essa suspeita. Era um solo de clarinete muito irritante; parecia uma sirene de alarme.

Mesmo assim continuou ouvindo, até que algo aconteceu. Um violão entrou, tímido e brincalhão. Daniel sentiu um arrepio. Uma coisa diferente havia invadido a cozinha, provocando nele um sentimento de reverência e proximidade, tornando Daniel totalmente presente naquele instante. Não ouviu mais nenhum outro som, nenhum irmão discutindo ou xingando, nenhum passarinho, nenhum trator ou carro à distância, nem mesmo passos que se aproximavam. Simplesmente ficou ali, preso a uma felicidade inesperada, tentando entender por que aqueles sons distinguiam-se de todos os outros que já tinha ouvido e o comoviam daquela forma. Logo Daniel sentiu um puxão no couro cabeludo e na nuca.

"Seu preguiçoso dos infernos! Você acha que eu não vejo você o tempo todo fugindo do trabalho?"

Era Sten. Sten puxou Daniel pelo cabelo, gritou, praguejou, e o garoto mal percebeu. Estava concentrado numa única coisa: escutar com clareza! A música parecia apontar para uma direção nova, mais ampla e mais rica do que a vida que conhecia até então. Sem saber quem estava tocando, tudo que pôde fazer foi fixar os olhos no antigo relógio da cozinha enquanto Sten o arrastava dali. Saber o horário exato era fundamental, e no dia seguinte usou um telefone da escola para ligar para a Sveriges Radio.

Nunca havia feito nada semelhante. Não possuía iniciativa nem confiança, era um garoto que não tinha coragem nem mesmo de levantar a mão na sala de aula quando sabia a resposta certa, sempre havia se sentido inferior às pessoas da cidade, sobretudo diante daquelas que trabalhavam em áreas glamorosas como o rádio e a tevê. Mesmo assim Daniel telefonou para a emissora e de repente se viu conversando com Kjell Brander, da redação de jazz. Com voz sumida, perguntou que música havia tocado na tarde anterior, logo depois das cinco e meia. Para ter certeza de conseguir a resposta correta, cantarolou um trecho da melodia ao telefone. Foi o suficiente para poupar Kjell Brander de qualquer esforço.

"Me diga uma coisa: você gostou?", perguntou o radialista.

"Gostei", respondeu Daniel.

"Você tem bom gosto, meu jovem. A música se chama 'Nuages', de Django Reinhardt."

Daniel, que nunca tinha sido chamado de "meu jovem", pediu que o homem soletrasse o título e perguntou, ainda mais nervoso: "Quem é ele?".

"Um dos melhores violonistas do mundo, eu diria. Ele tocava os solos com apenas dois dedos!"

A partir daí, Daniel não soube diferenciar as informações transmitidas por Kjell Brander naquele dia das que ele mesmo obteria mais tarde. Aos poucos se deu conta de que por trás de tudo aquilo existia uma história que conferia importância ainda maior ao que tinha ouvido. Django era pobre e havia crescido em Liberchies, na Bélgica, onde com frequência roubava galinhas para sobreviver. Desde cedo havia aprendido a tocar violão e violino, e era visto como um talento promissor. Com dezoito anos, derrubou uma lamparina na casa onde morava, as flores de papel feitas pela dona da casa pegaram fogo — a mulher ganhava a vida vendendo essas flores — e as chamas se alastraram pela habitação.

Django sofreu queimaduras graves, e por muito tempo ninguém alimentou esperanças de que ele um dia voltasse a tocar, sobretudo porque dois dedos da mão esquerda haviam perdido os movimentos. Mesmo assim, graças à ajuda de um especialista, Django continuou a evoluir como músico, ganhou fama mundial e alcançou status de cult.

Acima de tudo, Django era cigano, ou rom, como se diz hoje. Daniel também era rom. Django pertencia ao povo das estrelas, tinha conhecido o caminho mais árduo de todos — o que atravessa a dor de sentir frio e de ser chamado de paneleiro. Em nenhum momento Daniel achou que isso pudesse ser outra coisa senão motivo de profunda vergonha, mas Django o fez enxergar sua origem com um novo orgulho, e começou a pensar: "Com certeza sou diferente, mas talvez isso possa ser bom". Se Django havia se tornado o melhor violonista do mundo com uma das mãos queimadas, Daniel também poderia se tornar alguém especial.

Pediu dinheiro emprestado a uma colega, comprou um disco com uma coletânea de músicas de Django Reinhardt e aprendeu todos os clássicos dele — "Minor Swing", "Daphne", "Belleville" e "Djangology", enfim, tudo —, porém sem alterar sua maneira própria de tocar. Daniel abandonou as escalas de blues e passou a tocar arpejos menores com sexta e solos em escalas diminutas e escalas menores com sétima maior, e a cada dia aquela paixão aumentava. Tocou até seus dedos ganharem calos com a dureza do couro — com um ardor que não arrefecia nunca, nem mesmo enquanto dormia. Daniel sonhava com o violão, não pensava em outra coisa, e assim que tinha uma chance embrenhava-se na floresta, sentava numa pedra ou num toco de árvore e passava horas improvisando. Começou uma busca sem fim por novos conhecimentos e novas influências, agora não apenas de Django, mas também de John Scofield, Pat Metheny e Mike Stern, dos grandes violonistas modernos de jazz.

O relacionamento com Sten piorava no mesmo ritmo. "Você se acha muito bom, não é? Mas não passa de um merdinha", Sten bufava sempre que podia, acrescentando que Daniel tinha "o nariz empinado". Para Daniel, que sempre havia se considerado inferior e digno de pena, aquelas palavras agora eram incompreensíveis. Tentava se adequar à sua situação tanto quanto possível, embora não quisesse, e não pudesse, abandonar o violão. Depois de algum tempo, Daniel começou a levar bofetões. Em seguida, socos, às vezes de seus irmãos adotivos. Golpeavam-no na barriga e nos braços e o assustavam fazendo barulhos altos, com metal raspando em metal, com tampas de panela batidas umas nas outras. Daniel começou a sentir um ódio enorme do trabalho na lavoura, em especial no verão, quando não havia como escapar daquilo e tudo se resumia aos cuidados com o adubo, o arado, as sementes e a grade.

No verão, era comum os garotos trabalharem desde o início da manhã até o fim da tarde. Daniel se esforçou para ser aceito de novo na família, e por fim conseguiu. À noite, passou a tocar para os irmãos adotivos as músicas que eles pediam, e às vezes recebia aplausos e percebia a admiração deles. Mesmo assim aquela vida com frequência era um fardo, e volta e meia ele fugia.

Numa tarde em que o sol abrasava sua nuca, Daniel ouviu um tordo cantar ao longe. Ele tinha dezesseis anos na época. No outono iria começar o segundo ano do colegial e já sonhava com seu aniversário de dezoito anos, quando atingiria a maioridade e poderia ir embora. Tinha planos de se candidatar a uma vaga na Musikhögskolan ou procurar emprego como músico de jazz, ou então praticar com o afinco e a ambição necessários para um dia gravar um disco. Esses sonhos fervilhavam dentro dele dia e noite. Outras vezes, como naquele momento, ouvia sons da natureza que o capturavam e o afastavam de seu trabalho na lavoura.

Daniel assobiou uma resposta para o tordo, uma variação para o canto do pássaro que em seus pensamentos já havia se transformado numa melodia completa. Seus dedos se movimentaram sobre um violão invisível, e de repente seu corpo todo estremeceu. Mais tarde, já adulto, com frequência ansiaria por momentos como esse, quando sentia que algo podia se perder irremediavelmente se não parasse na hora o que estava fazendo para ir compor. Nessas horas, nada o impedia de correr para casa e pegar o violão. Daniel se lembrava da felicidade secreta que havia sentido quando, descalço e com o macacão folgado tremulando ao vento, correu até Blackåstjärnen com o violão na mão, sentou no trapiche decrépito e começou a dedilhar a melodia que tinha assobiado, dessa vez com um acompanhamento. Foram minutos incríveis, e Daniel sempre se recordaria deles dessa forma.

Mas não duraram muito tempo. Os outros meninos deviam ter percebido sua fuga e contado para o pai adotivo. Sten surgiu diante dele de calção e sem camisa, indignado, e Daniel, enquanto decidia se o melhor seria pedir desculpas ou simplesmente sair dali, hesitou tempo demais. Sten arrancou o violão de suas mãos com tanta força que caiu para trás e machucou o cotovelo. Não foi uma queda perigosa, e ela até pareceu um pouco cômica. Mas para Sten foi a gota d'água. Ele se levantou com o rosto vermelho de ódio e arrebentou o violão de Daniel no trapiche. No instante seguinte, pareceu em choque, como se não entendesse o que havia feito.

Para Daniel, foi como se tivessem lhe arrancado um órgão vital, e ele começou a berrar "desgraçado", "idiota", palavras que jamais havia dito para Sten. Em seguida, saiu correndo pela pradaria, entrou em casa, jogou seus discos e algumas mudas de roupa numa mochila e desapareceu da fazenda.

Pegou o caminho da E4 e andou por horas, até conseguir carona num caminhão para Gävle. Depois continuou rumo ao sul, dormindo na floresta, roubando maçãs, ameixas e comendo as frutas silvestres que encontrava pelo caminho. Ganhou um sanduíche de presunto de uma mulher que o levou até Södertälje, foi convidado para almoçar com um rapaz que o deixou em Jönköping e por fim chegou a Gotemburgo na noite de 22 de julho. Dias mais tarde conseguiu um trabalho ilegal e mal pago no porto, e um mês e meio depois, vivendo sem praticamente nada e por vezes dormindo em patamares de escada, comprou um violão novo — não um Selmer Maccaferri, o violão de Django com o qual tanto sonhava, mas um Ibanez usado.

Resolveu trabalhar num navio, a fim de poder ir para Nova York. Mas nada era fácil como ele tinha lido e ouvido. Como Daniel não tinha passaporte nem visto, não conseguiria emprego no navio nem mesmo como faxineiro. Ao fim de mais um dia de trabalho no porto, uma mulher rechonchuda e vestida de cor-de-rosa o aguardava no cais. Tinha um olhar amistoso e se chamava Ann-Catrine Lidholm. Era assistente social e tinha ouvido notícias sobre Daniel, e foi assim que ele soube que estava sendo procurado como desaparecido. Embora a contragosto, acompanhou-a até a secretaria de serviço social no Järntorget.

Ann-Catrine contou que havia conversado com Sten por telefone e tido uma boa impressão dele, o que despertou suspeitas ainda mais fortes em Daniel.

"Ele está sentindo a sua falta", ela disse.

Daniel respondeu "Que baboseira" e viu que a mulher não sabia o que fazer. Ele disse que seria castigado se voltasse, que sua vida seria um inferno, e nesse momento Ann-Catrine se dispôs a ouvi-lo. Depois ofereceu-lhe algumas alternativas, e nenhuma parecia boa. Daniel garantiu que poderia cuidar de si mesmo, que ela não precisava se preocupar. Ann-Catrine disse que ele era jovem demais e que precisava receber apoio e orientação. Nesse momento Daniel se lembrou do pessoal de Estocolmo, que era como chamava aquelas pessoas em pensamento. O pessoal de Estocolmo eram os psicólogos e médicos que tinham ido vê-lo todos os anos ao longo de sua infância para medi-lo, pesá-lo, entrevistá-lo, fazer anotações, e também submetê-lo a todo tipo de testes.

Daniel nunca havia gostado muito daquelas pessoas. Às vezes chorava depois que elas iam embora, sentindo-se sozinho e invadido, pensando na vida que jamais tivera com sua mãe. Mas tampouco as odiava. Eram pessoas que sorriam para ele, que o elogiavam e diziam que ele era aplicado e esperto. Ninguém jamais lhe dissera palavras ruins. Daniel achava natural que as autoridades quisessem saber como ele estava em sua família adotiva, e não via nenhum problema nos relatórios que escreviam a seu respeito e nos protocolos que registravam. Pelo contrário: interpretava aquele interesse como um sinal de sua importância, apesar de tudo. Às vezes, dependendo de quem aparecia, as visitas ofereciam um alívio muito bem-vindo do trabalho na fazenda, principalmente no final de sua infância, quando o pessoal de Estocolmo se interessou por sua música e começou a gravá-lo tocando violão. Por vezes, quando os via surpresos ou cochichando uns com os outros, sonhava depois que os vídeos tinham sido divulgados, indo parar nas mãos de agentes ou de diretores de gravadoras.

Os psicólogos e os médicos — que costumavam ser diferentes a cada visita — o chamavam pelo nome, mas Daniel não sabia nada sobre eles. A não ser por uma mulher que um dia, talvez por engano, apertou sua mão e se apresentou dizendo seu nome completo. Mas esse não foi o único motivo para que Daniel jamais a esquecesse. Ele tinha se encantado não só com o longo cabelo ruivo dela e com seu salto alto, tão inadequado para caminhar na parte externa da casa, mas principalmente com o sorriso que a mulher tinha lhe dado, como se realmente gostasse dele. Seu nome era Hilda von Kanterborg, ela usava blusas e vestidos decotados e tinha olhos grandes e lábios carnudos e vermelhos que Daniel sonhava em beijar.

Foi nela que Daniel pensou quando, na secretaria de serviço social de Gotemburgo, disse que gostaria de dar um telefonema. Ele recebeu uma lista telefônica de Estocolmo e se pôs a folheá-la com os nervos à flor da pele. Por alguns minutos se convenceu de que aquele nome devia ser apenas um disfarce, lhe ocorrendo pela primeira vez que o pessoal de Estocolmo talvez não fosse uma simples equipe de funcionários do serviço social sueco. No entanto, Daniel acabou encontrando aquele mesmo nome na lista e discou o número. Como ninguém atendeu, deixou um recado na secretária eletrônica.

Ao voltar ao serviço social no dia seguinte, depois de passar a noite num abrigo público, soube que ela havia telefonado à procura dele e deixado outro número. Ele telefonou para esse novo número e ela atendeu. Parecia feliz por ouvir a voz dele. No mesmo instante Daniel compreendeu que Hilda sabia que ele havia fugido da fazenda. Ela disse que "lamentava muito" e afirmou que ele tinha "um talento único". Ao ouvir isso, Daniel sentiu uma solidão insuportável e precisou lutar contra a vontade de chorar.

"Me ajude", disse.

Hilda respondeu: "Meu querido Daniel, eu faria qualquer coisa por você, mas nosso dever é estudar e não interferir".

Ao longo dos anos Daniel revisitaria inúmeras vezes essa resposta, que viria a contribuir para a construção de sua nova identidade, a qual ele protegia com todas as forças. Mas naquele momento, ao telefone, um profundo mal-estar o invadiu e um forte sentimento de rejeição: "Como assim? O que você está dizendo?". Hilda ficou claramente nervosa e começou a fazer ponderações, a tentar convencê-lo de que ele devia cursar o colegial e não tomar decisões precipitadas. Daniel respondeu que seu desejo era simplesmente tocar violão, e Hilda von Kanterborg disse que ele poderia estudar música. Daniel disse que queria ir para Nova York e tocar nos clubes de jazz que havia por lá, e Hilda tentou demovê-lo, alegando que ele ainda não tinha idade para fazer isso, nem inexperiência.

Depois de uma longa conversa que cansou até mesmo Ann-Catrine e os outros assistentes sociais, Daniel prometeu pensar no que Hilda havia dito. Disse que um dia gostaria de se encontrar com ela, ela também disse que gostaria de vê-lo, mas esse encontro jamais ocorreu. Ele nunca mais a viu nem teve tempo para pensar sobre o futuro que ela tinha descrito como possível para ele naquele momento.

Tinha dito que gostaria de ir tocar em Nova York, e, sem entender direito de onde elas surgiram, algumas pessoas o ajudaram a tirar um passaporte, a conseguir um visto de entrada nos Estados Unidos e trabalho como auxiliar de cozinha num navio de carga da empresa de navegação Wallenius. O navio não o levaria a Nova York, mas a Boston. Em seu contrato de admissão, num papel preso com um clipe, lia-se em tinta azul: *Berklee College of Music, Boston, Massachusetts. Boa sorte! H.*

A vida de Daniel nunca mais seria a mesma. Ele ganharia a cidadania americana, assumiria o nome Dan Brody, teria vivências incríveis e emocionantes, mas sempre, no fundo do seu coração, haveria de carregar a sensação de ter sido traído e de estar sozinho. No início da carreira, quase estourou. Um dia, aos dezoito anos, quando participava de uma jam session no clube Ryles da Hampshire Street, em Boston, começou um solo no espírito de Django, mas que ao mesmo tempo também era outra coisa, um som novo, e um burburinho imediatamente se espalhou pela plateia. Começaram a falar dele, e gerentes e funcionários das gravadoras quiseram conhecê-lo e marcar reuniões com ele. Mas sempre se sentia incompleto — talvez lhe faltasse mais coragem ou confiança. Suas forças sumiam na última hora, e a vida toda ele se veria ofuscado por outros músicos com menos talento e mais iniciativa. Teria de se conformar com uma vida profissional em segundo plano, assombrada pelo brilho das grandes estrelas. Era como se alguma coisa o segurasse, e cada vez mais Daniel sentiria falta da paixão com que havia tocado no trapiche de Blackåstjärnen.

Lisbeth encontrou vários registros minuciosos sobre movimentos das mãos, utilizados em pesquisas médicas e no desenvolvimento de robôs, e os carregou na rede neural profunda da República dos Hackers. Trabalhou com tanto empenho que se esqueceu de comer e beber, apesar do calor que fazia. Por fim, afastou os olhos do monitor e bebeu — porém não a água de que precisava, e sim uísque. Lisbeth se serviu de um Tullamore Dew.
Sentia falta de álcool. Sentia falta de sexo, de sol, de junk food, do cheiro da maresia, da agitação nos bares e da sensação de liberdade. Naquele instante, porém, contentou-se com uísque. Não tinha importância se estivesse fedendo como um gambá, pensou; ninguém espera grande coisa de uma bêbada. Olhou para Riddarfjärden e fechou os olhos. Voltou a abri-los, endireitou as costas e deixou que os algoritmos da rede neural trabalhassem e aprendessem sozinhos enquanto foi para a cozinha preparar uma pizza no micro-ondas. Em seguida Annika Giannini ligou.
Annika não demonstrou muito entusiasmo pelos planos de Lisbeth e tentou convencê-la de que eles não iriam ajudar em nada. No entanto, ao perceber que seria inútil argumentar, disse que Lisbeth poderia filmar o suspeito — apenas isso. Sugeriu que ela falasse com o imã Hassan Ferdousi, para que ele a ajudasse com "os aspectos mais humanos". Lisbeth não acatou o conselho. Mas isso era o de menos — a própria Annika entrou em contato com o imã e pediu que ele fosse a Vallholmen.
Lisbeth estava comendo pizza, bebendo uísque e hackeando o computador de Mikael. Ela escreveu:
Em casa. Hoje relaxei um pouco.
A "Hilda von" é Hilda von Kanterborg. Encontre-a.
E também dê uma conferida em Daniel Brolin. Ele é um ótimo violonista. Agora tenho outras coisas pra resolver. Te escrevo depois.

Mikael viu a mensagem de Lisbeth, ficou contente em saber que ela estava de novo em liberdade e telefonou para ela. Como ninguém atendeu, ele praguejou e ficou pensando na mensagem que ela havia deixado. Então Lisbeth também tinha associado "Hilda von" a Hilda von Kanterborg? O que aquilo poderia significar? Será que ela a conhecia? Ou será que tinha hackeado alguns computadores até chegar a essa informação? Mikael não fazia a menor ideia, mas uma coisa era certa: o pedido de Lisbeth para que ele encontrasse Hilda von Kanterborg era inútil, pois já estava concentrado nisso fazia algum tempo.

Por outro lado, não entendeu o que Daniel Brolin tinha a ver com o assunto. Mikael encontrou vários Daniel Brolin na internet, mas nenhum deles era violonista ou sequer músico. Talvez não tivesse ido a fundo o suficiente na pesquisa. De fato, sua cabeça estava voltada para outras coisas.

Tudo havia começado na tarde anterior, ao ler o artigo indicado pela irmã de Hilda von Kanterborg. Não havia nada de especial nele e, na primeira leitura, Mikael o considerou genérico demais, sem nenhum tipo de informação exclusiva ou explosiva. O artigo abordava um tema clássico: a relação entre herança genética e o ambiente em que as pessoas vivem. O que forma a nossa personalidade?

Sob o pseudônimo Leonard Bark, Hilda von Kanterborg escreveu o que Mikael já estava cansado de saber: que o tema era altamente politizado. Enquanto a esquerda preferia entender que, acima de tudo, os fatores sociais é que oferecem às pessoas as chances que elas iam ter na vida, a direita apregoava a força da herança genética.

Hilda von Kanterborg afirmava que essa politização era uma infelicidade e que a ciência se perdia sempre que se guiava por vieses ideológicos ou pelo desejo de que as coisas fossem de determinada maneira. Notava-se certa ansiedade na introdução, como se a autora quisesse apresentar logo uma formulação definitiva. Mas o artigo era bastante equilibrado, ainda que apontasse a polêmica entre marxistas e psicanalistas de gerações anteriores e demonstrasse que fatores geneticamente herdados moldavam a personalidade num grau bem maior do que os pesquisadores e a sociedade tendiam a imaginar nos anos 1960 e 70.

Não havia nada de determinístico no texto, nada que levasse o leitor a concluir que seu destino seria traçado pela genética, nada além de menções sobre o fato de que alguns atributos, como a inteligência — a capacidade cognitiva —, se deviam em grande parte a um forte componente genético, sobretudo na idade adulta. De forma geral o artigo defendia a tese de que tanto a genética quanto o ambiente influenciavam as pessoas com a mesma intensidade, e isso era mais ou menos o que Mikael esperava encontrar.

Entretanto, um detalhe o surpreendeu. De acordo com o artigo, os fatores ambientais que exerciam maior impacto na formação de uma pessoa não eram aqueles que Mikael imaginava; eles não estavam relacionados com a infância, com a maneira como os pais tratavam os filhos nem com a educação que ofereciam a eles. Hilda von Kanterborg afirmava que mães e pais com frequência pareciam convencidos de terem uma importância decisiva no desenvolvimento dos filhos, quando na verdade isso não ocorria. "Não passa de um autoconceito elevado", ela dizia.

O que determinava o destino de alguém, segundo Von Kanterborg, era o que ela chamava de "ambiente único" — o ambiente que não compartilhamos com ninguém, nem mesmo com nossos irmãos. O ambiente que o indivíduo buscava e criava para si mesmo quando, por exemplo, descobria alguma coisa que o acalmava, que o fascinava e que o levava, então, a escolher certa direção. Talvez como quando o próprio Mikael, ainda menino, tinha assistido ao filme *Todos os homens do presidente* e sentido o desejo enorme de se tornar jornalista.

A herança genética e o ambiente atuavam em conjunto, Von Kanterborg havia escrito. As pessoas buscavam experiências e atividades que estimulassem seus genes e que as fizessem florescer, evitando aquilo que as assustava ou incomodava. Eram fatores como esses, mais do que condições do ambiente, que moldavam a personalidade de alguém, segundo o artigo. Os fatores cultural e econômico naturalmente também impactavam as possibilidades de o indivíduo desenvolver seus talentos, e era muito provável que ele adquirisse valores e maneiras de pensar com base no ambiente em que vivia. O que, entretanto, formava de fato a personalidade eram, acima de tudo, as vivências não compartilhadas com outras pessoas e que, à primeira vista, talvez até parecessem invisíveis, mas que, num exame mais detalhado, adquiriam uma importância enorme e iam empurrando a pessoa vida afora, passo a passo.

Hilda von Kanterborg havia retirado os fundamentos para sua conclusão de uma série de estudos realizados por diversos centros de pesquisa, entre os quais o Mistra — Minnesota Study of Twins Reared Apart — e o Registro de Gêmeos do Instituto Karolinska. Os gêmeos univitelinos, também chamados de gêmeos monozigóticos, por apresentarem uma configuração genética praticamente idêntica, constituíam o objeto de estudo ideal para que se compreendesse a influência da genética e do ambiente na formação da personalidade.

Em todo o mundo existiam milhares de gêmeos univitelinos criados longe de seu par ou por um dos irmãos ter sido colocado para adoção, ou por ter sido acidentalmente trocado por outro bebê na maternidade. Embora fossem vítimas de destinos humanos trágicos, eles propiciavam aos cientistas a oportunidade única de estudarem a importância da herança genética e do ambiente no desenvolvimento humano.

Grupos de gêmeos univitelinos separados ao nascer foram comparados com grupos de gêmeos univitelinos criados juntos e também com grupos de gêmeos bivitelinos — que compartilhavam apenas metade do DNA — separados ainda cedo e criados na companhia um do outro. Todos os estudos feitos com eles chegaram mais ou menos à mesma conclusão, de acordo com Von Kanterborg: o principal responsável por formar a personalidade eram os fatores genéticos, influenciados pelo ambiente único em que o indivíduo crescia.

Mikael não teve dificuldade em formular contra-hipóteses nem em perceber inconsistências na interpretação do material gerado pelas pesquisas. Ainda assim, reconheceu que era uma conclusão instigante, do ponto de vista humano. Para terminar, leu uma ou duas histórias incríveis sobre gêmeos univitelinos criados em famílias diferentes e que se encontraram na idade adulta e se surpreenderam com a enorme semelhança entre eles, não apenas na aparência física, mas também na maneira de pensar. Conheceu a história dos gêmeos Jim, americanos, que, sem saberem da existência um do outro, eram ambos fumantes inveterados de cigarros Salem, roíam unhas, sofriam da mesma enxaqueca terrível, tinham uma oficina de marcenaria na garagem de casa, criavam um cachorro ao qual deram o nome de Toy, haviam se casado duas vezes com mulheres de nomes idênticos, haviam batizado os filhos de James-Allen, e só Deus sabia o que mais.

Só então Mikael entendeu por que a imprensa sensacionalista havia demonstrado tanto interesse pelo caso. Ele não dava muita importância a esse tipo de história, pois sabia como era fácil perder a medida da realidade quando se começava a procurar semelhanças e coincidências. Nesses casos, aspectos mais extraordinários costumavam ser priorizados e ganhar destaque, em detrimento do que havia de comum e de ordinário na notícia e que talvez, justamente por causa da despretensão, pudesse trazer informações mais relevantes sobre a realidade.

Mikael concluiu que a série de pesquisas sobre gêmeos havia provocado uma mudança de paradigma. Os cientistas tinham começado a acreditar na influência que os genes exercem sobre os indivíduos, assim como na complexa relação estabelecida com o ambiente. Em tempos passados — sobretudo nas décadas de 1960 e 70 —, havia uma crença forte na interferência dos fatores sociais para a formação da personalidade. Muitos pesquisadores, influenciados pelas ideologias da época, declaravam-se convencidos de que o homem poderia se tornar praticamente qualquer coisa. Conceitos um tanto mecanicistas sobre a humanidade estavam em voga. Acreditava-se que certos ambientes ou tipos de criação seriam, via de regra, capazes de produzir indivíduos especiais, e muitos sonhavam em confirmar essa crença de maneira científica, e assim talvez descobrir a fórmula de como tornar as pessoas melhores e mais felizes. Essa tinha sido uma das razões por que tantas pesquisas com gêmeos foram realizadas naquela época, muitas das quais descritas de modo evasivo por Hilda von Kanterborg como "deliberadas e radicais".

Foi mais ou menos nesse ponto que Mikael decidiu ampliar sua investigação sobre o assunto. Não sabia se tinha pegado a trilha certa, mas, cavando cada vez mais fundo, descobriu que a expressão "deliberadas e radicais" estava associada às pesquisas com gêmeos. Então deu com o nome de Roger Stafford.

Roger Stafford era um psicanalista e psiquiatra americano que havia lecionado na Universidade de Yale. Mantinha relações profissionais estreitas com Anna Freud, filha de Freud, e cultivava a fama de homem carismático e encantador. Havia fotografias dele com Jane Fonda, Henry Kissinger e Gerald Ford, frequentava os mais variados círculos sociais e tinha um jeito de astro de cinema.

Mas o principal motivo da notoriedade de Stafford, menos lisonjeiro, estava relacionado com as palavras "deliberadas e radicais". Em 1989, o *Washington Post* tinha publicado uma reportagem revelando que, no fim da década de 1960, Stafford estabelecera relações muito próximas com cinco diretoras de cinco centros de adoção localizados em Nova York e em Boston, três delas psicólogas. Das cinco, duas teriam se relacionado amorosamente com ele, e tudo indicava que também tivesse havido certa dose de vigarice nesses relacionamentos. Stafford era uma autoridade na época, com muitos de seus livros considerados uma referência nos centros de adoção. Num deles, *A criança egoísta*, Stafford afirmava que gêmeos univitelinos desenvolviam-se melhor e tornavam-se pessoas mais independentes quando criados longe do seu gêmeo. Mais tarde essa conclusão mostrou-se infundada, mas àquela altura já estava disseminada e estabelecida entre terapeutas da Costa Oeste, por isso também as diretoras dos centros de adoção imaginavam ter boas razões para confiar nele.

Ficou acertado que elas o informariam caso aparecessem irmãos gêmeos para adoção em suas instituições. Depois de passarem por uma consulta com Stafford, as crianças eram encaminhadas para adoção. No total foram adotados quarenta e seis recém-nascidos, entre os quais vinte e oito gêmeos univitelinos e dezoito gêmeos bivitelinos. Nenhuma das famílias adotivas sabia que a criança adotada tinha um irmão, muito menos um irmão gêmeo também adotado. Além disso, os pais eram obrigados a permitir que, uma vez por ano, Stafford e sua equipe examinassem as crianças e aplicassem nelas uma série de testes de personalidade. Alegavam que era para o bem da criança.

A escolha dos pais adotivos era conduzida, supostamente, com muito cuidado, e a reportagem fazia todos os tipos de comentários lisonjeiros. Mesmo assim, estava claro que havia interesses envolvidos. Uma das diretoras — Rita Bernard — estranhou que Stafford insistisse em conceder a guarda dos gêmeos a pais muito diferentes em termos de condição social, cultural, de educação, religião, temperamento, personalidade, etnia, ideais... Em vez de levar em conta o que era melhor para os gêmeos, Stafford parecia ter montado um cenário para a coleta de dados para uma pesquisa, ela disse.

Stafford não negava que, paralelamente, estivesse desenvolvendo um trabalho científico e fazendo anotações. Via tudo aquilo como uma oportunidade imperdível de entender melhor o que moldava um indivíduo e declarou, num surto de arrogância e presunção, que aquele trabalho representava um "recurso científico de valor inestimável". Entretanto, negava com veemência que sua maior preocupação tivesse sido outra que não o bem-estar das crianças e mencionava "questões de privacidade" para não publicar o material das pesquisas que realizara. Stafford doou os resultados ao Centro de Estudos de Yale para crianças com necessidades especiais sob a condição de que somente fossem tornados públicos em 2078, quando todos os envolvidos já estivessem mortos. Não desejava causar prejuízo ao destino dos gêmeos, ele tinha afirmado.

A declaração soava nobre, mas não faltaram críticos alegando que a decretação de sigilo sobre o material era uma forma de ocultar o fato de que os resultados da pesquisa não haviam correspondido às suas expectativas. A maioria dos cientistas considerava o experimento profundamente antiético, ressaltando o fato de Stafford ter privado os gêmeos da chance de crescer ao lado dos irmãos. Um psiquiatra de Harvard chegou a comparar a atividade de Stafford com os experimentos conduzidos por Joseph Mengele em Auschwitz. Orgulhoso e desafiador, Stafford respondeu através de advogados, e pouco depois o debate cessou. Roger Stafford morreu em 2001 e foi enterrado com pompa e circunstância, na presença de várias celebridades. A imprensa especializada e os jornais matinais escreveram obituários elogiosos sobre ele. A pesquisa com os gêmeos não parecia ter maculado a cerimônia de enterro de nenhuma forma perceptível, talvez porque todas as crianças separadas com tanta brutalidade pertencessem às camadas menos favorecidas da sociedade.

Mikael sabia que tinha sido assim naquela época. Em nome da ciência e do bem-estar da sociedade, grupos étnicos e minoritários podiam sofrer toda sorte de ataque sem que ninguém precisasse prestar contas. Por isso Mikael — como muitas outras pessoas — se negava a considerar o experimento de Stafford uma experiência isolada. Com isso em mente, foi mais fundo na história e descobriu que Roger Stafford tinha visitado a Suécia nos anos 1970, 80. Localizou fotografias dele com psicanalistas e sociólogos importantes daquela geração: Lars Malm, Birgitta Edberg, Liselotte Ceder, Martin Steinberg.

Na época não circulava nenhuma informação sobre o experimento de Stafford com gêmeos, e talvez ele houvesse visitado a Suécia por outras razões. Mesmo assim Mikael foi em frente na investigação, o tempo todo pensando em Lisbeth, claro. Ela também tinha uma irmã gêmea, uma gêmea bivitelina saída de um pesadelo: Camilla. Mikael sabia que pessoas ligadas às autoridades haviam tentado fazer Lisbeth participar de experimentos ainda pequena e que ela odiava essa parte de seu passado. Mikael também pensou em Leo Mannheimer, nos resultados espantosos de seus testes de Q.I., no que Ellenor Hjort dissera sobre Leo ser membro do povo das estrelas e ainda sobre Malin ter observado que ele não era mais canhoto. Agora nada daquilo lhe parecia despropositado.

Mikael topou com fenômenos médicos que poderiam explicar a mudança e se aprofundou num artigo da *Nature* sobre as razões para que um óvulo fertilizado no útero se dividisse e desse origem a gêmeos univitelinos. Depois se levantou e ficou um ou dois minutos como que paralisado, falando sozinho. Em seguida, telefonou para Lotta von Kanterborg e contou o que achava. Ou melhor, o que pressentia. Apresentou suas suspeitas fantásticas como se fossem um fato concreto.

"Parece totalmente doentio", ela disse.

"Eu sei. Mas você poderia contar isso à Hilda, se ela der notícias? Diga que a situação é crítica."

"Eu prometo", disse Lotta von Kanterborg.

Ao ir para a cama na noite anterior, Mikael tinha deixado o celular na mesa de cabeceira, caso alguém o procurasse. Mas ninguém havia ligado. Ele mal pregara o olho, e agora, de manhã, já estava de volta ao computador. Começou a pesquisar sobre as pessoas que Roger Stafford tinha encontrado em sua estada na Suécia e, para sua surpresa, deu com o nome de Holger Palmgren. Holger e o professor de sociologia Martin Steinberg haviam trabalhado juntos na solução de um crime ocorrido havia mais de vinte anos. Mikael não achou que isso tivesse, necessariamente, algum significado especial, pois Estocolmo era de certo modo uma cidade pequena. As pessoas se esbarravam o tempo todo.

Mikael anotou o endereço e o número do telefone de Martin Steinberg em Lidingö e continuou a investigar o passado dele. Mas já não estava tão concentrado como antes, sentia-se dividido, em dúvida sobre que atitude tomar. Será que devia mandar uma mensagem encriptada para Lisbeth, contando o que havia descoberto até agora? Será que devia confrontar Leo Mannheimer para saber se estava no caminho certo? Mikael preparou um *espresso* e de repente sentiu falta de Malin, mesmo que ela nunca tivesse sido uma força dominante em sua vida.

Foi até o banheiro e subiu na balança. Como tinha ganhado peso, resolveu tomar providências e decidiu também cortar o cabelo. Os fios se espalhavam em todas as direções, e ele aproveitou para ajeitar a franja. Em seguida deixou escapar um "Ah, dane-se" e voltou para sua mesa. Ali deu um telefonema, mandou um e-mail e uma mensagem de texto para Lisbeth e deixou um recado para ela num arquivo de seu próprio computador:

Entre em contato. Acho que descobri uma coisa!

Revisou as frases e alguma coisa o incomodou — era a palavra "acho". Lisbeth não gostava de meios-termos. Mikael mudou a mensagem: *Descobri uma coisa* — e torceu para que fosse verdade. Depois foi até o guarda-roupa, vestiu uma camisa de algodão nova e saiu caminhando pela Bellmansgatan, rumo à estação de metrô Mariatorget.

Na plataforma, pegou as anotações que tinha feito na noite anterior e releu tudo. Deteve-se nos pontos de interrogação e nas conjecturas. Será que estava enlouquecendo? Olhou para o painel digital e viu que o trem chegaria logo. Nesse momento seu celular tocou. Era Lotta von Kanterborg, e sua respiração estava pesada.

"Ela ligou", disse Lotta.

"A Hilda?"

"Eu bem que te disse que o que você falou sobre o Leo Mannheimer não fazia sentido, que não podia ser verdade."

"Entendo."

"Mas ela quer se encontrar com você, quer contar o que sabe. E acho que ela não está brincando. Ela está em... Talvez não seja uma boa ideia falar por telefone."

"Tudo bem."

Mikael sugeriu que Lotta fosse encontrá-lo no Kaffebar da Sankt Paulsgatan naquele instante e subiu correndo as escadas da estação.

14. 21 DE JUNHO

Jan Bublanski estava em Aspudden, num apartamento decorado à moda antiga, conversando com Maj-Britt Torell, a mulher que, de acordo com Lisbeth Salander, tinha feito uma visita a Holger Palmgren cerca de duas semanas antes. Bublanski estava certo de que Maj-Britt era uma senhora bem-intencionada, embora houvesse alguma coisa estranha no comportamento dela. E não apenas por segurar de maneira nervosa o pão doce que ele lhe trouxera; a verdade é que ela parecia esquecida demais e desorganizada demais para alguém que havia trabalhado anos e anos como secretária de um médico.

"Não lembro direito o que foi que eu entreguei para ele", disse Maj-Britt. "É que eu tinha ouvido tanta coisa sobre a garota, que achei que estava na hora de contar tudo. Sobre o tratamento horrível que ela recebeu, sabe?"

"E a senhora entregou ao Palmgren documentos originais?"

"Pode-se dizer que sim. O consultório está fechado há anos, e ninguém sabe o que foi feito dos prontuários. Mas eu tinha uns papéis que o professor Caldin havia me confiado."

"Em segredo?"

"Me parece uma expressão adequada."

"Então eram documentos importantes, imagino."

"Provavelmente."

"A senhora não acha que deveria ter copiado ou digitalizado esses papéis?"

"Pode ser, mas acontece que..."

Bublanski ficou quieto. Considerou que era um bom momento para ficar em silêncio. Porém não funcionou: Maj-Britt limitou-se a esfarelar ainda mais seu pão doce e não terminou a frase.

"Será que...", disse Bublanski.

"O quê?"

"Que a senhora não recebeu alguma visita ou algum telefonema a respeito desses documentos e ficou preocupada?"

"De modo nenhum", Maj-Britt respondeu um pouco rápido demais e um pouco nervosa demais. Nesse momento Bublanski se levantou.

Sabia que a hora era aquela, e encarou Maj-Britt com o sorriso mais dramático que tinha, capaz de causar uma forte impressão em pessoas que lutavam contra a própria consciência.

"Então vou deixar a senhora em paz", disse.

"Mesmo?"

"Vou chamar um táxi e, por questão de segurança, mandá-la a um café agradável da cidade. Isso tudo é tão grave e tão importante que imagino que a senhora precise de um tempo para pensar, não é mesmo, sra. Torell?"

Em seguida, Bublanski entregou-lhe um cartão de visita e foi até o carro.

Dezembro, um ano e meio antes

Dan Brody — ou Daniel Brolin, como se chamava antes de emigrar — ia tocar naquele dia no clube A-Trane, de Berlim, com o quinteto Klaus Ganz. Muito tempo havia se passado. Ele tinha agora trinta e cinco anos, não usava mais cabelo comprido, havia tirado o brinco da orelha e começado a usar ternos cinza. Parecia um trabalhador, e gostava disso. Era uma crise existencial, pelo que entendia.

Estava cansado das turnês e das viagens, mas não via outra saída. Afinal, não tinha economias guardadas, não possuía nada de valor, apartamento, carro, nada, e a chance de estourar e de ganhar dinheiro e fama como músico parecia haver passado. Tinha a impressão de que estava condenado a permanecer em segundo plano, mesmo que na maioria das vezes fosse o músico mais talentoso no palco e recebesse convites o tempo inteiro, embora com uma remuneração cada vez menor. Era uma época dura. Estava mais difícil sobreviver como músico de jazz, e talvez ele também já não tocasse com a mesma paixão de antes.

Não andava praticando muito. Sentia-se pouco estimulado, sobretudo nas folgas entre uma viagem e outra, no entanto continuava se virando bem. Em vez de ensaiar o tempo inteiro como fazia antes, tinha começado a ler. Devorava livros, que o ajudavam a se afastar do mundo. Não gostava de conversas banais e menos ainda dos gritos e do burburinho dos bares. Sentia-se melhor quando bebia pouco. Seu estilo de vida sempre fora intenso demais, e começava a sentir falta das coisas simples — de uma esposa e uma casa, de um trabalho regular, de um pouco de tranquilidade.

Ao longo da vida, tinha experimentado todas as drogas imagináveis e mantido uma lista extensa de relacionamentos amorosos e de ligações fugazes. Ainda assim parecia que lhe faltava um pedaço, por isso ele escapava para a solidão e a música. Se no começo a música foi um consolo, ela não funcionava mais, e ele havia começado a se perguntar se não tinha escolhido o caminho errado na vida. Talvez devesse ter sido professor. A experiência na antiga escola — o Berklee College of Music — tinha mudado sua vida. Quando o convidaram para dar uma oficina sobre Django Reinhardt, ele ficou apavorado.

Achou que não conseguiria falar na frente de uma plateia e que esse era o motivo para que as gravadoras não tivessem apostado nele — por não ter presença de palco. Mesmo assim, aceitou o convite e se preparou o mais que pôde. Convenceu-se de que sobreviveria à experiência se tivesse um roteiro predefinido e se concentrasse mais em tocar do que em falar. Mas ao se ver diante de duzentos alunos sentiu que não seria o bastante, e suas pernas bambearam. Começou a tremer e não conseguia falar. Depois de um silêncio que parecia não acabar mais, ele disse:

"Eu sonhava em ser o garoto mais descolado desta escola, e agora estou aqui parecendo um cretino!"

A frase não tinha sido uma piada, era um desabafo desesperado, mas os alunos acharam graça, e logo ele estava falando de Django e de Stéphane Grappelli, do quinteto do Hot Club e do alcoolismo e da falta de fontes escritas. Tocou "Minor Swing" e "Nuages" e variantes do solo e do riff, e se mostrou cada vez mais ousado. De repente teve a ideia de contar uma história ao mesmo tempo séria e cômica e se pôs a discorrer sobre como a carreira de Django poderia não ter vingado. Na época de Hitler, tinha sofrido com a ameaça dos campos de trabalho e de extermínio, como todos os rom, e foi salvo justamente por um nazista, um oficial da Luftwaffe que era grande admirador de sua música. Se Django sobreviveu ao nazismo, acabou morrendo durante uma simples caminhada, que havia começado na estação de trem de Avon, na França, em 16 de maio de 1953. "Ele foi um grande homem", disse Dan. "E mudou a minha vida." Então se calou, sem saber o que aconteceria a seguir.

Segundos depois, aplausos irromperam no auditório, os estudantes chegaram a se levantar e a assobiar, e Dan voltou para casa feliz e surpreso.

Desde então levava esse momento consigo, e de vez em quando, mesmo durante as turnês na Alemanha, incluía breves comentários entre uma música e outra, anedotas que faziam as pessoas rir, mesmo que não fosse ele o astro. Com frequência isso lhe causava uma alegria maior do que o momento do solo.

Dan ficou frustrado quando a escola não o chamou de novo. Tinha imaginado os professores comentando a seu respeito e dizendo: "Temos alguém realmente capaz de incentivar os alunos". Mas novas propostas não vieram, e ele era orgulhoso e covarde demais para retomar o contato e dizer que gostaria de dar aulas. Não entendia que um problema em sua vida era a falta de iniciativa, justamente num país onde a iniciativa era a chave e o motor da sociedade. O silêncio do colégio o atormentava, e Dan se tornou triste e introspectivo, passando a tocar com pouco entusiasmo.

Eram nove e vinte da noite da sexta-feira, 18 de dezembro, e o lugar estava lotado. O público era um pouco mais elegante do que o habitual, mais bem vestido e esnobe e talvez um pouco mais blasé e desinteressado. Uma plateia da área de finanças, ele deduziu. Parecia haver muito dinheiro circulando por ali, o que deixou Dan desconfortável. Houve um tempo em que ele ganhara bem, e nunca havia passado fome em sua vida na estrada. Porém, quando estava com dinheiro, aquilo era como areia entre seus dedos; ele nunca fora disciplinado com seus gastos. Sua experiência com gente da área de finanças não tinha sido muito boa. Uma vez topou com um desses garotos de Wall Street que o havia tratado como cachorro. Que fossem todos para o inferno!

 Dan resolveu que não ia dar a mínima para o público e que se concentraria apenas em sua música. Começou com seu repertório habitual e quando chegou o momento de executar "Stella by Starlight", uma música que já havia tocado mil vezes, decidiu fazê-la brilhar. A melodia era em si bemol, mas, em vez de seguir a progressão de segunda, quinta e tônica, brincou com notas fora da escala. Na verdade ele não achou o solo nada brilhante, mas também não foi ruim. Dan ouviu aplausos espontâneos enquanto tocava.

 Quando levantou o rosto para agradecer o gesto, viu uma cena estranha. Uma jovem com um vestido vermelho e elegante e uma joia verde pendurada no pescoço não tirava os olhos dele. Era loira, com um rosto anguloso como o de uma raposa e pernas bonitas e longilíneas. Parecia rica; com certeza estava com o pessoal das finanças. Porém não havia desinteresse nem nada de blasé nela, e seu fascínio dava a impressão de ser sincero. Dan não se lembrava de nenhuma mulher que o tivesse olhado daquela forma, pelo menos não uma desconhecida, e muito menos uma beldade ligada ao alto círculo financeiro. O mais estranho era o olhar — ele transmitia intimidade, algo de familiar e excitante. A mulher não parecia estar olhando para um violonista desconhecido, e sim para um amigo próximo que ela não imaginara ser capaz de fazer aquilo. Era como se ela estivesse confusa e encantada ao mesmo tempo, e no fim do solo de Dan a jovem começou a mover os lábios. Disse coisas incríveis, exuberantes, como se o conhecesse. Dan abriu um sorriso de orelha a orelha e acenou com a cabeça. Havia lágrimas nos olhos dela.

 Ao fim da apresentação, ela se aproximou do palco, mais tímida. Talvez ele a tivesse magoado por não ter correspondido aos olhares dela. A mulher mexia nervosamente em sua joia, olhava para as mãos dele, para o violão. Havia uma ruga de preocupação entre seus olhos e ela parecia ansiosa e curiosa. Uma simpatia repentina por ela invadiu Dan, um impulso de protegê-la. Desceu do palco e sorriu. A mulher pousou a mão no ombro dele e falou, em sueco:

"Foi maravilhoso. Eu sabia que você tocava piano, mas isso... foi incrível. Realmente muito bom, Leo."

"O meu nome não é Leo", ele disse.

Lisbeth Salander sabia que ela e sua irmã Camilla constavam numa lista do Registro de Estudos em Genética e Meio Ambiente, órgão pouco conhecido e que trabalhava com dados sigilosos, subordinado ao Instituto de Medicina Genética de Uppsala, que até 1958 tinha o nome de Instituto Nacional de Biologia Racial.

Na lista havia o nome de outras dezesseis pessoas, a maioria mais velha que Lisbeth e Camilla e identificadas também pelas iniciais MZA e DZA. Lisbeth não demorou para concluir que MZ significava "monozigóticos", referência a gêmeos univitelinos, e que DZ se referia a gêmeos dizigóticos. E o A representava *apart*, como na expressão *reared apart*, criados longe.

Não foi difícil para Lisbeth deduzir que aquela era a lista de gêmeos monozigóticos e dizigóticos que haviam crescido longe de seu par como parte de um projeto, sobretudo ao ver que ela e Camilla, ao contrário das outras pessoas, estavam marcadas como "DZ — *failed* A". No mais, a distribuição era igual. Havia oito pares de gêmeos monozigóticos e oito de gêmeos dizigóticos separados desde a primeira infância. Mais abaixo viam-se os resultados de uma série de testes de inteligência e de personalidade aplicados aos gêmeos.

Dois nomes logo chamaram sua atenção: Leo Mannheimer e Daniel Brolin, descritos como gêmeos espelhados excepcionais. Os resultados dos testes de cada um deles eram praticamente os mesmos, e pareciam excepcionais por uma série de razões. Os documentos mostravam que os dois tinham como origem o povo das estrelas. Numa anotação assinada pelas iniciais MS, lia-se:

Muito inteligentes e extremamente musicais. Quase crianças-prodígio. No entanto, falta aos dois iniciativa. Predisposição à hesitação e à depressão, e possivelmente também a psicoses. Ambos sofrem de paracusia — alucinações auditivas. Mostram-se solitários, mas têm uma relação ambivalente com o isolamento. Chegam a procurá-lo. Ao mesmo tempo, relatam "um intenso sentimento de perda" e "uma solidão profunda". Ambos demonstram empatia e controle da agressividade, a não ser por surtos ocasionais de fúria, ocorridos na presença de barulhos altos. Resultados impressionantes também nos testes de criatividade. Boa capacidade verbal. Mesmo assim, têm problemas de autoestima — a de L é um pouco melhor. A explicação pode ser a relação problemática com a mãe, que não estabeleceu com ele os laços esperados.

... *que não estabeleceu com ele os laços esperados.*
Lisbeth sentiu náusea ao ler essa observação, mas de forma geral não havia dado muito crédito ao relatório, sobretudo depois de ver as bobagens que havia ali sobre ela e Camilla. A irmã era definida como uma criança "muito bonita, embora um pouco fria e narcisista". Um pouco fria e narcisista? *Um pouco?* Quanta bobagem! Lisbeth se lembrou de como a irmã olhava para os psicólogos, seus olhos eram os de um bicho selvagem, o que provavelmente os deixava sem ação. Mesmo assim, aqui e ali havia informações úteis que poderiam abrir certas portas. Entre outras coisas, também uma série de "circunstâncias desfavoráveis" que obrigaram o órgão a "fornecer informações sigilosas aos pais de Leo". Não se podia depreender que informações eram essas, mas talvez tivessem relação com as atividades desenvolvidas ali, o que seria interessante.

Lisbeth tinha obtido acesso aos documentos sobre os gêmeos hackeando o sistema do Instituto de Medicina Genética de Uppsala e criando uma ponte entre o servidor dessa rede e a intranet do Regma, o Registro de Estudos em Genética e Meio Ambiente. Uma operação complexa, que tinha exigido horas de trabalho duro. Lisbeth sabia muito bem que poucos hackers conseguiriam executar uma invasão daquele tipo com tão pouco tempo disponível.

Embora tivesse esperado recompensas fartas pelo seu esforço, os envolvidos tinham agido com muita cautela, pois ela não encontrou o nome de uma só pessoa — apenas iniciais, como HK e MS. Não vendo nenhuma utilidade nelas, Lisbeth achou que a melhor aposta seriam os arquivos sobre Daniel e Leo. Porém eles não estavam completos; faltavam muitos documentos, que deviam estar armazenados em outro lugar. Mesmo assim, o que encontrou foi bem interessante — e não apenas pela interrogação anotada junto ao nome de Leo e depois apagada.

Tudo indicava que Daniel Brolin havia deixado o país a fim de seguir a carreira de músico. Tinha passado um ano como bolsista do Berklee College of Music de Boston, e naquele momento seu paradeiro era desconhecido. Provavelmente havia trocado de nome. Leo tinha estudado na Handelshögskolan de Estocolmo. Numa anotação anterior, lia-se que estava "profundamente amargurado depois de se separar de uma mulher pertencente à mesma classe social, e pela primeira vez havia cogitado recorrer à violência. Perigoso? Novo surto de paracusia?".

Depois — talvez em tempos mais recentes — havia uma decisão oficial, novamente assinada por MS, sobre o fim das atividades do Regma. "O Projeto 9 está sendo encerrado", dizia a anotação. "Fatores preocupantes relativos a Mannheimer."

Lisbeth não sabia o significado daquilo, e como estava na prisão, impossibilitada de procurar Leo ou pessoas próximas a ele, tinha pedido que Mikael o investigasse. Mikael, porém, estava impossível nos últimos tempos, vivia se preocupando com ela de um jeito diferente, tinha começado a bancar o pai. Às vezes Lisbeth ficava com vontade de arrancar as roupas dele e puxá-lo para o colchão de sua cela para dar um basta naquilo. Mikael não era homem de desistir fácil, e às vezes — Lisbeth era obrigada a admitir — via coisas que ela mesma tinha deixado escapar. Por isso achou melhor não contar a ele tudo o que sabia, e deixá-lo agir como se estivesse começando uma investigação do zero, na esperança de que Mikael descobrisse elementos novos, sem informações prévias. Em breve ia telefonar para ele e saber o que ele tinha levantado sobre Leo Mannheimer até ali.

Lisbeth estava sentada num banco na Flöjtvägen, em Vallholmen, com o celular conectado ao notebook, olhando para as casas verde-acinzentadas que pareciam ir mudando de cor conforme a luz do sol. O dia estava quente e abafado, e a jaqueta de couro e o jeans preto que ela usava não eram a roupa apropriada para aquele clima. Vallholmen costumava ser descrito como um gueto de desocupados. À noite incendiavam carros da vizinhança, gangues de delinquentes juvenis andavam pelas ruas assaltando as pessoas, um estuprador estava à solta, e volta e meia a imprensa mencionava uma sociedade em que as pessoas não tinham mais coragem de recorrer à polícia.

Mas naquele momento Vallholmen parecia um lugar idílico. Duas mulheres de véu faziam um piquenique no gramado em frente a um conjunto de prédios, dois garotos jogavam futebol e dois homens junto ao portão da esquerda se divertiam como crianças esguichando água de uma mangueira. Lisbeth enxugou uma gota de suor da testa e continuou a trabalhar na rede neural profunda.

Exatamente como havia previsto, aquilo estava bem difícil. A sequência captada em Hornstull era breve demais e com imagens muito borradas, nas quais boa parte do corpo do homem achava-se oculta por outros passageiros na plataforma. Tampouco era possível ver seu rosto. Ele usava boné e óculos escuros, parecia jovem e estava com a cabeça abaixada. Lisbeth não conseguiu sequer medir a distância entre os ombros.

De relevante, apenas um movimento de abertura dos dedos e um gesto brusco e assimétrico da mão direita. Ela não sabia se eram movimentos característicos dele ou não. Talvez fossem uma reação nervosa, uma anormalidade que fugia aos padrões de movimento do rapaz. No fim Lisbeth concluiu que eram mesmo especiais, marcados por uma irregularidade espasmódica que ativou os nodos da rede e os comparou com uma sequência recém-gravada de um jovem corredor que havia passado por ela cerca de quarenta minutos antes.

Havia correspondências nos padrões de movimento, o que era uma esperança; mas não o bastante. Lisbeth precisaria gravar o corredor numa situação mais parecida com a do metrô. Assim, de vez em quando levantava a cabeça e olhava na direção do gramado e do caminho asfaltado por onde ele havia seguido. Não havia ninguém por lá, então Lisbeth resolveu conferir seus e-mails e mensagens.

Mikael tinha escrito para anunciar uma descoberta, e mais uma vez ela teve vontade de telefonar para ele. Mas seria desastroso perder a concentração naquele momento. Precisava estar pronta. Continuou mexendo na rede neural e olhando de vez em quando para o caminho asfaltado. Quinze minutos depois, o garoto apareceu perto do morro. Era alto e tinha os passos elegantes de um corredor. Corria como um profissional, embora fosse de uma magreza anoréxica. Mas não se importou com aquilo; estava interessada principalmente no braço direito dele — na forma irregular como ele subia e no movimento de abertura dos dedos. Lisbeth o filmou com o celular e na mesma hora obteve o resultado. A correlação entre ele e o jovem do metrô havia diminuído, talvez por causa do cansaço do corredor ou talvez porque os dados fossem insuficientes. Mais uma vez se sentiu insegura.

Tinha sido uma aposta de risco, porém com base numa suposição razoável. O homem no vídeo era um dos poucos que não haviam sido identificados depois da morte de Jamal. Era, sem dúvida, o que parecia mais discreto, e havia semelhanças notáveis entre ele e o garoto que vinha correndo naquele instante. Caso suas suspeitas estivessem corretas, poderiam talvez explicar o silêncio de Faria no interrogatório. Mas nada indicava que aquele fosse o rapaz. Às vezes uma suspeita errada podia parecer convincente.

Lisbeth precisava de mais imagens para analisar, então guardou o notebook na bolsa, levantou do banco e gritou. O homem parou e olhou para ela com os olhos apertados por causa do sol. Lisbeth tirou um pequeno cantil de uísque do bolso interno da jaqueta, tomou um gole e deu um passo na diagonal. O rapaz não pareceu dar muita importância; simplesmente parou, recobrando o fôlego. Lisbeth se fingiu de bêbada.

"Porra, você corre demais."

O rapaz não disse nada. Queria apenas se desembaraçar daquele incômodo e cruzar o portão do seu prédio, mas a garota não desistiria tão depressa.

"Você sabe fazer assim?", ela perguntou, fazendo um gesto com a mão.

"Por quê?"

Como não tinha nenhuma boa resposta, Lisbeth deu um passo na direção dele.

"Porque eu estou pedindo."

"Você não bate bem da cabeça, né?"

Ela não respondeu e se limitou a encará-lo com um olhar escuro. O rapaz pareceu assustado, e Lisbeth resolveu aproveitar essa vantagem. Com passos trôpegos, aproximou-se mais dele.

"Vamos", disse entre os dentes, e então o rapaz fez o gesto com a mão que ela pediu ou porque estivesse assustado, ou porque queria se livrar o quanto antes dela. Depois entrou no prédio sem nem perceber que estava sendo filmado.

Lisbeth foi para o computador e viu que os nodos da rede neural tinham sido ativados. E de repente tudo ficou claro. Ela tinha conseguido um resultado, uma correspondência na assimetria dos dedos. Nada que se pudesse apresentar num tribunal, mas o suficiente para convencê-la.

Ela se aproximou do portão. Não sabia como iria entrar, mas acabou sendo simples. Empurrou a porta com força e no instante seguinte se viu próxima a um lance de escadas onde quase tudo parecia estragado e decrépito. O elevador não funcionava e o lugar fedia a mijo e cigarro. No térreo ainda iluminado pelo sol foi possível ver a cor cinza das paredes encardidas, mas no segundo andar tudo se tornou mais escuro. Não havia janelas perto do fosso da escada e as lâmpadas em funcionamento eram poucas. O hall estava abafado, e lixo se espalhava pelos degraus.

Lisbeth continuou subindo devagar, concentrada no computador. Levava-o à frente do corpo, na mão esquerda. No terceiro andar, parou um instante e enviou a análise de movimentos para Bublanski e para a companheira dele, Farah Sharif, que era professora de ciências da computação, e depois para Annika Giannini. No quarto andar, guardou o notebook na bolsa e começou a ler os nomes nas portas. O apartamento mais à esquerda trazia a indicação "K. Kazi", com certeza Khalil Kazi. Lisbeth endireitou as costas e se preparou. Khalil não a preocupava, mas, pelo que Annika tinha dito, ele com frequência recebia visita dos irmãos mais velhos. Lisbeth bateu na porta. Ouviram-se passos no lado de dentro e a porta se abriu. Khalil a encarou e dessa vez não parecia assustado. Lisbeth disse:

"Oi."

"O que você quer?"

"Quero te mostrar uma coisa. Um filme."

"Que filme?"

"Você logo vai ver", ela disse, e ele a deixou entrar. Tinha sido fácil demais, Lisbeth pensou, e logo descobriu por quê.

Como ela havia suspeitado, Khalil não estava sozinho. Bashir Kazi, cujo rosto ela conhecia das pesquisas que havia feito, encarou-a com um olhar cheio de desprezo, e no mesmo instante Lisbeth percebeu que a situação podia se complicar.

Dezembro, um ano e meio antes
Dan Brody não entendeu nada. A mulher se recusava a acreditar que ele não era alguém chamado Leo.

Ela mexeu na joia que levava ao pescoço, tocou no cabelo e pensou que ele talvez quisesse manter um perfil discreto como músico.

Por fim disse que sempre havia achado que ele merecia um futuro brilhante.

"Você nem imagina o tamanho da sua ousadia, Leo", ela disse. "Você nunca tinha feito nada parecido com isso. Ninguém na Alfred Ögrens tinha. Para não falar na Madeleine!"

"Madeleine?", ele disse.

"A Madeleine só pode ser louca para ter escolhido o Ivar. Foi uma decisão muuuito equivocada. O Ivar é um bostinha."

Dan achou que a mulher se expressava de maneira infantil. Mas talvez achasse isso porque tinha perdido o contato com o sueco moderno. Ela também parecia nervosa, tensa. Aquele lugar era caótico demais. As pessoas se empurravam para chegar ao balcão do bar e conseguir uma bebida. Klaus e os outros integrantes da banda reapareceram e perguntaram se Dan não queria ir jantar com eles. Ele negou com a cabeça e olhou para a mulher. Ela estava bem perto dele, seu peito ondulava ao ritmo da respiração, e era possível sentir a fragrância de seu perfume. Ela era muito atraente, e Dan pensou que parecia estar sonhando um sonho bom, mesmo que ela o tivesse deixado confuso com aquela história de Leo.

Alguém quebrou um copo ao longe, um jovem gritou, e Dan fez uma careta.

"Me desculpe", disse a mulher. "Talvez você e o Ivar ainda sejam amigos."

"Eu não conheço nenhum Ivar", Dan retrucou.

A mulher o encarou com um olhar tão desesperado que no mesmo instante ele se arrependeu e sentiu que seria capaz de dizer qualquer coisa para ela — que se chamava Leo, que conhecia Madeleine, que achava Ivar um bostinha mesmo, enfim, tudo que fosse necessário para não a decepcionar mais. Queria vê-la alegre e entusiasmada como a tinha visto durante o solo.

"Me desculpe", ele disse.

"Tudo bem", a mulher respondeu.

Dan passou a mão no cabelo dela, jamais tinha agido assim com mulheres desconhecidas. Sua personalidade era tímida e reservada, mas agora isso pertencia ao passado. Naquele momento sentiu vontade de fingir, nem que fosse por um instante. Queria vê-la radiante outra vez, e por fim concordou: ele era mesmo Leo; ou, melhor, parou de desmenti-la. Guardou o violão no estojo e sugeriu que fossem beber alguma coisa num lugar mais tranquilo. A mulher disse: "Claro, ótimo".

Os dois desceram a Pestalozzistrasse. Dan tinha dificuldade em encontrar as palavras certas, porque qualquer uma poderia se virar contra ele. Pensou que estava agindo como um farsante. Depois que tudo aquilo não passava de encenação dela. A mulher não estava examinando o terno e o sapato dele com um olhar meio crítico? As mesmas roupas que pouco tempo antes tinham parecido elegantes naquele momento lhe pareciam baratas e inadequadas. Será que tudo não passava de uma brincadeira? Por outro lado, desde o início a mulher sabia que ele era sueco, e praticamente não existia ninguém que conhecesse seu passado.

Os dois entraram num bar um pouco mais adiante na rua e pediram duas margueritas. Ele deixou a mulher falar e assim conseguiu algumas pistas. Ainda não sabia o nome dela e não tinha coragem de perguntar, mas ela disse que era responsável — ao menos em parte — por um fundo da indústria farmacêutica no Deutsche Bank.

"Você consegue imaginar o salto que isso foi para mim, comparado com o tipo de merda que o Ivar me dava para fazer?"

Ivar, pensou Dan, Ivar, cujo sobrenome talvez fosse Ögren, como o nome da corretora de valores Alfred Ögren, onde ela tinha trabalhado fazia pouco tempo e havia uma mulher chamada Malin Frode, vista como uma concorrente.

"Ouvi dizer que você e a Malin andaram se encontrando", ela disse.

Dan respondeu de forma indireta:

"Não exatamente... para dizer a verdade, não."

Ele dava respostas indiretas para tudo, apesar de ter contado a verdade sobre como havia surgido o convite para tocar com Klaus Ganz. Tudo graças aos contatos que tinha, disse. Às recomendações de Till Brönner e de Chet Harold.

"Eu toquei com eles em Nova York. O Klaus conseguiu o impossível", ele disse.

Era uma resposta apropriada e, claro, uma bobagem. Não tinha sido nada difícil ser contratado para uma banda de jazz. Apesar de tudo, Dan tinha plena consciência da própria competência musical.

"No violão, Leo? Você é mesmo admirável. Acho que poderia tocar qualquer coisa. Quando foi que você começou?"

"Na adolescência", ele disse.

"Achei que a Viveka só queria saber de piano e violino."

"Eu tocava escondido."

"Mas você deve ter aproveitado os estudos de piano. Não que eu seja uma especialista, mas reconheci algumas partes do solo que você tocou. Lembro de quando ouvi você tocar na casa do Thomas e da Irene. Tive a mesma sensação, foi o mesmo transe."

A mesma sensação ao piano? Do que ela estava falando? O que significava aquilo? Dan queria perguntar, para obter mais pistas, mas não teve coragem. Passou a maior parte do tempo em silêncio, sorrindo enquanto a ouvia. Às vezes fazia um comentário inocente ou falava sobre coisas que havia lido. Uma delas — e devia haver uma razão para ter escolhido essa história — foi que o tubarão-da-groenlândia podia chegar aos quatrocentos anos de idade por viver a vida em câmera lenta.

"Que triste", ela disse.

"Mas, pense, são anos e anos", ele rebateu com um tom cômico na voz, e ela riu.

Aos poucos Dan foi se encorajando e chegou até a fazer previsões sobre o desempenho da Bolsa, "com a atual pressão sobre o capital e os juros tão baixos".

"A Bolsa vai subir", disse. "Ou então cair."

Com mais esse comentário divertido, ele fez uma descoberta: gostava de assumir um novo papel, com isso expandia sua personalidade, podia se movimentar em novos espaços. Dan viveu momentos de liberdade, o papel o ajudava a penetrar num mundo até então fechado para ele, repleto de dinheiro e de possibilidades. Podia ser a bebida, podia ser a maneira como a mulher o olhava, o fato é que ele continuou cada vez mais falante e começou a gostar das associações que fazia e das ideias que lhe ocorriam.

Acima de tudo, queria ser visto na companhia de uma mulher como aquela. Tinha adorado sua finesse indescritível, que não se reduzia às roupas, à joia e ao sapato. Havia também as pequenas expressões, os pequenos gestos, o ceceio, o modo confiante de falar com o *bartender*, de ver o mundo. A simples força de sua presença era capaz de conferir dignidade a Dan. Olhou para o quadril, para as pernas e os seios dela e sentiu que a desejava. Ele a beijou no meio de uma frase, demonstrando mais iniciativa do que teria tido como Dan Brody. Já fora do bar, apertou seu sexo contra o corpo dela.

No quarto do hotel onde ela estava hospedada — o Adlon Kempinski, junto ao Portão de Brandemburgo —, possuiu-a com força e atrevimento. Suas inibições ao fazer amor desapareceram, e ela falou coisas maravilhosas depois. Dan disse coisas encantadoras sobre ela e se sentiu feliz — como um vigarista depois de um grande golpe, mas feliz. Talvez um pouco apaixonado também — não apenas pela mulher, mas igualmente por sua nova personalidade. Ele não conseguiu dormir e pensou em fazer buscas no Google sobre as pessoas que ela havia mencionado, para entender o que estava acontecendo, mas depois achou melhor esperar até ficar sozinho. Pensou em fugir assim que amanhecesse, mas não poderia agir de forma tão insensível com aquela mulher. Ela estava linda enquanto dormia seu sono tranquilo, como se até nos sonhos pertencesse a uma estirpe refinada. Ela possuía uma mancha vermelha no ombro; Dan tinha gostado de cada pequena marca que viu no corpo dela.

Um pouco antes das seis horas, ele a abraçou e sussurrou um agradecimento no ouvido dela. Avisou que precisava ir embora, que tinha um compromisso. Ela disse que não havia problema e deu-lhe um cartão de visita. Seu nome era Julia Damberg, e prometeu que "logo, logo" iria telefonar para ele. Dan se vestiu, saiu do apartamento, desceu até a rua e fez sinal para um táxi.

Enquanto voltava para casa, pesquisou sobre a corretora de valores Alfred Ögren no celular. O diretor executivo era o tal Ivar Ögren, e o sujeito tinha todo o jeito de ser um filhinho de papai convencido. Era do tipo imponente, só que com papada e olhinhos úmidos. Sua aparência não significava nada, claro, não passava de um detalhe daquela trama. Logo abaixo havia uma fotografia do outro sócio da corretora, o analista-chefe Leo Mannheimer, e aquela imagem... quase nocauteou Dan.

Por um bom tempo ele se negou a acreditar. Era loucura demais, mas lá estava *ele* na fotografia. Ou melhor, não era *ele*. No entanto o homem da foto era tão parecido com Dan que ele se sentiu zonzo, soltou o cinto de segurança e se inclinou para a frente a fim de ver seu rosto no espelho retrovisor do táxi.

Aquilo tornava o assunto mais complicado. Na hora Dan percebeu que sabia abrir um sorriso idêntico ao do analista-chefe da Alfred Ögren. Reconheceu os vincos no canto da boca, as rugas na testa, o olhar, o nariz, os cachos de cabelo, tudo, tudo, até mesmo a postura, ainda que o rapaz da fotografia parecesse mais bem-vestido do que ele e usasse um terno sem dúvida mais caro que o de Dan.

De volta ao quarto no hotel, continuou a pesquisar. Por algum tempo, deixou tudo de lado, começou a praguejar, a balançar a cabeça, como se não pudesse acreditar na revelação que ficava cada vez mais clara para ele, se descontrolou. Os dois eram inacreditavelmente parecidos. Apenas o ambiente em que viviam era diferente. Leo Mannheimer pertencia a um mundo refinado, a outra classe social. Estava a anos-luz de distância de Dan e ao mesmo tempo muito próximo. Não conseguia entender aquela descoberta, e a ligação musical que havia entre os dois o perturbava. Dan encontrou uma antiga gravação da Konserthuset, feita em Estocolmo. Leo devia ter vinte e poucos anos na época e sua expressão era tensa e solene. Tratava-se de um evento formal em que Leo era o artista convidado, e o lugar estava lotado.

Naquela época ninguém iria confundir os dois. Enquanto Dan tinha um estilo de vida boêmio, usava cabelo comprido e só andava de calça jeans e blusões, Leo era o mesmo sujeito alinhado da foto da Alfred Ögren, apenas um pouco mais jovem. O cabelo também era igual e o terno mais ou menos com o mesmo estilo de corte. Faltava apenas a gravata.

Com a fotografia na mão, os olhos de Dan se encheram de lágrimas. Chorou não apenas por se dar conta de que tinha um irmão gêmeo, mas também por toda a sua vida — pela infância difícil na fazenda, pelos maus-tratos e pelas exigências de Sten, pelo trabalho na lavoura, por seu violão quebrado no trapiche, pela fuga e a viagem a Boston, bem como pelos primeiros meses em que tinha vivido na miséria. Chorou por tudo aquilo que não sabia e pelo vazio que sentia. Mas, acima de tudo, chorou pelo que tinha ouvido. Por fim, pegou o violão e, com quinze anos de atraso, acompanhou seu irmão num duo.

Não era apenas a música triste — sem dúvida composta por Leo; era também sua sonoridade, as harmonias. Leo Mannheimer tocava com os mesmos arpejos que Dan usava naquela época, um semitom acima da tônica quando terminava a progressão de segunda, quinta e tônica. Exatamente como Dan, usava os antigos acordes diminutos em vez dos acordes menores com sétima e quinta diminuta ou sétima com nona diminuta de que a maioria dos músicos se valia, e com frequência parava na sexta nota do modo dórico.

Dan imaginava que a descoberta de Django e a busca de seu próprio caminho na música tinham sido algo único, muito distante da geração que havia crescido em meio ao rock, ao pop e ao hip hop. Mas de repente havia encontrado um jovem de Estocolmo que era a cara dele e a mesma harmonia e as mesmas escalas num mundo totalmente distinto. Era quase inconcebível, e os sentimentos que vieram à tona foram os mais variados — esperança, saudade, talvez amor também, mas acima de tudo admiração.

Ele tinha um irmão. Um irmão criado por uma família abastada de Estocolmo — uma situação inimaginável e profundamente injusta. Mais tarde, se recordaria de que a raiva e a fúria desde cedo estiveram presentes nele como uma força incontida. Naquele momento, mesmo sem ainda entender bem o que tinha acontecido, Dan começou a suspeitar do pessoal de Estocolmo, dos testes, das perguntas, das filmagens. Será que eles sabiam?

Claro que deviam saber. Enquanto tentava montar o quebra-cabeça, Dan pegou um copo e o atirou contra a parede. Depois procurou o número de Hilda von Kanterborg e telefonou para ela. Não podia ser muito cedo — ele, pelo menos, tinha a sensação de que as horas tinham passado rápido. Hilda von Kanterborg não parecia sóbria. Era de manhã, e ela já estava alterada ou sob a influência de alguma substância. Aquilo o irritou.

"Aqui é o Daniel Brolin", ele disse. "Lembra de mim?"

"Como é o seu nome?"

"Daniel Brolin."

Ele ouviu uma respiração pesada do outro lado da linha e depois — não deu para ter certeza — talvez medo em estado bruto.

"Daniel, querido... Claro que me lembro de você. Como estão as coisas? Ficamos muito preocupados sem receber notícias suas!"

"Você sabia que eu tenho um irmão gêmeo? Sabia?"

A voz dele se quebrou, e logo houve um silêncio na linha. Hilda se serviu de um copo, e o silêncio e a hesitação dela foram o bastante para ele entender que Hilda sabia — que aquele era justamente o motivo de todas as visitas que o pessoal de Estocolmo fazia à fazenda e das estranhas palavras: "Nosso dever é estudar e não interferir".

"Por que você nunca me disse nada?"

Hilda continuou calada e Dan repetiu a pergunta num tom mais agressivo.

"Eu não podia", ela sussurrou. "Eu tinha assinado um termo de sigilo."

"E umas folhas de papel são mais importantes do que a minha vida?"

"Foi um erro, Daniel, um erro! Eu não trabalho mais naquela organização. Fui expulsa por fazer críticas demais."

"Então aquilo era uma organização."

Dan se desesperou, não sabia mais o que dizer, conseguiu apenas ouvir a pergunta:

"Você e o Leo se encontraram?"

Naquele instante foi como se o chão cedesse sob seus pés, provavelmente pela maneira familiar como Hilda se referiu a ele e a Leo, como se para ela o assunto fosse corriqueiro, enquanto para Dan era um verdadeiro terremoto.

"Ele sabe?"

"O Leo?"

"É, o Leo!"

"Acho que não, Daniel, acho que não. Mas não posso mais falar sobre esse assunto. Não posso mesmo. Já falei mais do que devia."

"Mais do que devia? Eu te liguei um dia no meio de uma crise, quando eu não tinha nada, ninguém em quem me apoiar, e o que você me falou? Nada. Você simplesmente me deixou crescer sem saber nada sobre a coisa mais importante da minha vida. Você me roubou..."

Dan não achava as palavras, não encontrava nada para dizer que estivesse à altura do que ele sentia.

"Me desculpe, Daniel, me desculpe", balbuciou Hilda.

Dan soltou um grito incompreensível, bateu o telefone na cara dela e pediu cerveja pelo serviço de quarto. Um monte de cerveja. Primeiro precisava controlar os nervos e pensar com clareza, saber de que forma iria entrar em contato com Leo. Sabia, desde aquele instante, que era o que devia fazer. Marcar um encontro? Mas como? Será que devia escrever, telefonar? Ou aparecer de surpresa? Leo Mannheimer era rico, era diferente de Dan, com certeza mais feliz e mais durão. Talvez — Hilda tinha sugerido essa possibilidade — já soubesse que tinha um irmão gêmeo e não tenha querido procurá-lo. Quem sabe sentisse vergonha do seu gêmeo pobre e grosseirão? Era bem possível.

Dan voltou à página da corretora de valores Alfred Ögren para dar mais uma olhada na fotografia de Leo. Não havia uma sugestão de insegurança naquele olhar? Dan achava que sim, e aquilo lhe deu um pouco de coragem. Talvez Leo não fosse tão esnobe. Lembrando-se de como tinha sido fácil, no fim, conversar com Julia na noite anterior, começou a devanear, a imaginar como seria estar diante de seu irmão. Dan sentiu a raiva diminuir e em seguida as lágrimas voltaram.

O que fazer? Digitou o próprio nome no buscador do Google, para encontrar áudios de apresentações suas. Por fim achou um vídeo de seis meses antes. Ele tinha acabado de cortar o cabelo e estava num clube de jazz de São Francisco tocando o solo de "All the Things You Are", com o mesmo tipo de sonoridade adotada por Leo na Konserthuset. Depois escreveu um longo e-mail e anexou aquela gravação à mensagem. Ainda se lembrava das primeiras linhas:

Caro Leo, meu querido irmão gêmeo,
Meu nome é Dan Brody e eu sou violonista de jazz. Até hoje de manhã eu não fazia a menor ideia da sua existência, e estou tão emocionado e tão abalado com essa descoberta que mal consigo escrever.

    Não quero ser um incômodo para você nem criar nenhum tipo de mal-estar. Não peço nada, nem mesmo que você me responda. Eu quero apenas te dizer que tomar conhecimento da sua existência e descobrir que você toca o mesmo tipo de música que eu foi a coisa mais importante que aconteceu na minha vida.

    Não sei se você tem interesse pela minha vida, como eu passei a arder de curiosidade pela sua desde que te descobri, mesmo assim eu gostaria de contá-la. Você chegou a conhecer nosso pai? Ele era um bêbado imprestável, mas tinha um talento musical impressionante. Nossa mãe morreu logo depois de dar à luz. Deve ter sido um parto difícil, talvez porque fôssemos gêmeos, mas eu nunca soube de mais detalhes...

Dan escreveu vinte e duas páginas, porém não teve coragem de enviar o e-mail. Em vez disso, telefonou para Klaus Ganz e disse que uma pessoa de sua família tinha morrido. Depois comprou uma passagem de avião para Estocolmo, num voo marcado para a manhã do dia seguinte.

Era a primeira vez que Dan voltava à Suécia depois de dezoito anos. Soprava um vento gelado, a neve caía. Era 10 de dezembro, e a cidade festejava a entrega dos prêmios Nobel. As decorações de Natal já enfeitavam as ruas, e Dan olhou admirado ao redor, para Estocolmo, a cidade linda de sua infância. Estava nervoso, mas também cheio de expectativa, como um menino. Mesmo assim, demoraria cinco dias até ele criar coragem para fazer contato com seu irmão gêmeo. Passou algum tempo vivendo como a sombra de Leo Mannheimer, como um *stalker*.

15. 21 DE JUNHO

Bashir Kazi tinha uma barba longa e desgrenhada e estava de calça cáqui e colete branco de caçador. Seus braços tinham uma aparência bruta e musculosa. Do ponto de vista físico, era uma visão impressionante. Ele via televisão jogado no sofá e, depois de examinar Lisbeth com um olhar cheio de desprezo, pareceu não se importar mais com a presença dela. Com um pouco de sorte, estaria dopado. Lisbeth deu um passo na diagonal, para garantir uma distância segura, e bebeu um gole do seu cantil de uísque. Bashir sorriu e olhou para Khalil.

"Quem é essa puta que você trouxe pra casa?"

"Eu nunca vi essa mulher na vida. Ela simplesmente bateu aqui na porta e falou de um filme que eu devia ver. Tira ela daqui!"

Khalil estava com medo de Lisbeth, isso era evidente. Mas sentia mais medo ainda do irmão, o que devia ser uma vantagem para Lisbeth. Ela deixou a bolsa com o computador em cima de uma cômoda cinza junto à porta.

"Quem é você, garota?", Bashir perguntou.

"Ninguém muito especial", ela respondeu, sem causar nenhuma reação nos dois.

Bashir se levantou e bocejou, talvez apenas para causar alguma impressão, mostrar o quanto andava farto de garotas atrevidas.

"Por que você quis voltar pra cá?", ele perguntou a Khalil. "Aqui só tem mulher vadia e idiota."

Lisbeth deu uma olhada em volta. Era um quarto e sala com uma pequena cozinha à direita, um apartamento com poucos móveis e bagunçado, com roupas jogadas por toda parte. Havia uma cama suspensa, um sofá de couro e uma mesa de centro. Ao lado da cômoda ela viu um taco de *bandy* apoiado na parede.

"Vamos parar com essas generalizações", disse Lisbeth.

"O que foi que você disse?"

"Você fez uma generalização bem grosseira, hein, Bashir?"

"Como é que você sabe o meu nome?"

"Acabei de sair da prisão e trago notícias da sua amiga Benito."

Foi um blefe. Ou não, pois Lisbeth já havia se convencido de que os dois mantinham contato. Bashir ficou atento ao que ela disse, Lisbeth notou que Benito não era um nome desconhecido para ele. Foi possível ver uma faísca naqueles olhos velados.

"E que notícias seriam?"

"Uma notícia em vídeo. Quer ver?"

"Depende."

"Acho que você ia se acalmar", disse Lisbeth enquanto pegava o celular e fingia ter problemas para operá-lo. Na verdade, ela digitou dois ou três comandos e se conectou à infraestrutura da República dos Hackers. Em seguida deu um passo à frente e olhou firme nos olhos de Bashir.

"Como você sabe, a Benito gosta de agradar os amigos. Mas alguns aspectos precisam ser discutidos."

"Como o quê?"

"Aquilo é uma prisão, o que por si só já é um problema, mas você foi muito eficiente em conseguir contrabandear um canivete lá pra dentro do pavilhão. Parabéns."

"Vá direto ao assunto."

"O assunto é a Faria."

"O que tem ela?"

"Como vocês tiveram a coragem de tratá-la daquele jeito?"

"Como é que é?"

"Vocês foram uns porcos."

Bashir parecia confuso.

"Que diabos você está dizendo?"

"Porcos. Canalhas. Cachorros. Desgraçados. Existem várias palavras diferentes para definir vocês, só que todas são insuficientes quando a gente leva em conta a situação real. Vocês deviam ser punidos, não acha?"

Lisbeth esperava alguma reação, porém subestimou a força com que ela veio. Não previu o surto de fúria desencadeado logo depois da confusão inicial de Bashir. Sem nem mais um segundo de hesitação, ele a atingiu com um soco no queixo. Com dificuldade para se equilibrar, Lisbeth se esforçou para manter o celular firme na mão direita, na altura do quadril, com a tela apontada para o rosto do agressor.

Ela disse:

"Você parece meio alterado."

"Você não viu nem a metade!"

Ela levou outro soco e cambaleou para trás, sem tentar se defender — nem mesmo ergueu a mão para evitar o golpe. Bashir a encarou furioso e surpreso. A boca de Lisbeth estava ensanguentada, mas ela não quis perder a chance:

"Você acha mesmo que foi uma boa estratégia matar o Jamal?", perguntou.

Bashir desferiu mais um soco, e dessa vez Lisbeth manteve-se de pé com dificuldade. Ela ficou bem zonza, sacudiu a cabeça para não desmaiar e nesse instante viu os olhos assustados de Khalil muito perto ela. Será que o garoto também ia atacá-la? Não havia como ter certeza, não era fácil interpretar a atitude corporal dele. Lisbeth torceu para que Khalil permanecesse imóvel, pois seu corpo magro despertava compaixão nela.

"Você acha que foi uma boa estratégia?", ela repetiu, encarando Bashir com a expressão mais zombeteira que foi capaz de exibir.

Bashir estava possesso, desvairado, exatamente como ela queria.

"Foi uma estratégia tão boa que você nem consegue entender, sua burra!"

"Por quê?"

"Porque ele usou a Faria como se ela fosse uma puta!", Bashir gritou. "Uma puta! Foi uma desonra para nós."

Lisbeth levou uma bofetada, e agora já não sabia se estava conseguindo manter o celular na posição correta.

"Mas nesse caso a Faria também devia morrer, não é?", ela balbuciou.

"Como uma porca, uma ratazana. Não vamos desistir enquanto ela não queimar no inferno."

"Ótimo", disse Lisbeth. "Assim tudo fica mais claro. Você quer ver o meu filme agora?"

"Por que eu ia querer ver?"

"Porque senão a Benito vai ficar muito chateada, e você sabe como isso não é bom. Com certeza já deve ter entendido essa parte."

Bashir hesitou — dava para perceber seu dilema através do olhar e também de seu braço, que tremia. Mas essa indecisão não fez muita diferença, pois ele continuava furioso e fora de si, e Lisbeth não ia aguentar muitos golpes mais. Ela fez uma estimativa rápida, mediu a distância com os olhos, fez cálculos, tentando antecipar a cadeia de consequências. Será que uma cabeçada seria eficaz? Ou o melhor seria uma joelhada entre as pernas? Um contra-ataque? Por fim decidiu dar a impressão, por mais algum tempo, de estar quebrada e vencida. Não foi necessário muito esforço. O soco seguinte, mais forte que os anteriores, atingiu um lado de seu rosto, rasgando o lábio superior de Lisbeth e provocando um estrondo em sua cabeça. Mais uma vez ela cambaleou.

"Me mostra", ele bufou.

Lisbeth limpou a boca, tossiu sangue e se atirou no sofá de couro.

"O filme está no meu celular", disse.

"Tudo bem, então me mostra", disse Bashir enfurecido, sentando-se ao lado dela. Lisbeth começou a mexer no celular, parecendo distraída.

Nesse instante, Khalil também se aproximou, o que ela achou ótimo. Sem se apressar nem querer parecer hábil demais com os dedos, Lisbeth digitou os comandos necessários e logo o código foi exibido na tela. O nervosismo dos irmãos era visível.

"Que porra é essa?", perguntou Bashir. "O celular quebrou? Que merda de telefone é esse?"

"Não, não", disse Lisbeth. "Está tudo certo. Agora o filme está sendo enviado para uma *botnet*, está vendo? Agora eu vou nomear o arquivo, clicar em *Command* e *Control* e distribuí-lo."

"Como assim?"

Lisbeth sentiu um cheiro leve de suor.

"Eu explico: uma *botnet* é uma rede de computadores hackeados e infectados com vírus — com cavalos de troia. O procedimento é ilegal, mas bem prático. Só que antes de explicar mais eu gostaria que a gente assistisse o filme. Eu mesma ainda não vi. É um filme sem nenhum tipo de script. Esperem mais um pouco... Pronto!"

O rosto de Bashir apareceu na tela. No sofá, ao lado dela, ele parecia confuso, como um garoto que não tivesse entendido uma questão difícil.

"Que merda é essa?", ele perguntou.

"É você, não está vendo? A barba está um pouco malfeita e a imagem meio trêmida. É que é difícil gravar com o celular perto do quadril. Mas as cenas estão ficando cada vez melhores, cada vez mais intensas. Olha como você bate com força! E agora... preste atenção. Parece que você está admitindo ter matado o Jamal Chowdhury!"

"Que porra é essa, que porra é essa?"

No vídeo, Bashir dizia, aos gritos, que Faria devia morrer como uma porca e uma ratazana e depois queimar no inferno. Em seguida começava a tremer, gritava mais palavras ofensivas e desferia novos socos, que não apareciam direito no vídeo. A maior parte das imagens mostrava apenas o teto e as paredes do apartamento.

"O que foi que você fez?", perguntou Bashir, berrando. Em seguida deu um murro na mesa de centro.

"Calma, calma", disse Lisbeth. "Não precisa ficar em pânico."

"Como assim? Responde, sua vagabunda!"

"Por enquanto é certeza que a maioria da população mundial não recebeu o arquivo", ela disse. "Eu diria que menos de cem milhões de pessoas devem ter recebido, e muitas vão achar que é spam e vão deletar o vídeo sem assistir. Mas como eu dei ao arquivo o nome de Bashir Kazi, os seus amigos vão ver, depois a polícia vai ver, depois a Polícia Federal, depois os amigos dos seus amigos, enfim, todo mundo vai acabar assistindo. Talvez o vídeo até viralize na internet. Nunca se sabe. A internet é um lugar muito louco. Eu mesma nunca consegui entender direito o que acontece por lá."

Bashir dava a impressão de ter perdido a sanidade, sua cabeça fazia movimentos bruscos e espasmódicos.

"Eu sei que parece bem ruim", disse Lisbeth. "Não é fácil mesmo lidar com esse tipo de publicidade. Me lembro da primeira vez que uma fotografia minha apareceu nas bancas de jornal. Para dizer a verdade, ainda não me recuperei direito. Mas a boa notícia é que existe uma saída."

"Como?"

"Já vou explicar. Antes eu só quero…"

Lisbeth aproveitou o desespero de Bashir, seu abatimento, e, com uma rapidez incrível, segurou a cabeça dele e a bateu duas vezes contra a mesa de centro antes de se levantar.

"Você pode fugir se quiser, Bashir", ela disse. "Quem sabe consiga correr mais depressa do que a sua vergonha."

Bashir a olhava paralisado e confuso, seu braço direito tremendo. Ele levou a mão à testa.

"Pode dar certo", disse Lisbeth. "Não por muito tempo, mas por algum tempo. Você pode correr, correr, como o seu irmão, embora não tão rápido quanto ele, porque você está meio gordo, não é? Mas, de um jeito ou de outro, você vai conseguir se arrastar."

"Eu vou te matar", disse Bashir à meia-voz. Em seguida se levantou, como se fosse investir sobre Lisbeth. Mas ele mesmo não parecia convencido do que disse e começou a lançar olhares rápidos em direção à porta e à janela.

"É melhor você se apressar", sugeriu Lisbeth. "Acho que está na hora de você ir embora."

"Eu vou te achar", ele bufou.

"A gente se vê depois então."

A voz de Lisbeth era fria e monocórdia. Ela deu um passo em direção à cômoda e à parede, se virou de costas, dando a Bashir toda a chance de se jogar sobre ela. Mas ele ficou tão espantado quanto ela havia esperado. O celular dele começou a tocar.

"Com certeza é alguém que recebeu o vídeo. Mas não tem problema; é só não atender e andar pela cidade de cabeça baixa", ela disse.

Bashir resmungou uma ameaça e se aproximou dela. Mas não conseguiu fazer mais do que isso. Lisbeth pegou o taco de *bandy* apoiado na parede e o atingiu no pescoço, no rosto e na barriga.

"Esta é pela Faria", disse.

Bashir se encolheu e foi atingido por outro golpe, porém dessa vez conseguiu se levantar. Com passos vacilantes, cruzou a porta, desceu a escada em meio à penumbra e saiu à rua sob o sol da tarde.

Lisbeth ainda segurava o taco na mão. Atrás dela, Khalil Kazi estava paralisado ao lado do sofá de couro, com sua roupa de corrida e tênis vermelho, olhos arregalados e boca aberta. Era um adolescente de corpo perfeito. Seu olhar era de pavor, e ele não representava nenhuma ameaça. No entanto, podia fugir e depois perder a cabeça — Annika tinha alertado para o risco de suicídio. Lisbeth manteve-se atenta à porta quando olhou para o relógio.

Eram quatro e vinte da tarde, e ela foi olhar sua caixa de e-mails. Nem Bublanski nem Farah Sharif tinham respondido. Encontrou uma mensagem de Annika: Ótimo, parece muito promissor. Mas agora vá para casa!

Com a respiração ofegante, Khalil não tirava os olhos de Lisbeth. Parecia prestes a falar.

"É você, não é?", ele balbuciou.

"Quem?"

"Aquela garota dos jornais."

Lisbeth fez um gesto afirmativo com a cabeça.

"Mas agora nós temos um filme para assistir", ela disse. "Não é tão emocionante, porque é sobre gestos da mão."

Ela encostou o taco de *bandy* na parede, pegou a bolsa com o computador em cima da cômoda e pediu que Khalil se sentasse no sofá. O garoto estava pálido e suas pernas pareciam bambas. Ele obedeceu e sentou.

Lisbeth fez um relato breve e objetivo sobre o reconhecimento de movimentos e a rede neural profunda, sobre a corrida que ele fizera minutos antes e sobre a gravação feita pelas câmeras da estação de metrô. Na hora percebeu que Khalil já havia entendido tudo. O corpo dele se enrijeceu e o garoto começou a balbuciar palavras incompreensíveis. Lisbeth sentou ao lado dele, abriu os arquivos, mostrou para ele e tentou explicar. Mas Khalil parecia paralisado, incapaz de absorver as informações, e limitava-se a contemplar o monitor. O telefone dele tocou e ele olhou para Lisbeth.

"Atenda", ela disse.

Khalil pegou o celular e, pela reverência em sua voz, foi possível notar que se tratava de alguém por quem ele tinha profundo respeito. Era o imã Ferdousi, que estava nas redondezas — talvez graças a Annika. O imã perguntava se poderia fazer uma visita a eles. Lisbeth achou que não faria mal nenhum e assentiu com a cabeça. As confissões eram justamente o campo de atuação do imã, e Annika também tinha feito comentários elogiosos a ele.

Não muito tempo depois, bateram na porta. Um homem alto e elegante, de olhos pequenos, barba comprida e turbante vermelho entrou no apartamento. Fez um aceno de cabeça para Lisbeth e depois se virou para Khalil com um sorriso melancólico.

"Olá, meu rapaz. Há alguma coisa que você queira me contar?"

As palavras do imã estavam pesadas de tristeza, e por um instante todos ficaram em silêncio. Lisbeth sentiu um desconforto repentino e não soube ao certo o que fazer. Por fim se levantou.

"Acho que aqui não é um lugar seguro", disse. "Sugiro que vocês dois conversem na rua ou então na mesquita."

Ela os deixou sem nem se despedir e desapareceu na penumbra da escadaria, levando seu computador.

Dezembro, um ano e meio antes
Dan Brody estava sentado num banco no Norrmalmstorg. Tinha chegado a Estocolmo naquele dia. A neve havia parado de cair, o céu estava frio e claro, e ele usava um casaco preto, óculos escuros e um gorro de lã cinza que cobria sua testa. Estava lendo um livro sobre a falência do banco Lehman Brothers. Queria conhecer mais de perto o mundo em que seu irmão vivia.

Estava hospedado no albergue Af Chapman, em Skeppsholmen, um antigo barco reformado, onde um quarto custava seiscentas e noventa coroas por noite, mais ou menos o que ele podia pagar. No caminho, havia recebido dois ou três olhares de pessoas que pareceram tê-lo reconhecido, o que foi doloroso, como se Dan não fosse mais ele mesmo, e sim a cópia empobrecida de outra pessoa. Ele, que pouco tempo antes era um músico blasé acostumado a todas as coisas do mundo, de repente voltou a se sentir como o menino interiorano de Hälsingland com complexo de inferioridade em relação às pessoas de Estocolmo. Na Birger Jarlsgatan, tinha entrado numa loja de roupas e comprado os óculos escuros e o gorro cinza para tentar passar despercebido.

Ainda pensava o tempo inteiro em qual a melhor forma de abordar Leo, se por um texto de e-mail — com o link do seu vídeo anexado ou não? —, se devia telefonar... Mas ainda não reunira coragem suficiente. Decidiu ir ver Leo primeiro, por isso tinha ido se sentar em frente à corretora de valores Alfred Ögren, no Norrmalmstorg, para esperar Leo Mannheimer sair do trabalho.

Viu Ivar Ögren aparecer com passos firmes e impacientes, entrar numa BMW com vidros escurecidos e ir embora com ares de estadista, de dignitário.

Leo, no entanto, permanecia na empresa, provavelmente num dos últimos andares daquele prédio de tijolos aparentes. Dan tinha telefonado para lá e perguntado por ele em inglês. Informaram que Leo estava em reunião, mas não demoraria para acabar. Toda vez que a porta do edifício se abria, Dan tinha um sobressalto. A escuridão já havia caído sobre Estocolmo e um vento cortante soprava da orla. Logo ficou frio demais para Dan continuar lendo ali fora.

Ele se levantou e se pôs a andar de um lado para o outro pela esplanada, massageando a ponta dos dedos sob as luvas de couro. Nada aconteceu. O tráfego da hora do rush foi diminuindo aos poucos e ele olhou para o restaurante com janelas grandes no outro lado da esplanada. Lá dentro, os clientes sorriam e conversavam, e Dan se sentiu solitário. A vida parecia deixá-lo sempre para trás. Ouvia os sons vindos do restaurante como se fossem o burburinho de uma festa para a qual não tinha sido convidado, pensando em como sempre ficava de fora.

Nesse instante Leo surgiu, e Dan jamais se esqueceria desse momento. O tempo deu a impressão de parar, o campo de visão de Dan se estreitou e tudo ficou em silêncio. Mas não foi apenas um acontecimento feliz — não em meio ao frio e às luzes alegres do restaurante. Ver Leo serviu apenas para tornar a dor ainda maior. Leo era dolorosamente parecido com ele. Andava da mesma forma, exibia o mesmo sorriso, movimentava as mãos do mesmo jeito e tinha as mesmas linhas nas bochechas e sob os olhos. Tudo era idêntico — e também era como se ver num espelho mágico. O homem que andava um pouco à frente *era* e não era ele.

Leo Mannheimer era o que Dan poderia ter sido, e quanto mais ele olhava para o outro, mais diferenças encontrava. Não eram apenas o casaco, o sapato e o terno caro, mas também o vigor dos passos, o brilho no olhar. Leo Mannheimer parecia emanar uma confiança que Dan nunca tinha sentido, e isso o incomodou e fez com que começasse a respirar com dificuldade. Seu coração batia forte no peito.

Dan olhou para a mulher que caminhava ao lado de Leo com o braço em volta da cintura dele. Ela parecia inteligente, sofisticada, e dava a impressão de estar realmente apaixonada por Leo. Ela riu, os dois riram juntos, e Dan concluiu que aquela era Malin Frode, sobre quem Julia havia falado com uma ponta de ciúme. Dan ficou paralisado, sem coragem de se aproximar deles, simplesmente ficou observando os dois avançarem em direção à Biblioteksgatan. Em seguida começou a segui-los, sem entender por quê. Caminhava devagar, guardando uma boa distância.

Percebeu que não corria o risco de ser descoberto, pois Leo e a mulher estavam completamente distraídos um com o outro. Logo os dois sumiram no caminho para Humlegården, rindo alto. As risadas se espalharam ao redor, e Dan sentiu o corpo pesado, como se o despojamento e a fugacidade daquela alegria o tivessem pregado ao chão. Depois parou de segui-los com o olhar e voltou para o albergue, sem lhe ocorrer nem por um segundo como as aparências podiam ser enganosas, sem se dar conta de que muitas vezes ele mesmo também era visto daquela forma — como um afortunado.

A vida muitas vezes parece mais bonita quando vista de longe. Mas naquela época ele não sabia disso.

Mikael estava indo para Nyköping. Levava uma bolsa carteiro no ombro, um bloco de anotações, um gravador e, a pedido de Lotta von Kanterborg, três garrafas de vinho rosé. A irmã dela, Hilda, estaria hospedada sob o nome de Fredrika Nord no Hotel Forsen, às margens do Nyköpingsån. Mostrara-se disposta a falar, desde que certas condições fossem observadas. As garrafas de vinho eram uma delas.

Outra era que o encontro fosse cercado de sigilo absoluto. Hilda sentia-se perseguida, sensação que não havia diminuído nem um pouco depois do que Mikael comentara com sua irmã; as notícias a tinham feito praticamente sair dos trilhos de vez. Por isso Mikael não tinha contado a ninguém sobre sua viagem — nem mesmo a Erika.

Naquele momento, estava sentado num café próximo à estação central de Estocolmo, esperando por Malin. Achava importante falar com ela, precisava reexaminar algumas evidências, reavaliar suas teorias, para ver se o todo parecia mesmo coeso. Malin chegou dez minutos atrasada, de calça jeans e blusa azul, suada, mas ainda assim com uma aparência encantadora.

"Desculpe", ela disse. "Ainda tive que deixar o Love na casa da minha mãe."

"Ele podia ter vindo junto. Só tenho umas poucas perguntas a fazer."

"Eu sei. Mas depois vou precisar fazer outras coisas."

Mikael deu um beijo rápido em Malin e foi direto ao assunto.

"Quando encontrou o Leo no Fotografiska, você pensou em alguma outra coisa, notou alguma outra diferença além da mudança dele de canhoto para destro?"

"Como o quê?"

Mikael olhou para o relógio da estação.

"Como a marca de nascença dele estar do outro lado ou que o redemoinho do cabelo dele tenha virado para outra direão — afinal, o Leo tem uma cabeleira e tanto."

"Mikael, você está me assustando. O que significa isso?'

"Estou levantando a história de gêmeos univitelinos separados ao nascer, é tudo que posso te contar por enquanto, e não quero que você comente isso que eu disse com ninguém, tudo bem?"

Por um instante Malin pareceu apavorada e pôs a mão no braço de Mikael. "Então você acha que..."

"Por enquanto eu não acho nada, mas estava pensando..." Ele hesitou. "Gêmeos univitelinos são geneticamente iguais, ou quase iguais. Afinal, em certa medida todos nós sofremos alterações genéticas, pequenas mutações."

"Fale logo o que você quer dizer."

"Antes deixe eu te apresentar uns dados, senão tudo vai realmente parecer incompreensível. Os gêmeos univitelinos nascem de um único óvulo fertilizado, que em seguida divide-se no útero. O que importa, nesse caso, é saber quando a divisão acontece. Se o óvulo se divide depois do quarto dia a contar da fertilização, os gêmeos compartilham uma placenta única, o que aumenta o risco para os fetos. Mas se o óvulo se divide depois de uma semana ou mais, com frequência em menos de doze dias os fetos se tornam gêmeos espelhados. Vinte por cento de todos os gêmeos univitelinos do mundo são gêmeos espelhados."

"E o que isso significa?"

"Que eles são idênticos, são a imagem espelhada um do outro. Um é destro, enquanto o outro é canhoto, por exemplo; em alguns casos até o coração de um deles pode estar do lado direito do corpo."

"Então o que você está dizendo é que…"

Malin balbuciou as palavras e Mikael acariciou o rosto dela para tranquilizá-la.

"A minha teoria pode estar equivocada", ele disse. "E mesmo que não esteja, mesmo que a pessoa com quem você falou no Fotografiska não tenha sido o Leo, e sim o gêmeo espelhado dele, não há crime nisso, não se trata de um caso de identidade falsa, como em O *talentoso Ripley*. Talvez os dois tenham apenas trocado de lugar para se divertir um pouco, experimentar coisas novas. Não quer ir comigo até a estação de trem? Estou com um pouco de pressa."

Malin continuou imóvel na cadeira, como que petrificada. Depois se levantou e acompanhou Mikael até a estação, caminhando em meio às lojas de ambos os lados até os dois chegarem à plataforma onze. Mikael contou que estava indo a Linköping a trabalho; queria reduzir ao máximo o número de hipóteses. E continuou:

"Eu li muito material sobre gêmeos univitelinos que se conheceram somente adultos, que passaram a vida toda sem saber que tinham um irmão gêmeo. Esses reencontros são descritos quase sempre como fantásticos. Dizem que não pode haver reunião de pessoas mais transformadora. Imagine só! Você sempre pensou ser uma pessoa única no mundo, e de repente aparece na sua frente outro alguém igualzinho a você. Dizem que os gêmeos univitelinos que se conhecem na idade adulta não querem mais parar de conversar, eles ficam falando sobre tudo: seus talentos, defeitos, hábitos, gestos, memórias, tudo, tudo. Eles se curam juntos, crescem juntos a partir dali, sentem-se mais felizes do que antes. Muitas dessas histórias me comoveram, Malin. Você mesma contou de uma época em que o Leo andava eufórico."

"É verdade, mas não durou muito."

"Eu sei."

"Depois ele viajou e perdemos o contato."

"Exato", disse Mikael, "também lembro disso. E depois você disse que notou algo diferente nele. Foi na aparência ou algum outro aspecto que possa me ajudar a entender o que aconteceu?"

Os dois pararam. Tinham chegado à plataforma e o trem já estava à espera.

"Eu não sei...", ela disse.

"Pense!"

"Tem uma coisa, talvez. Lembra quando eu disse que ele ficou noivo da Julia Damberg?"

"E que você ficou chateada, não foi?"

"Na verdade, não."

Mikael não acreditou muito no que ouviu.

"Mas admito que fiquei muito surpresa", ela disse. "A Julia já tinha trabalhado com a gente, como eu te contei, e o Leo nunca gostou dela. Depois ela se mudou para Frankfurt e por anos ninguém teve mais notícias dela. Aí, pouco antes de eu sair do banco, ela telefonou, querendo falar com o Leo. Acho que ele não acabou ligando de volta para ela, parecia constrangido, deu a impressão de que não queria conversar com ela. Mas o que me deixou surpresa foi um comentário que a Julia fez no telefone."

"Qual?"

"Ela perguntou se eu sabia que o Leo tocava violão melhor do que piano, disse que ele era um violonista muito talentoso. Como eu nunca tinha ouvido falar disso, perguntei ao Leo."

"E o que ele falou?"

"Nada. Simplesmente ficou vermelho e começou a rir. Foi na época em que ele estava radiante como o sol."

"É, acho que sim", disse Mikael, sem prestar muita atenção ao que Malin disse em seguida.

As palavras "violonista muito talentoso" não saíam de sua cabeça. Ainda pensava nisso quando se despediu de Malin e embarcou no trem.

Dezembro, um ano e meio antes

Dan manteve-se mais recolhido por dois ou três dias. Foi um período inquietante, em que ele passava o tempo lendo no quarto do albergue ou dando passeios rápidos e nervosos por Skeppsholmen e Djurgården. Às vezes ia correr vestido com seu abrigo de treino. À tarde bebia mais do que o normal no bar do barco onde funcionava o albergue e à noite dormia mal e escrevia sobre a vida em seu bloco encadernado em couro vermelho.

Na tarde da quarta-feira 13 de dezembro, Dan voltou ao Norrmalmstorg, ainda sem coragem de se aproximar de Leo. Na sexta-feira, pegou o violão e foi se sentar no banco próximo ao restaurante da esplanada. Mais uma vez nevava e ele sentia frio. A temperatura havia caído e seu casaco não era suficiente para ele enfrentar aquele tempo gélido. Mas ele não tinha dinheiro para comprar outro mais quente. Dan estava ficando sem dinheiro e também não aguentava mais continuar se apresentando em diferentes grupos de jazz para sobreviver. Só conseguia pensar em Leo, o resto parecia não ter importância.

Naquela sexta-feira, Leo saiu mais cedo do escritório. Usava um casaco azul-escuro de caxemira com um cachecol branco e andava a passos rápidos. Dan o seguiu um pouco mais de perto dessa vez, o que foi um erro. Em frente ao cinema Park, Leo se virou e correu os olhos ao redor, como se desconfiasse que estava sendo seguido. Porém não viu Dan. A rua estava cheia de pedestres, e, com o rosto coberto pelo gorro e pelos óculos escuros, Dan olhou depressa para o lado de Stureplan. Leo continuou andando e atravessou a Karlavägen.

Em frente à embaixada da Malásia, na Floragatan, Dan parou e viu Leo sumir depois de entrar no prédio onde morava. A porta se fechou com um baque e ele ficou ali parado no frio. Já havia esperado assim outras vezes e sabia como o tempo custava a passar. Somente depois de alguns minutos as lâmpadas do último andar se acenderam.

A luz cintilava como o brilho de um mundo mais belo. Às vezes ouviam-se as notas de um piano de cauda, e com frequência Dan reconhecia aquelas harmonias e sentia os olhos se encherem de lágrimas. Naquele momento sentiu um frio ainda mais intenso e praguejou em silêncio. Ao longe se ouviam sirenes. O vento soprava, Dan se aproximou da casa e tirou os óculos escuros. Ouviu passos às suas costas, era uma senhora de chapéu preto e capa verde-clara passeando com seu cachorro, levando um pug na coleira. Olhou amistosamente para ele.

"Sem vontade de ir para casa hoje, Leo?"

Por um instante, Dan olhou para ela, apavorado, depois riu, pensando numa resposta engraçada e espirituosa.

"Às vezes a gente não sabe bem o que quer da vida", disse.

"É verdade. Mas entre! Está frio demais para filosofar na rua."

A mulher digitou o código de segurança que abria o portão e os dois entraram juntos no prédio e aguardaram o elevador. Ela olhou para ele e perguntou, com um sorriso tranquilo:

"Que casaco velho é esse que você arranjou?"

Dan sentiu-se desconfortável.

"É um trapo velho", respondeu.

A mulher riu.

"Um trapo velho? É o que digo quando ponho o meu vestido de festa mais bonito e espero receber elogios!"

Dan se deu conta de que era preciso se adaptar à situação e decidiu rir daquilo também. Não disse mais nada, até que a mulher mordeu o lábio e o encarou com um olhar sério. Ele teve certeza de que ela havia descoberto aquela enganação, como se não apenas as roupas, mas também os modos desastrados dele houvessem revelado sua falta de estilo e de classe. A mulher disse:

"Me desculpe, Leo. Eu sei que estão sendo dias difíceis para você, mas como está a Viveka?"

Pelo contexto, Dan concluiu que "Bem" não seria uma resposta adequada.

"Mais ou menos", disse.

"Vamos torcer para que ela não sofra por muito mais tempo."

"Com certeza", Dan disse, e então percebeu que não iria suportar aquela viagem de elevador até o fim.

"Quer saber? Preciso me exercitar um pouco, vou de escada", ele disse.

"Ah, Leo, não me venha com essa! Você é mesmo danado. Mande um abraço para a Viveka, diga que tenho pensado nela."

"Pode deixar", ele disse, e então subiu depressa com o violão.

Ao se aproximar do apartamento de Leo, diminuiu os passos. Se Leo ouvisse tão bem quanto ele, seria preciso se manter quieto como um rato. Dan percorreu o último trecho com enorme cautela. Leo morava sozinho no último andar, o que era bom — parecia bem reservado. Fazendo o menor barulho possível, Dan se sentou no corredor com as costas apoiadas na parede. O que fazer? Seu coração batia com força, a boca estava seca.

O lugar tinha um cheiro de limpeza e de piso recém-encerado, e Dan notou um céu azul pintado no teto. Quem pinta um céu azul no teto de um fosso de escada? Mais abaixo ouviam-se passos, o arrastar de pés, vozes vindas das televisões, e de dentro do apartamento chegaram os sons de um banco sendo arrastado, de uma tampa sendo aberta e de teclas sendo tangidas. Um acorde de lá.

Eram notas graves e titubeantes, como se Leo não soubesse ao certo o que tocar. Mas logo se decidiu e começou a improvisar. Ou talvez não. Uma melodia enrodilhada e perturbada surgiu de repente e, exatamente como na antiga gravação da Konserthuset, Leo insistia em voltar à sexta da escala menor, num movimento quase obsessivo ou ritualístico, mas ao mesmo tempo refinado e maduro, que de certa forma evocava um sentimento de perda, de abandono. Ou pelo menos foi assim que Dan interpretou a melodia. Depois estremeceu.

Não soube explicar aquilo, o sentimento irrompeu de repente. Lágrimas começaram a escorrer por seus olhos, e ele tremia não apenas pela emoção musical; era também pelo parentesco das harmonias e pelo fato de Leo tocar com uma dor tão profunda, como se ele, que não era, afinal, um músico, soubesse expressar melhor a tristeza que os irmãos sentiam.

A tristeza que os irmãos sentiam?

Era um pensamento inusitado e que naquele instante lhe pareceu verdadeiro. Até então Leo havia parecido uma pessoa estranha, de um tipo diferente, mais afortunado do que Dan. Mas naquele momento Dan se viu no irmão e levantou-se com passos trôpegos. Tinha pensado em tocar a campainha, porém, em vez disso, tirou o violão do estojo e o afinou depressa para fazer o acompanhamento. Não foi difícil encontrar os acordes e seguir a melodia. A maneira como Leo empregava andamentos sincopados e transformava um fraseado de tercinas numa sequência de semicolcheias parecia a forma como o próprio Dan tocava. Ele se sentiu... em casa. Não saberia definir de outra forma. Era como se já houvesse tocado com aquele músico muitas vezes no passado, e continuou fazendo isso por vários minutos. Talvez Leo não tivesse a audição aguçada; talvez estivesse completamente absorto nos sons que produzia em seu piano. Difícil dizer o que ocorria do outro lado daquela porta.

Depois Leo se interrompeu no meio do tema, num sustenido ou num mi abafado. Mesmo assim, não se ouviram passos nem movimentos. Leo devia estar em silêncio absoluto, e Dan também ficou quieto e aguardou. Em seguida, ouviu uma respiração ofegante do lado de dentro e retomou a melodia; tocou-a um pouco mais depressa e depois introduziu uma variação sobre o tema original. Nessa hora Dan ouviu o banquinho do piano se arrastar no chão e passos a caminho da porta. Postou-se diante dela com o violão, sentindo-se um mendigo, um artista de rua que sem querer havia entrado num fino salão de música na esperança de encontrar aceitação. Mas claro... havia outras coisas em jogo também. Ele ardia de anseio e esperança e fechou os olhos ao ouvir a corrente da porta ser destrancada pelo que lhe pareceram dedos trêmulos.

A porta se abriu e Leo olhou para ele. A princípio, sem entender nada, de queixo caído e boca aberta, ele pareceu em choque. Em seguida, conseguiu perguntar:

"Quem é você?"

O que Dan poderia responder? O que dizer?

"O meu nome é...", começou.

Mas se deteve no meio da frase.

"... Dan Brody", disse. "Sou violonista de jazz e acho que somos irmãos gêmeos."

Leo não respondeu, seu rosto estava pálido e ele parecia prestes a cair de joelhos.

"Eu..."

Dan também não conseguia dizer nada, seu coração batia com força, as palavras não vinham. Em seguida disse:

"Eu... Eu..."

"O quê?"

Havia um desespero quase incontrolável em sua voz, e foi preciso resistir ao impulso de sair correndo dali. Ele continuou:

"Eu te ouvi tocar piano."

"E o que tem?"

"Naquele instante senti como se tivesse te conhecido a vida inteira, como se a parte de mim que estava faltando..." Não conseguiu terminar e não sabia se aquelas palavras representavam a verdade, ou sequer uma meia-verdade. Será que não passavam de fórmulas prontas e frases feitas?

"Eu não entendo", disse Leo. "Desde quando você sabe da minha existência?"

As mãos dele tremiam.

"Descobri há poucos dias."

"Eu não entendo", Leo repetiu.

"Eu sei, é difícil. Parece irreal."

Leo estendeu a mão, o que pareceu um gesto estranhamente formal naquela situação.

"Eu sempre...", disse.

Leo apertou os lábios. Suas mãos tremiam sem parar. "Senti a mesma coisa. Não quer entrar?"

"O quê?"

Dan assentiu com a cabeça e entrou no apartamento, o mais elegante em que ele já tinha estado na vida.

III. O GÊMEO DESAPARECIDO
21 A 30 DE JUNHO

Uma em cada dezoito gravidezes pode resultar em embriões gêmeos, mesmo que na maior parte dos casos um dos fetos morra no útero em razão da chamada síndrome do gêmeo desaparecido — SGD.

Outros perdem o irmão gêmeo depois do nascimento ou por causa de uma adoção ou de uma troca de bebês. Alguns reencontram-se na vida adulta, outros jamais. Os gêmeos univitelinos Jack Yufe e Oskar Stohr viram-se pela primeira vez em uma estação de trem da Alemanha Ocidental em 1954. Jack Yufe tinha vivido em um kibutz e trabalhado como soldado do Exército israelense. Oskar Stohr havia integrado a Juventude Hitlerista.

São muitos os gêmeos que sentem falta de seu par.

16. 21 DE JUNHO

Em Nyköping, Mikael foi caminhando ao longo do rio até o Hotel Forsen, uma construção simples de madeira e telhado vermelho — mais albergue que hotel. A beleza estava nas proximidades do rio. Na entrada havia a maquete de um engenho e nas paredes, fotografias de pescadores esportivos com botas de borracha.

Na recepção havia uma jovem loira, possivelmente contratada em caráter temporário para trabalhar no verão. Ela não devia ter mais do que dezessete anos e estava de jeans e camiseta vermelha, distraindo-se com o celular. Mikael temeu que ela o reconhecesse e espalhasse a notícia de que ele ia passar a noite na cidade. Mas o olhar indiferente da jovem o tranquilizou. Ele subiu dois lances de escada e bateu na porta cinza de número 214. Eram oito e meia da noite. Mikael ouviu uma voz hesitante no interior do quarto.

"Quem é?"

Ele se identificou e então ela abriu a porta. Por instantes Mikael precisou respirar fundo, pois Hilda von Kanterborg parecia desvairada. Tinha o cabelo desgrenhado e o olhar errante e nervoso, como o de um animal acuado. Seus seios eram fartos e os ombros e o quadril, largos. O vestido azul-claro mal servia para cobrir seu corpo, e suor escorria da testa e do pescoço. A pele estava toda manchada; parecia que alguém a tinha arranhado com um ancinho.

"Foi muita gentileza sua me receber", disse Mikael.

"Gentileza? Eu estou é morrendo de medo. As coisas que você falou para a Lotta me pareceram disparatadas."

Mikael não pediu que Hilda se explicasse melhor. Primeiro queria que ela se acalmasse e recuperasse o controle da respiração.

Tirou as garrafas de vinho rosé de sua bolsa e as depositou sobre a mesa redonda de carvalho junto à janela aberta.

"Lamento se as garrafas não estiverem muito frias", ele disse.

"Já enfrentei coisa pior."

Hilda foi buscar dois copos Duralex no banheiro e os colocou em cima da mesa.

"Você pretende ficar sóbrio ou bebe comigo?"

"Como for melhor para você", respondeu Mikael.

"Como todo bêbado gosta de companhia, você precisa beber também. Considere uma estratégia jornalística."

Ela encheu o copo até a borda e bebeu um gole demorado, para mostrar que não estava de brincadeira. Mikael olhou para a corredeira e para o céu que escurecia lá fora.

"Eu só queria garantir...", ele começou.

"Não queira garantir nada", Hilda o interrompeu. "Não tem como, e eu também não quero saber de nenhuma conversa metida sobre o direito que as fontes têm ao sigilo. Eu vou dizer o que vou dizer porque não quero mais ficar calada."

Hilda virou o copo e olhou Mikael nos olhos. Ela tinha certo charme. Havia nela alguma coisa de vulgar e permissivo que parecia libertadora.

"Tudo bem, eu entendo, e me desculpe por ter deixado você preocupada. Prefere ir direto ao assunto?"

Hilda fez um gesto afirmativo com a cabeça, e então Mikael pegou o gravador e o ligou.

"Claro que você conhece o Instituto Nacional de Biologia Racial", ela disse.

"Conheço, claro", ele respondeu. "Um órgão deplorável."

"É verdade, mas se acalme, sr. Repórter Famoso, porque não é tão emocionante quanto parece. Hoje em dia quase não se encontram mais biólogos que estudem raça na Suécia, e o instituto foi desativado em 1958, como você talvez também saiba. Menciono esse fato simplesmente para partirmos de uma linha, para que haja uma continuidade. No início eu não sabia. Quando comecei a trabalhar no Registro, imaginei que eu não faria nada além de trabalhar com crianças talentosas. Só que..."

Hilda bebeu mais um gole.

"... nem sei por onde começar."

"Fale o que quiser", disse Mikael. "Aos poucos vamos avançando." Hilda esvaziou mais um copo, acendeu um cigarro, um Gauloise, e se pôs a observá-lo.

"É proibido fumar aqui dentro", disse. "Eu poderia começar essa história falando sobre cigarros — sobre a suspeita, na década de 1950, de que eles talvez fossem prejudiciais. Havia cientistas que alegavam que o fumo era capaz de provocar câncer de pulmão. Você imagina uma coisa dessas?"

"É inacreditável!"

"Claro. E, como você deve imaginar, a ideia encontrou forte resistência. Era natural, segundo diziam, que os fumantes com frequência tivessem câncer de pulmão, mas isso não significava que a doença fosse causada pelo tabaco. Podia ser qualquer outra coisa. Porque comiam verduras demais, por exemplo. Não havia como provar nada. 'Médicos fumam Camel' virou um slogan conhecido na época. Humphrey Bogart e Lauren Bacall foram apresentados como argumentos convincentes da sofisticação que havia em fumar. Mesmo assim... a suspeita se enraizou e logo cresceu. O departamento de saúde pública do Reino Unido descobriu que a taxa de mortalidade por câncer de pulmão havia se multiplicado quinze vezes ao longo de duas décadas, e no Instituto Karolinska de Estocolmo um grupo de médicos decidiu investigar o assunto com a ajuda de gêmeos. Como você sabe, irmãos gêmeos são objetos ideais de pesquisa por causa do DNA idêntico, e em dois anos foi criado um registro no qual estavam catalogados mais de onze mil gêmeos. Eles foram questionados sobre hábitos relativos a fumo e bebida, e esse estudo acabou constituindo uma contribuição importante para a triste revelação de que, apesar de tudo, fumar e encher a cara não eram hábitos tão inofensivos como se queria acreditar."

Hilda deu uma risada melancólica, uma longa tragada no cigarro e mais um gole em seu vinho rosé morno.

"E não parou por aí", ela prosseguiu. "O Registro ficou mais completo. Novos gêmeos continuaram a aparecer e, entre eles, gêmeos que não moravam juntos. Na década de 1930, centenas de gêmeos foram separados ao nascer na Suécia, principalmente por causa da pobreza. Muitos se conheceram apenas quando adultos. Era um material científico de valor inestimável, e os cientistas começaram não apenas a pesquisar novas doenças e suas causas, mas também a querer respostas para a clássica pergunta: O que forma uma pessoa? Quanto dela é herdado e quanto se deve ao ambiente em que ela é criada?"

"Eu pesquisei sobre o assunto", disse Mikael, "e soube do Registro de Gêmeos da Suécia. Tudo que aconteceu por lá foi legítimo, não foi?"

"Claro. Pesquisas valiosas e importantes foram conduzidas lá. Estou apenas querendo situar você no contexto. Enquanto o Registro de Gêmeos crescia, o Instituto de Biologia Racial trocou seu nome para Instituto de Medicina Genética, que passou a fazer parte da Universidade de Uppsala. Jan Arvid Böök, último chefe do instituto, deixou a carreira de professor de biologia racial para se tornar professor de medicina genética. Na verdade não foi uma mudança apenas de nome e de semântica. Aos poucos esses homens começaram a se dedicar cada vez mais a uma atividade paralela à ciência. A velha frenologia e as baboseiras sobre a suposta pureza da raça sueco-germânica foram deixadas de lado."

"Os velhos registros sobre os roma e outras minorias ainda existiam?"

"Sim, mas existia coisa ainda pior."

"O quê?"

"A visão das pessoas. Podiam não existir raças melhores do que outras e talvez nem mesmo raças diferentes, mesmo assim... Alguns suecos de sangue puro ainda eram considerados mais esforçados e mais talentosos do que outros. Por quê? Talvez porque tivessem recebido uma educação sueca. Será que iríamos descobrir a maneira correta de criar um sueco realmente dedicado em vez de alguém que fuma cigarros Gauloise e enche a cara de vinho rosé?"

"Não parece uma boa ideia."

"Não, o espírito da época tinha dado uma guinada, e pessoas que já foram radicais numa direção tendem a se tornar radicais em outras direções, concorda? Logo o pessoal que trabalhava em Uppsala começou a acreditar em Freud e em Marx, assim como antes tinham acreditado nas teorias de biologia racial. O lugar chamava-se Instituto de Medicina Genética, afinal de contas, então dava para ver que eles não estavam subestimando a importância da nossa herança. Mas, acima de tudo, as pessoas começaram a levar em conta fatores sociais e materiais. Não há nada de errado com essa visão, claro, especialmente hoje, quando as divisões de classe são muitas vezes barreiras intransponíveis.

"Mas aquele grupo — liderado pelo professor de sociologia Martin Steinberg — estava convencido de que sofríamos uma influência mais ou menos sistemática do ambiente em que crescíamos. Certo tipo de mãe, aliado a fatores sociais e culturais específicos, produziria de forma quase automática determinado tipo de pessoa. Não é assim, nem de longe. As pessoas são bem mais complexas do que isso. Mas esses senhores resolveram conduzir experimentos para descobrir que tipo de educação e bagagem cultural resultariam num bom sueco. Assim, passaram a manter contato muito próximo com o Registro de Gêmeos e a acompanhar as pesquisas feitas por lá. E foi dessa forma que eles conheceram o psiquiatra americano Roger Stafford."

"Eu li a respeito dele."

"Mas nunca se encontrou com ele, certo? O Roger tinha um carisma impressionante. Sabia como animar qualquer ambiente e causou uma impressão muito forte numa das mulheres do grupo, chamada Rakel Greitz. Ela é psiquiatra, psicanalista e... Bem, eu poderia falar muita coisa a respeito da Rakel Greitz. E ela não só se apaixonou perdidamente por Roger Stafford como também ficou obcecada com as atividades que ele desenvolvia, e quis levá-las adiante. A certa altura — não sei bem quando —, ela e todo o grupo decidiram separar irmãos gêmeos de forma intencional, tanto gêmeos univitelinos como bivitelinos, e colocá-los em famílias diametralmente opostas. Como desde o início o objetivo era elitista — criar suecos refinados e excepcionais —, o grupo escolheu muito bem sua clientela. Procuraram meticulosamente em todos os recantos imagináveis. Entre outras coisas, consultaram o antigo registro ligado aos roma, ao povo das estrelas, aos sami e tudo mais, em busca de pessoas que nem mesmo os biólogos raciais tivessem pensado em esterilizar à força. Saíram atrás de pais altamente talentosos que houvessem tido gêmeos. Em suma, o objetivo — permita-me ser um pouco cética — era trabalhar com um material de primeira qualidade."

Mikael se lembrou do violonista virtuoso que Lisbeth havia mencionado.

"E uma dessas duplas de gêmeos era formada por Leo Mannheimer e Daniel Brolin?"

Hilda von Kanterborg permaneceu em silêncio, olhando para a rua.

"Era. E é por isso que estamos aqui, não é?", ela disse. "O que você contou para a Lotta parecia loucura: que o Leo tinha deixado de ser o Leo. Mas não acredito nisso, simplesmente não consigo. Sabe, o Anders e o Daniel Brolin, que são os nomes verdadeiros deles, pertenciam ao povo das estrelas. Os dois vieram de uma família com um talento musical inacreditável. A mãe deles se chamava Rosanna e era uma cantora extraordinária; ainda existe uma gravação dela. A Rosanna canta 'Strange Fruit', da Billie Holiday, com uma interpretação de doer no coração. Ela morreu poucos dias depois do parto, de febre puerperal. Não tinha nem começado o colegial, mas encontraram seu histórico escolar do ginásio, e suas notas eram altas em todas as disciplinas. O pai deles se chamava Kenneth, era maníaco-depressivo e também um gênio do violão, e não tinha nada de mau ou de frio: era apenas um neurótico incorrigível que não conseguia dar conta dos gêmeos. Por causa disso, os dois foram levados para um abrigo de Gävle, e foi lá que Rakel Greitz os encontrou e conheceu o talento dos dois. Não consigo nem imaginar como ela e o Martin Steinberg conseguiram encontrar famílias para todos aqueles irmãos gêmeos. Mas no caso do Anders — ou Leo, como o rebatizaram — e do Daniel foi especialmente horrível."

"De que maneira?"

"Foi uma injustiça. O Daniel passou anos no abrigo até acabar sendo adotado por um agricultor cruel, estúpido e sem nenhuma criatividade que morava nos arredores de Hudiksvall e que, mais do que tudo, quis o menino para ajudá-lo no trabalho no campo. No início, logo que Daniel foi para lá, havia uma mulher na casa, mas logo ela saiu de cena, e a partir de então se pode falar em trabalho infantil sem nenhum medo de errar. O Daniel e seus irmãos adotivos trabalhavam duro de sol a sol, sem nem sequer frequentar a escola. Já o Leo... o Leo foi adotado por uma família abastada e influente que morava em Nockeby."

"Herman e Viveka Mannheimer."

"Exato. O Herman, que era um sujeito decidido e firme, simplesmente pulverizou o segredo de Martin Steinberg antes de adotar o Leo. E para o projeto nada era mais importante do que manter sigilo sobre a origem dessas crianças, tanto sobre quem eram os pais adotivos como, sobretudo, sobre elas terem sido separadas de seu gêmeo. Mas o Herman Mannheimer não se dobrou, devia se sentir numa posição superior, ou ter influência sobre o grupo, e o Martin acabou cedendo. Apesar da obrigação de manter sigilo sobre o projeto, passou informações ao Herman, o que em si já seria bem ruim. O Herman começou a se questionar. Nunca tinha gostado de consertadores de panelas nem de pessoas errantes, como ele dizia, e sem que a Rakel ou o Martin soubessem ele foi se aconselhar com seu sócio Alfred Ögren."

"Entendo", disse Mikael. "E, sabe lá como, o Ivar também acabou descobrindo."

"É, mas isso foi bem mais tarde, quando o Ivar já tinha um ciúme antigo do Leo, que parecia a todos um menino bem mais esperto e promissor. E não podemos esquecer que o Ivar passava o tempo inteiro tentando encontrar maneiras de se impor sobre o Leo. Essa situação criou um campo minado em torno da família, e o meu colega Carl Seger foi chamado para ajudar."

"Mas se o Herman Mannheimer era mesmo um imbecil cheio de preconceitos, por que aceitou adotar o menino?"

"O Herman era apenas um velho reacionário, no sentido mais amplo da palavra, mas não tinha um coração maldoso, ou pelo menos eu acho que não, apesar do que aconteceu depois com o Carl. Já o Alfred Ögren era um porco, um racista típico. Ele aconselhou o Herman a abandonar tudo aquilo, e o projeto de adoção teria sumido, escorrido como areia entre os dedos, se não houvessem chegado relatórios apontando o desenvolvimento motor precoce do menino e outras qualidades impressionantes dele. E isso prevaleceu. A Viveka se encantou com ele."

"Então ele foi aceito pela família por ser precoce?"

"Foi o suficiente. O Leo tinha sete meses, olhos claros, e havia grandes expectativas sobre as capacidades que ele poderia vir a desenvolver no futuro."

"Nos arquivos pessoais do Leo, ele consta como filho biológico dos Mannheimer. Não sei como os pais conseguiram esse feito, já que ele foi adotado relativamente tarde."

"Os amigos e os vizinhos mais próximos sabiam da verdade. Mas para a família Mannheimer tinha passado a ser uma questão de honra Viveka ter um filho, ela se ressentia de não ter conseguido engravidar."

"E o Leo sabia que era adotado?"

"Ele descobriu, com sete ou oito anos. Quando os filhos do Ögren começaram a debochar dele, Viveka foi obrigada a contar. Mas ela pediu que ele guardasse segredo — em nome da honra da família."

"Entendo."

"Não foi fácil para a família."

"O Leo sofria com a hiperacusia."

"Ele também sofria com o que hoje chamamos de hipersensibilidade. O mundo lhe parecia um lugar hostil, por isso ele se fechou e acabou se tornando um menino extremamente solitário. Às vezes acho que o único amigo de verdade que ele teve foi o Carl. No começo, eu, o Carl e os outros jovens psicólogos não fazíamos ideia do que estava acontecendo, a gente apenas imaginava estar envolvido numa pesquisa com um grupo de crianças talentosas. Não sabíamos que elas tinham um irmão gêmeo. As equipes foram divididas de maneira a sempre ter contato apenas com um dos irmãos. Mas aos poucos começamos a entender que se tratava de gêmeos, e aceitamos — mais ou menos, eu diria. O Carl era quem mais tinha problemas com a ideia de que os gêmeos haviam sido separados de propósito — com certeza por causa de sua proximidade maior com o Leo. As outras crianças não sofriam com nenhum sentimento de perda ou de separação; mas com o Leo era diferente. Ele sabia que era adotado e, embora não soubesse que tinha um gêmeo univitelino, com frequência afirmava se sentir pela metade. Ouvir isso se tornou insuportável para o Carl. 'Eu não aguento mais', ele me disse um dia, e volta e meia queria saber sobre o Daniel: 'Ele também se sente assim?'. Eu respondia que ele também não vivia muito bem, que era muito sozinho e que às vezes dava sinais de estar deprimido. 'Precisamos contar para eles', o Carl me disse. Eu respondi que não havia como, que só íamos causar problemas para nós. Só que o Carl insistiu, e por fim cometeu o grande erro da sua vida: procurou a Rakel. O resto você já sabe…"

Hilda abriu a segunda garrafa de vinho, mesmo que a primeira ainda não estivesse vazia.

"Rakel Greitz", ela prosseguiu, "parece uma pessoa séria e correta, mas ela enganou o Leo. Os dois continuaram em contato todos esses anos, almoçavam juntos no Natal e tudo mais. Rakel é fria como gelo, e é por causa dela que eu estou aqui agora, hospedada sob um nome falso, bebendo com as mãos trêmulas. Ela manteve uma vigilância constante sobre mim todos esses anos, me bajulou, me ameaçou e o que mais você possa imaginar. Eu estava indo para casa quando a vi na rua e fugi para cá."

"E o Carl a procurou", disse Mikael.

"Ele se abriu com ela, disse que estava pensando em contar tudo ao Leo, custasse o que custasse. Poucos dias depois ele foi morto com um tiro na floresta, como se fosse um animal selvagem."

"Você está dizendo que foi assassinato?"

"Não sei. Sempre me recusei a pensar isso, sempre evitei admitir a mim mesma que eu pudesse ter me envolvido com uma organização capaz de matar alguém."

"Mas você suspeita disso, não suspeita?", Mikael perguntou.

Hilda não respondeu. Bebeu mais um gole de vinho rosé e olhou para a rua.

"Eu li o inquérito", Mikael prosseguiu. "Ele me pareceu bastante suspeito, e agora você me deu um motivo que só confirma isso. Não vejo outra explicação que não o envolvimento de todos eles nesse crime — Mannheimer, Ögren e Rakel Greitz, juntos. Eles correm o risco de ser descobertos e associados a uma organização na qual crianças que deviam crescer juntas eram separadas por... por um golpe de espada. Assim, viram-se obrigados a se livrar de uma ameaça que poderia arrastar todos para a lama."

Hilda von Kanterborg pareceu assustada e ficou algum tempo em silêncio.

"Mesmo assim o preço foi alto", disse. "O Leo nunca se recuperou. Apesar do dinheiro e de tudo que investiram nele, ele nunca foi feliz. Tinha pouca autoestima e não queria se envolver com a empresa da família, e ao mesmo tempo se via rodeado por cretinos como o Ivar."

"E o Daniel?"

"O Daniel era um pouco mais determinado, talvez por isso tenha sofrido um pouco mais. Enquanto o Leo se tornou um garoto que lia muito, bem instruído e musical por ter recebido incentivos, o Daniel chegou ao mesmo resultado por esforço próprio, em meio ao silêncio e ao menosprezo. Teve também outros problemas, sofria com as provocações dos irmãos adotivos, recebia castigos e sentia-se o tempo inteiro discriminado e marginalizado."

"O que foi feito dele?"

"Fugiu da fazenda e desapareceu do Registro. Mas como fui chutada pouco tempo depois, não tenho muita certeza sobre essa parte. Meu último contato com ele foi quando lhe mandei a indicação de uma escola de música em Boston. Desde então não tive mais nenhuma notícia…"

Mikael sentiu que alguma coisa tinha acontecido. Percebeu na maneira como Hilda passou a mexer no copo e em seu olhar dardejante.

"O que foi?"

"Eu estava em casa bebendo. Foi há um ano e meio, numa manhã de dezembro. Eu estava lendo o jornal e bebendo. De repente o telefone tocou. No Registro, a gente recebia ordens categóricas de jamais revelar nossa verdadeira identidade, mas eu… eu já bebia na época e acabei me esquecendo disso por umas duas ou três vezes, e também o Daniel já havia conseguido me rastrear muito tempo antes. Naquele dia ele me ligou do nada e disse que já sabia de tudo."

"De tudo o quê?"

"Que o Leo existia e que eles eram gêmeos univitelinos."

"Gêmeos espelhados, não é?"

"É. Mas disso ele ainda não sabia, e também não importava — pelo menos naquela hora. Ele estava alterado e perguntou se eu sabia. Por um bom tempo hesitei e, quando respondi que sim, ele ficou calado. Depois disse que jamais iria me perdoar e desligou. Eu queria gritar, cair no chão, morrer. Recuperei o número dele no visor do telefone e liguei. Atenderam num hotel em Berlim e disseram que não conheciam nenhum Daniel Brolin. Tentei encontrá-lo de todas as maneiras possíveis, mas não consegui."

"Você acha que ele encontrou o Leo?"

"Não, acho que no final não."

"Por quê?"

"Porque essas coisas sempre têm consequências. Muitos dos nossos gêmeos univitelinos acabaram se encontrando na idade adulta. É inevitável nessa era digital. Uma pessoa vê a fotografia de alguém no Facebook ou no Instagram, diz que se parece com essa ou com aquela pessoa, o boato se espalha e no fim a história acaba na mídia. Os jornalistas adoram esse tipo de assunto. Mas nenhum dos nossos gêmeos nunca conheceu o contexto maior. Sempre houve explicações falsas, preparadas desde o início, enquanto os jornais preferiam se concentrar no que havia de extraordinário e comovente nesses encontros. Ninguém nunca investigou a história dos gêmeos a fundo. Eu mesma ainda não entendo como você descobriu, sinceramente. Todos sempre foram muito cuidadosos com a questão do sigilo."

Mikael bebeu um gole de vinho rosé, mesmo que não gostasse muito da bebida, e pensou na melhor maneira de se expressar. Manteve o tom de solidariedade.

"Acho que você está confundindo o seu desejo com a realidade, Hilda. Muitas coisas parecem indicar que os dois se encontraram. Eu tenho um amigo bastante próximo do Leo. Por razões que não vêm ao caso, ele" — Mikael se referiu a Malin como "ele", por segurança — "começou a observar o Leo bem de perto e está convencido de que o Leo se tornou destro, como eu contei para a sua irmã. Além do mais, de um dia para o outro ele passou a tocar violão excepcionalmente bem."

"Então ele também trocou de instrumento!" Hilda permaneceu tensa na cadeira. "Você está insinuando que...", ela começou.

"Estou apenas perguntando que conclusão você tira, deixando de lado o seu desejo."

"Nesse caso eu... Se o que você está dizendo é verdade, eu diria que então o Leo e o Daniel trocaram de identidade."

"Por quê?"

"Porque..." Hilda parecia não achar as palavras. "Como os dois têm um temperamento profundamente melancólico e são extremamente talentosos, não seria difícil para eles trocarem de lugar. Talvez fosse uma experiência emocionante para os dois. O Leo — o Carl sempre dizia isto — sentia-se prisioneiro de um papel que não o agradava."

"E o Daniel?"

"Para ele... Não sei, mas com certeza deve ser incrível poder entrar no mundo em que o Leo vive."

"Você percebeu a fúria de Daniel ao telefone, não foi?", Mikael continuou. "Deve ter sido doloroso para ele descobrir que seu irmão gêmeo havia crescido numa família abastada, enquanto ele fazia trabalho braçal numa fazenda."

"Sim, mas..."

Hilda olhou para as garrafas de vinho rosé, como se temesse que elas não fossem ser o suficiente.

"Aqueles rapazes eram extremamente sensíveis e empáticos — eu e o Carl falávamos bastante sobre isso —, e também muito sozinhos. Com certeza foram feitos um para o outro, e se de fato acabaram se encontrando, imagino que tenha sido um momento fantástico, talvez o mais feliz e mais bonito da vida deles."

"Então você não acredita que coisas horríveis possam ter acontecido depois desse encontro?"

Hilda balançou a cabeça. Parecia mais um gesto para aliviar alguma tensão muscular do que de negação, Mikael pensou.

"Você contou para alguém que o Daniel te telefonou?"

A hesitação de Hilda von Kanterborg durou tempo demais. Mas não era fácil interpretá-la. Ela pegou a ponta do cigarro que tinha acabado de fumar e a usou para acender outro.

"Não", disse Hilda. "Eu já não tenho nenhum tipo de contato com o Registro. Com quem mais eu poderia ter falado?"

"Você falou que a Rakel Greitz te fazia visitas regulares."

"Eu jamais diria qualquer coisa a ela. Sempre tive o maior cuidado com aquela mulher."

Mikael perdeu-se em pensamentos. Depois assumiu um tom de voz mais duro do que pretendia.

"Você ainda precisa me responder sobre outra coisa", Mikael disse.

"Sobre Lisbeth Salander?"

"Como você sabia que era isso?"

"Não é exatamente nenhum segredo que vocês dois são próximos."

"Ela foi envolvida no projeto?"

"Lisbeth Salander foi o motivo das maiores preocupações da Rakel Greitz."

Dezembro, um ano e meio antes
Leo Mannheimer entrou em casa com aquele homem idêntico a si que vestia um casaco preto e puído com lapela de pele, calça social cinza e uma bota marrom que parecia já ter percorrido uns bons quilômetros. O homem tirou o gorro e o casaco e deixou o violão no chão. Seu cabelo estava mais desgrenhado que o de Leo, as suíças eram mais compridas e as bochechas mais coradas, detalhes que serviam apenas para realçar a semelhança impressionante entre os dois.

Era como se contemplar em outra criatura, e Leo começou a suar frio e a sentir náuseas. Percebeu que estava apavorado, era como se ele perdesse o chão. Olhou para as mãos e para os dedos do homem, depois para as próprias mãos e para os próprios dedos, curioso para ver o reflexo deles num espelho. Sentia vontade de comparar todos os detalhes, todas as rugas daqueles rostos. Mas, acima de tudo, queria encher o outro de perguntas — perguntas sem fim. Pensou na melodia que tinha ouvido no corredor e nas palavras que o homem dissera sobre se sentir pela metade — as mesmas palavras que ele sempre dizia. A voz de Leo estava embargada.

"Como é possível?", perguntou.

"Eu acho que...", disse o homem.

"O que você acha?"

"Que fizemos parte de algum experimento científico."

Leo mal conseguiu assimilar aquelas palavras. Lembrou-se de Carl e dos passos do pai naquele dia de outono, e de repente sentiu as pernas amolecerem. Acomodou-se no sofá vermelho sob o quadro de Bror Hjort. O homem se atirou na poltrona, e no simples movimento daquele corpo que afundava no sofá Leo viu um elemento muito familiar.

"Sempre tive esse pressentimento", disse Leo. "De que havia alguma coisa errada."

"Você sabia que tinha sido adotado?"

"A minha mãe me contou."

"E não fazia ideia de que eu existia?"

"Eu não fazia a menor ideia. Quer dizer..."

"O quê?"

"Eu pensei. Eu sonhei. Imaginei todo tipo de coisa possível. Onde foi que você cresceu?"

"Numa fazenda nos arredores de Hudiksvall. Depois emigrei para Boston."

"Boston", murmurou Leo.

Ele ouvia as batidas de um coração. A princípio achou que fosse o dele, mas era o coração daquele homem, do seu irmão gêmeo.

"Quer beber alguma coisa?", perguntou.

"Acho que estou precisando."

"Champanhe? Pode ser? Vai direto para o sangue."

"Parece bom."

Leo se levantou para ir até a cozinha, mas parou em frente à porta sem saber por quê. Estava confuso demais para entender o que estava fazendo. Então disse:

"Me desculpe."

"Por quê?"

"Fiquei chocado quando abri a porta e agora não me lembro mais do seu nome."

"Dan", respondeu o homem. "Dan Brody."

"Dan?", Leo repetiu. "Dan."

Em seguida pegou duas garrafas de Dom Pérignon e duas taças, e talvez não tenha sido ainda nesse momento que tudo começou. Por um bom tempo a conversa transcorreu de forma surrealista e às vezes até incompreensível. Mas a neve caía na rua e se ouviam os barulhos de uma sexta-feira à noite, risos, vozes, música vinda de carros e apartamentos. Os dois sorriram, ergueram seus copos e começaram a se abrir cada vez mais. Logo conversavam como nunca tinham feito na vida.

Falavam sobre tudo, e mais tarde nenhum dos dois conseguiria fazer um relato coerente da conversa e dos rumos que ela havia tomado. Cada novo assunto era interrompido por perguntas e histórias paralelas. Era como se as palavras não dessem conta de tudo que tinham a dizer — como se fosse impossível falar rápido o suficiente. A noite caiu, um novo dia chegou, os dois fizeram umas poucas interrupções para dormir, comer e tocar. Tocaram juntos por horas, e para Leo aquilo foi o mais importante.

Era um solitário. Tinha passado a vida tocando algumas horas por dia, sempre sozinho. Dan havia tocado com centenas de músicos amadores, profissionais, virtuosos, técnicos e músicos sensíveis — os que dominavam um único gênero, os especialistas em todos os gêneros e os que sabiam fazer modulações no meio de uma canção e prever mudanças de andamento. Ainda assim, nunca havia tocado com alguém que o entendesse de maneira tão intuitiva e tão direta. Os dois não estavam somente improvisando juntos; estavam conversando e trocando experiências através da música, e de vez em quando Leo subia na cadeira ou na mesa e fazia um brinde:

"Estou tão orgulhoso! Você é muito, muito bom!"

Tocar com seu irmão gêmeo foi uma alegria tão intensa que a própria capacidade musical dele se expandiu, o que resultou em solos mais ousados e mais criativos. Embora Dan fosse um músico mais hábil e mais talentoso, ele percebeu que a chama de sua música reacendia, e às vezes os dois chegavam a conversar enquanto tocavam.

Contavam histórias da vida de cada um pela primeira vez e descobriam padrões e sentidos que nunca haviam imaginado. Deixavam as histórias se misturar e ganhar as cores umas das outras. Verdade — embora Dan não percebesse — que nem sempre o sentimento de entusiasmo era recíproco. Às vezes Dan sentia inveja de Leo, ao recordar que ainda menino tinha passado fome. Lembrava-se da fuga da fazenda e das palavras de Hilda von Kanterborg: "Nosso dever é estudar e não interferir".

Sentia uma pontada de fúria nessas horas, e quando Leo reclamava de não ter seguido a carreira musical, por ter sido obrigado a se tornar sócio da Alfred Ögrens — obrigado a se tornar sócio! —, as injustiças pareciam maiores do que ele conseguiria suportar. Mas esses momentos eram exceções. Naquele fim de semana de dezembro, Dan viveu, acima de tudo, uma alegria profunda e intensa.

Foi um milagre encontrar não apenas um irmão gêmeo, mas também uma pessoa que pensava, sentia e ouvia como ele. Quanto tempo os dois passaram discutindo coisas como essas e tantas outras? Os barulhos! Falaram sobre o assunto como dois nerds, e foi uma sensação vertiginosa poder, enfim, se aprofundar naquele aspecto que ninguém conhecia melhor do que eles. Às vezes Dan também subia numa cadeira para fazer um brinde. Os dois prometeram manter contato, juraram se manter próximos. Fizeram juramentos belos e grandiosos, e também prometeram entender o que de fato havia acontecido com eles e por quê. Conversaram em detalhe sobre as pessoas que os tinham examinado na infância, sobre os testes, as filmagens e perguntas. Dan mencionou Hilda von Kanterborg e Leo falou de Carl Seger e de Rakel Greitz, com quem havia mantido contato ao longo dos anos.

"A Rakel Greitz", disse Dan, "como ela é?"

Leo citou a marca de nascença que ela tinha no pescoço, e o corpo inteiro de Dan se enrijeceu. Ele também havia conhecido Rakel Greitz, e aquele foi um momento decisivo. Já eram onze da manhã do domingo, daquele 17 de dezembro. A rua estava triste e escura, mas não nevava mais. Ao longe ouviam-se os roncos das máquinas de limpar neve.

"A Greitz não parecia uma bruxa?"

"Parecia meio fria", Leo disse.

"Ela me dava arrepios."

"Eu também nunca gostei dela."

"E mesmo assim você continuou em contato com ela?"

Leo respondeu como quem se defende: "Eu nunca consegui me impor diante dela".

"Todo mundo tem suas fraquezas de vez em quando", disse Dan em tom consolador.

"Com certeza. Mas também foi a Rakel quem me levou ao Carl. Ela sempre contava histórias sobre ele, o tipo de história que eu gostava de ouvir, acho. Tenho um almoço de Natal com ela na semana que vem. Num restaurante."

"Você já perguntou a ela sobre o seu passado?"

"Mil vezes, mas ela sempre responde…"

"… que você foi deixado num orfanato de Uppsala e que não conseguiram encontrar seus pais biológicos."

"Eu já telefonei para esse orfanato, e lá me confirmaram essa história."

"E como isso se liga com a história do consertador de panelas?"

"Ela disse que são apenas boatos."

"Nesse caso ela está mentindo."

"É o que parece."

O rosto de Leo se contorceu numa careta amarga.

"A Rakel Greitz parece ter sido a aranha que fiou essa teia, não acha?", Dan perguntou.

"Provavelmente."

"A gente devia fazer uma denúncia!"

Um desejo imenso de vingança tomou conta do último andar do

edifício da Floragatan, e quando a tarde de domingo se transformou em noite e a manhã de segunda-feira chegou, os dois irmãos haviam decidido adotar a discrição e não contar a ninguém sobre aquele encontro. Leo telefonaria para Rakel Greitz, convidando-a para almoçar na casa dele no Natal, em vez de num restaurante. Seria um ambiente seguro, e Dan permaneceria escondido num cômodo contíguo. Rakel Greitz aprenderia uma lição. Os irmãos tramaram um plano.

Hilda von Kanterborg esvaziava um copo de vinho atrás do outro e mesmo assim não parecia embriagada. Mas estava trêmula, e suor escorria de seu corpo. Ela tinha o pescoço e o peito molhados.

"A Rakel Greitz e o Martin Steinberg queriam gêmeos univitelinos e gêmeos bivitelinos no projeto, dois grupos necessários para efeito de comparação. Os nomes de Lisbeth Salander e da irmã dela, Camilla, constavam num dos registros do Instituto de Medicina Genética. As duas pareciam objetos de estudo ideais. Nenhuma tinha um respeito muito grande por Agneta e o pai delas era..."

"... um monstro."

"Um monstro talentosíssimo, se me permite acrescentar. Por isso as meninas eram tão interessantes. A Rakel Greitz queria separá-las, estava obcecada por essa ideia."

"Apesar de as meninas terem uma mãe e uma casa."

"Apesar disso. Não quero dar a impressão de que estou defendendo a Rakel, de jeito nenhum. Mesmo assim... Na época ela tinha argumentos de sobra, inclusive do ponto de vista humano. O Zalachenko, pai das meninas, era alcoólatra e violento."

"Eu conheço essa história de cor."

"Eu sei que você conhece. Mas ainda assim quero falar em nossa defesa. Era um lar infernal, Mikael, e não só por causa dos maus-tratos e dos estupros que o pai delas cometia. Ele sempre favorecia a Camilla, e o clima entre as duas irmãs foi péssimo desde o início. As duas parecem que nasceram para ser inimigas."

Mikael se lembrou de Camilla e do assassinato de seu colega, o jornalista Andrei Zander, e segurou seu copo de vinho com firmeza sem dizer nada.

"Na verdade havia razões — eu mesma pensei assim por certo tempo — para colocar Lisbeth em outra família", prosseguiu Hilda.

"Mas ela adorava a mãe."

"Eu sei, acredite, aprendi muito sobre aquela família. A Agneta ficava arrasada e sem ação quando o Zalachenko aparecia para espancá-la, mas era uma guerreira quando se tratava das filhas. Ofereceram dinheiro a ela, fizeram ameaças. Ela recebeu correspondências bem desagradáveis de órgãos do governo. Mesmo assim, se recusou a aceitar a situação. 'A Lisbeth vai ficar comigo', ela disse. 'Não vou entregá-la nunca.' Lançaram inúmeros ataques contra ela, o processo se arrastou, e no fim já era tarde demais para separar as meninas, especialmente naquela época. Mas para a Rakel o caso tinha virado uma questão de princípio, uma ideia fixa, então fui chamada para ajudar na mediação."

"E o que foi que aconteceu?"

"Para começar, a Agneta me impressionou. Ficamos muito próximas naqueles dias, nos tornamos praticamente amigas, e me empenhei de verdade para que ela ficasse com Lisbeth; fiz tudo que estava ao meu alcance. Mas a Rakel não se deu por vencida e, numa tarde, apareceu por lá com o leão de chácara dela."

"Quem é esse?"

"Um assistente social que trabalha para a Rakel faz uma eternidade. O Martin Steinberg se encarregou de manter os dois bem próximos. O Benjamin não é muito inteligente, mas é um brutamontes extremamente leal a ela. A Rakel o ajudou a atravessar alguns períodos difíceis, inclusive quando ele perdeu o filho num acidente de carro, e em troca ele faz tudo que ela pede. Hoje já deve estar perto dos sessenta anos, mas continua um homem muito alto, com mais de dois metros, incrivelmente bem treinado. De certa maneira ele é até simpático, tem um olhar triste e delicado e sobrancelhas grossas que às vezes o fazem parecer meio cômico. Mas se a Rakel pedir, ele pode agir com violência, e naquela tarde na Lundagatan..."

Hilda hesitou e bebeu mais um pouco de vinho rosé.

"O que aconteceu?"

"Era outubro e estava frio", ela disse. "Foi pouco depois da morte do Carl Seger na caça ao alce. Eu estava longe para comparecer à cerimônia fúnebre, e com certeza não pode ter sido coincidência. Foi uma operação planejada. A

Camilla tinha ido dormir na casa de um amigo e, na casa da Agneta, só estavam ela e Lisbeth. A Lisbeth tinha seis anos — o aniversário dela é em abril, não é? Ela e a Agneta estavam na cozinha, bebendo chá e comendo torradas. Em Skinnarviksberget caía uma tempestade."

"Como você soube de tudo isso?"

"Graças a três fontes: nosso relatório oficial, que provavelmente é a menos confiável, e o depoimento da Agneta. Passamos horas conversando depois que tudo acabou."

"E a terceira fonte?"

"A própria Lisbeth."

Mikael olhou espantado para Hilda. Sabia como Lisbeth era reservada sobre os acontecimentos de sua vida. Ele mesmo nunca tinha ouvido uma palavra sequer sobre o assunto, nem mesmo através de Holger.

"Como foi isso?", ele perguntou.

"Já faz dez anos", Hilda disse. "A Lisbeth queria saber mais a respeito da mãe, e eu contei tudo que sabia. Falei que a Agneta tinha sido uma pessoa forte e inteligente, e vi que a Lisbeth ficou feliz em saber disso. Passamos muito tempo conversando na minha casa em Skanstull, e no fim ela me contou essa história. Foi como levar um soco no estômago."

"A Lisbeth sabia que você trabalhava para o Registro?"

Hilda von Kanterborg abriu a terceira garrafa de vinho.

"Não", ela disse, "não fazia a menor ideia. Nem sabia o nome da Rakel Greitz. Ela pensava que tudo estava relacionado com a questão da guarda e com as medidas compulsórias dos órgãos de assistência social. Não sabia sobre as pesquisas com os gêmeos, e eu..."

Hilda encostou o dedo no copo.

"Você evitou a verdade."

"Eu precisava ter cuidado, Mikael, precisava manter sigilo, principalmente porque eu sabia o que tinha acontecido com o Carl."

"Entendo", disse Mikael, e entendia de verdade. Não devia ter sido fácil para Hilda von Kanterborg. Tinha sido um acontecimento importante o suficiente, para agora ela estar ali, fazendo uma confissão. Não seria necessário julgá-la.

"O que aconteceu?", ele perguntou.

"Naquela tarde na Lundagatan?"

"É."

"Estava caindo uma tempestade, como eu disse. O pai tinha estado na casa um dia antes, e Agneta estava cheia de hematomas, com dores na barriga e no ventre. Ela e Lisbeth bebiam chá na cozinha, aproveitando a companhia tranquila uma da outra. De repente a campainha tocou e, como você pode imaginar, as duas ficaram apavoradas. Acharam que era Zalachenko de novo."

"Mas era a Rakel Greitz."

"A Rakel e o Benjamin, o que na verdade não melhorava em nada a situação. Eles explicaram, com termos bastante formais, que estavam lá para buscar a Lisbeth, em conformidade com essa e aquela disposição legal, a fim de garantir a proteção dela. Mas a situação se complicou."

"De que maneira?"

"Para a Lisbeth aquilo era uma traição. Quando a Rakel apareceu e começou a aplicar testes e testes nela, a Lisbeth era muito pequena e confiou nela. Pode-se fazer muitas críticas à Rakel Greitz, mas ela tem mesmo uma aura de poder e de autoridade que ninguém questiona. Parece uma rainha, costas eretas e aquela marca de nascença no pescoço que parece uma chama. Acho que a Lisbeth tinha sonhado em receber ajuda da Rakel para manter o pai longe da casa delas. Mas no fim viu que ela era igual a todo mundo."

"Uma pessoa que simplesmente ia deixar que os maus-tratos e as agressões à sua mãe continuassem."

"Isso mesmo. E naquele momento a Rakel ainda queria levar Lisbeth dali para mantê-la em segurança. Justamente ela! A Rakel estava até com uma seringa com diazepam na mão, o plano era dopar a menina para levá-la. Mas a Lisbeth enlouqueceu. Mordeu a mão da Rakel, pulou em cima da mesa da sala, que estava encostada na parede, alcançou a janela e saltou para a rua. Elas moravam no primeiro andar, mesmo assim foi uma queda de dois metros e meio, e a Lisbeth não passava de uma menininha magra. Ela caiu de cócoras, mas ao se virar para a frente bateu a cabeça. Porém se levantou na hora e saiu correndo pelas ruas escuras, debaixo daquela tempestade, só de meia, calça jeans e camiseta. Lisbeth não parou de correr e seguiu em direção a Slussen e a Gamla Stan, até chegar ao Mynttorget e ao Palácio Real completamente encharcada e com o corpo gelado. Acho que naquela noite dormiu em alguma escadaria. Ficou desaparecida por dois dias." Hilda se calou. "Desculpe, mas..."

"O que foi?"

"Eu estou triste demais hoje", disse Hilda. "Será que você não pode ir até a recepção pedir umas cervejas geladas? Preciso beber alguma coisa melhor do que essa lavagem", ela concluiu, apontando para o vinho rosé.

Constrangido, Mikael olhou para ela e assentiu com a cabeça. Saiu do quarto e no corredor desceu a escada para ir falar com a garota da recepção. Para sua surpresa, fez mais do que pedir seis garrafas de Carlsberg; também enviou uma mensagem criptografada para Lisbeth, o que talvez não tenha sido uma grande ideia. Porém Mikael achava que devia explicações a ela.

Escreveu:

A mulher com a marca de nascença no pescoço que quis pôr você para adoção quando menina chama-se Rakel Greitz. Ela era psicanalista e psiquiatra, e também uma das responsáveis pelo Registro.

Depois voltou ao quarto de Hilda von Kanterborg com as cervejas para ouvir a continuação da história.

17. 21 A 22 DE JUNHO

Lisbeth estava no Operabaren, tentando comemorar a liberdade reconquistada. Mas não havia jeito. Um grupo de garotas com grinaldas de flores no cabelo fazia bagunça numa das mesas atrás dela, no que parecia ser uma despedida de solteira. As risadas incomodavam Lisbeth, que olhava para o Kungsträdgården. Um homem com um cachorro preto passou em frente à janela.

Ela tinha ido até lá por causa das bebidas e talvez pela atmosfera e pela agitação do lugar, mas não estava dando certo. Às vezes olhava para as pessoas alegres dali e pensava que também ela devia levar uma companhia para casa — um homem ou quem sabe uma mulher.

Ficou pensando nisso e numa porção de coisas enquanto olhava inquieta para o celular. Tinha recebido um e-mail de Hanna Balder, a mãe de August, o garoto autista com memória fotográfica que testemunhara o assassinato do pai e que Lisbeth havia escondido numa casa em Ingarö.

O garoto tinha enfim voltado para casa depois de uma longa temporada no exterior e, de acordo com sua mãe, estava "bem, em vista da situação", o que parecia bom, mesmo que Lisbeth não conseguisse tirar da cabeça aquele olhar vidrado que tinha presenciado e registrado bem mais coisas do que devia. Aqueles olhos pareciam escondidos atrás de um muro, e ela constatou, não sem certa tristeza, como alguns acontecimentos deixavam marcas indeléveis. Não havia como se livrar deles. O único jeito era tocar a vida, apesar de tudo. Lisbeth se lembrou da maneira como o garoto havia batido a cabeça contra uma mesa em Ingarö durante uma crise de frustração, e por instantes ela pensou que devia fazer o mesmo ali no Operabaren e bater a cabeça contra o balcão do bar. Mas se contentou em rilhar os dentes. Em seguida, percebeu que alguém se aproximava.

Um rapaz de terno azul e cabelo loiro-escuro com lábios de contornos marcados sentou-se ao lado dela e disse: "Nossa, você parece bem zangada", e em seguida fez um comentário sobre o corte nos lábios de Lisbeth, o que não foi exatamente uma boa ideia. Ela, porém, nem teve tempo de lançar um olhar aniquilador para o sujeito, pois naquele instante recebeu uma mensagem criptografada de Mikael, leu-a e ficou ainda mais tensa. Em seguida se levantou, deixou algumas notas de cem no balcão, esbarrou de propósito no homem e saiu do bar.

A cidade cintilava. Era uma tarde linda de verão para quem gostava dessas coisas, e ao longe se ouvia música. Mas Lisbeth não percebeu nada disso; parecia disposta a matar. No celular, digitou o nome que Mikael lhe mandara e descobriu que a identidade de Rakel Greitz estava protegida. Por si só, não era nenhum problema, porque todo mundo deixa rastros. Fazemos compras on-line, somos descuidados e informamos nosso endereço. Mas naquele instante, enquanto atravessava a Strömbron em direção a Gamla Stan, não havia nada que ela pudesse fazer, nem hackear o site de uma livraria qualquer onde Rakel Greitz tivesse feito compras on-line. Então Lisbeth se pôs a pensar em dragões.

Pensou em como, quando criança, tinha corrido por Estocolmo só de meia nos pés e chegado ao Palácio Real e a uma igreja que brilhava na escuridão: a Storkyrkan. Na época ela não sabia, simplesmente foi parar ali. Seu corpo estava gelado, os pés encharcados e ela quis se aquecer um pouco. Passou pelo obelisco, pelo pátio interno e entrou na igreja. Lá dentro, o teto era tão alto que parecia alcançar o céu, e Lisbeth se lembrou de ter ido até o fundo do edifício para evitar os olhares que lhe dirigiam. Foi nesse instante que viu a estátua que mais tarde descobriria ser famosa, a do cavaleiro São Jorge matando um dragão e ao mesmo tempo salvando uma virgem. Na época Lisbeth não sabia de nada disso nem ligaria se soubesse. Naquela tarde a estátua tinha outro significado para ela. Lisbeth viu um ataque. O dragão — a lembrança ainda era nítida — estava deitado de costas com uma lança atravessada no corpo, enquanto um homem de semblante indiferente e impassível o atacava de espada em punho. O dragão estava sozinho e indefeso, e Lisbeth pensou em sua mãe.

Tinha visto a mãe na figura do dragão e sentido em cada fibra do corpo o quanto gostaria de salvá-la ou então de assumir o lugar do dragão, para revidar, cuspir fogo, derrubar o cavaleiro da montaria e matá-lo, pois o cavaleiro não era outro senão Zala, seu pai. Ele era o mal que tinha destruído a vida delas. Isso, porém, não era tudo.

Havia outra pessoa representada na estátua — uma mulher que não se podia deixar de perceber, logo ao lado. A mulher tinha a cabeça cingida por uma coroa e as mãos estendidas para a frente, como se estivesse lendo um livro. O mais estranho era que ela parecia tranquila, como se, em vez de uma carnificina, estivesse admirando o campo ou o mar. Naquele momento, Lisbeth jamais poderia ter imaginado que a mulher representava a virgem salva pelo cavaleiro. A seus olhos, pareceu apenas uma pessoa fria e indiferente e com a mesma aparência da mulher com a mancha no pescoço de quem ela havia fugido, e que, como todo mundo, simplesmente permitia que os maus-tratos e os estupros continuassem em sua casa.

Era assim que Lisbeth achava que as coisas funcionavam. Não bastasse a mãe e o dragão serem torturados, o mundo assistia a tudo com total indiferença. Lisbeth sentiu repulsa pelo cavaleiro e pela mulher da estátua, e mais uma vez saiu correndo sob a chuva e a ventania, tremendo de frio e de raiva. Fazia muito tempo que isso tinha acontecido, mas tudo ainda parecia estranhamente próximo. Naquele instante, anos depois, enquanto atravessava a ponte que levava a Gamla Stan e à sua casa, repetiu o nome para si mesma: *Rakel Greitz*.

Enfim Lisbeth havia descoberto sua ligação com o Registro — uma ligação que vinha buscando desde que Holger tinha ido vê-la em Flodberga.

Hilda von Kanterborg abriu uma cerveja. Seu olho esquerdo se desviou um pouco e por instantes ela perdeu o rumo da conversa. Às vezes parecia arrependida, às vezes mais sarcástica, como se o álcool acentuasse sua ousadia.

"Não sei o que a Lisbeth fez ao sair da Storkyrkan, mas no dia seguinte estava pedindo esmolas na Estação Central e já tinha roubado um sapato grande demais para ela e um casaco na Åhléns. A Agneta estava fora de si e eu... eu estava indignada e disse que a Rakel iria colocar o projeto em risco se insistisse na ideia de mandar Lisbeth para adoção. No fim ela cedeu e deixou a Lisbeth em paz. Mas passou a odiá-la, e acho que de alguma forma foi responsável pela internação de Lisbeth no Sankt Stefans. Quando a trancafiaram lá."

"Por que você acha isso?"

"Porque o bom amigo dela, Peter Teleborian, trabalhava na clínica."

"Então os dois são amigos?"

"O Teleborian foi paciente da Rakel no divã. Os dois acreditavam em memórias reprimidas, nesse tipo de besteira; o Teleborian era leal a ela. O interessante é que a Rakel não apenas odiava a Lisbeth, mas também sentia medo dela. Acho que percebeu, antes de qualquer pessoa, as coisas de que Lisbeth era capaz."

"Você acredita que a Rakel Greitz esteja envolvida na morte de Holger Palmgren?"

Hilda von Kanterborg olhou para seu sapato, para os saltos. Do lado de fora, no trapiche, ouviam-se vozes.

"A Rakel não admite que nada atrapalhe o caminho dela. Sei disso melhor do que ninguém, porque a campanha de difamação que ela lançou contra mim quando eu decidi sair do Registro acabou comigo de várias maneiras. Mas assassinato? Não sei. Acho que não. Pelo menos *não quero* acreditar nisso. Como também não quero acreditar que..."

Uma careta se formou no rosto de Hilda.

"O que foi?", perguntou Mikael.

"... que tenha sido o Daniel Brolin. Ele é um rapaz muito frágil e muito talentoso, jamais faria mal a ninguém, muito menos ao seu irmão gêmeo. Aqueles dois nasceram para ficar juntos."

Mikael pensou que esse era exatamente o tipo de comentário que as pessoas costumavam fazer quando seus amigos ou conhecidos se envolviam em crimes horrorosos. *Não consigo entender. Não é possível. Não pode ter sido ele, não pode ter sido ela.* Mesmo assim, essas coisas aconteciam. A pessoa de quem não esperávamos nada além do bem acabava cegada pela raiva, e o impensável acontecia. Mas ele permaneceu calado e tentou não tirar conclusões precipitadas, afinal havia uma porção de cenários possíveis. Os dois passaram mais algum tempo conversando, acertaram uma forma de se comunicar nos dias seguintes e discutiram outros detalhes práticos. Mikael recomendou que Hilda tomasse cuidado e pegou o telefone para ver se havia um trem para Estocolmo naquela hora da noite. O próximo sairia em quinze minutos, então ele agradeceu mais uma vez, guardou o gravador, abraçou Hilda e seguiu depressa para a estação. No caminho, tentou mais uma vez entrar em contato com Lisbeth Salander. Já estava na hora de os dois se encontrarem, pensou.

No trem de volta para casa, assistiu a um vídeo tremido que sua irmã havia lhe mandado, no qual Bashir Kazi, enfurecido, admitia ser o responsável pelo assassinato de Jamal Chowdhury.

O vídeo tremido não só tinha viralizado como também deixado toda a delegacia da Bergsgatan em polvorosa, sobretudo porque no final dele havia uma complexa análise de movimentos da mão, enviada ao inspetor Jan Bublanski, da divisão de homicídios. As gravações eram a razão de um jovem de olhar assustado e físico de atleta estar sentado na sala de interrogatório do sétimo andar, ao lado do imã Hassan Ferdousi.

Bublanski já conhecia Hassan Ferdousi razoavelmente bem. O imã tinha sido ex-colega de sua companheira, Farah Sharif, e também uma das pessoas que, ao perceber a ascensão do antissemitismo e da islamofobia na Suécia, tentara promover uma aproximação maior entre as diferentes comunidades religiosas. Bublanski nem sempre concordava com as opiniões do imã, sobretudo no que se referia a Israel, mas tinha um profundo respeito por aquele homem, e o cumprimentou com uma reverência sincera.

Sabia que o imã havia contribuído de forma decisiva para a elucidação da morte de Jamal Chowdhury, o que já seria motivo de sobra para gratidão, mas ao mesmo tempo aquilo também significava um fardo, e não apenas por revelar a profunda incompetência de seus colegas. Bublanski já estava assoberbado de trabalho. Maj-Britt Torell tinha entrado em contato com ele e confirmado que havia recebido uma visita relacionada aos documentos que ela entregara a Holger Palmgren. Tinha sido uma visita de ninguém menos que o professor Martin Steinberg, um cidadão notável, que trabalhara no Serviço Nacional de Saúde e Bem-Estar e no governo. Martin Steinberg tinha dito a ela que outras pessoas haviam acabado mal por causa daqueles papéis e a fez jurar perante Deus e o saudoso professor Caldin que nunca mais falaria sobre aquilo com ninguém, e menos ainda sobre a visita de Steinberg, "em consideração à segurança dos antigos pacientes". Steinberg tinha levado os backups dela, armazenados em um pendrive. Maj-Britt Torell não sabia nada sobre o conteúdo dele, a não ser pelas anotações relacionadas com Salander. Bublanski não teve um pressentimento muito bom com essa história, principalmente porque Steinberg parecia estar incomunicável. O inspetor gostaria de continuar as investigações sobre a morte de Holger Palmgren, mas pelo menos no momento precisava deixá-las de lado. Tinha sido encarregado do interrogatório do jovem Kazi e estava decidido a fazê-lo pessoalmente, tivesse ou não tempo para aquilo. Bastava fazer e pronto.

Bublanski olhou para o relógio: quinze para as nove da manhã. Na rua fazia um dia ensolarado, mas ele não poderia aproveitá-lo. Olhou para o rapaz sentado em silêncio ao lado do imã, à espera do defensor público. Ele se chamava Khalil Kazi e tinha assumido a autoria do assassinato de Jamal Chowdhury, cometido em nome do amor que sentia pela irmã. *Em nome do amor?*

Era difícil de entender, mas Bublanski faria o esforço necessário. Era o seu quinhão nesta vida. As pessoas faziam coisas terríveis, e cabia a ele entender por que e levá-las a julgamento. Olhou para o imã e para o rapaz e, sem saber por quê, pensou no mar.

Mikael acordou na cama de casal de Lisbeth, no apartamento da Fiskargatan. Não era bem o que tinha imaginado. Culpa dele. Havia batido na porta de Lisbeth sem avisar e sido convidado a entrar com um aceno silencioso de cabeça. No começo os dois conversaram e trocaram informações. Mas o dia tinha sido um tanto agitado para os dois, e Mikael sentia-se exausto por tanta dedicação ao trabalho de jornalista. Limpou o sangue seco que havia nos lábios de Lisbeth e começou a fazer perguntas sobre o dragão da Storkyrkan. Já era uma e meia da manhã, o céu começava a clarear, e os dois continuavam sentados no sofá vermelho da Ikea.

"Foi por isso que você tatuou o dragão nas costas?", ele perguntou.

"Não."

Estava claro que Lisbeth não queria falar sobre aquilo, e Mikael não sentia a menor vontade de pressioná-la. Estava cansado e quando se levantou para ir embora, Lisbeth o puxou de volta para o sofá e pôs a mão em seu peito.

"Eu tatuei o dragão para que ele me ajudasse", ela disse.

"Ajudasse como?"

"Eu pensava nele enquanto estava amarrada na cama no Sankt Stefans."

"Você pensava no quê?"

"Que o dragão parecia derrotado com aquela lança cravada em seu corpo, mas que um dia iria se erguer para cuspir fogo e destruir os inimigos. Era nisso que eu pensava. E foi o que me ajudou a não desistir."

Os olhos de Lisbeth pareciam reluzir com um brilho escuro, perturbador, e os dois se olharam como se fossem se beijar. Mas nada aconteceu. Lisbeth voltou-se para seus pensamentos, observando a cidade enquanto um trem se aproximava da Estação Central. Contou que havia encontrado Rakel Greitz através de uma loja virtual de produtos de limpeza em Sollentuna. Mesmo preocupado, Mikael disse que era uma boa notícia. Logo depois, num contraste marcante com o calor do instante que tinham deixado passar, ele perguntou a Lisbeth se podia ir se deitar um pouco na cama dela. Lisbeth não fez objeção. Minutos depois ela também foi para a cama e não tardou a pegar no sono.

De manhã, Mikael ouviu barulhos na cozinha, se arrastou para fora da cama e ligou a cafeteira enquanto via Lisbeth tirar uma pizza havaiana do micro-ondas e sentar-se à mesa. Ele revirou a geladeira, não encontrou nada e soltou um palavrão. Mas em seguida se lembrou de que Lisbeth havia passado os últimos tempos na prisão, e sem dúvida tinha feito coisas mais importantes do que ir às compras em seu primeiro dia de liberdade. Deu-se por satisfeito com o café e sintonizou a P1 no rádio da cozinha. A cobertura sobre clima e meio ambiente estava no fim, e ele ouviu comentários sobre o recorde de calor na área de Estocolmo. Depois deu bom-dia a Lisbeth e recebeu um resmungo como resposta. Lisbeth estava de calça jeans e camiseta preta e não usava maquiagem, portanto o inchaço dos lábios e os hematomas em seu rosto estavam perfeitamente visíveis. Mikael recomendou que ela se cuidasse, e Lisbeth respondeu com um gesto afirmativo de cabeça. Logo depois os dois saíram juntos do apartamento e começaram a falar de seus planos. Separaram-se em Slussen.

Mikael iria até a corretora de valores Alfred Ögren.
Lisbeth iria procurar Rakel Greitz.

O defensor público Harald Nilsson sentou e começou a bater nervosamente com a caneta na mesa enquanto ouvia Khalil Kazi na sala de interrogatório. Às vezes a situação tornava-se insuportável para Bublanski. Khalil poderia ter sido um jovem de futuro brilhante. Em vez disso, tinha arruinado a sua vida e a vida de outras pessoas. Tudo havia ocorrido em outubro, pouco menos de dois anos antes.

Depois de fugir do apartamento em Sickla, Faria entrou em contato com Khalil para dizer que pensava em romper com a família. Disse, no entanto, que gostaria de se despedir dele, seu irmão caçula, e os dois combinaram de se encontrar na estação de trem Norra Bantorget. Khalil não contou a ninguém, como havia prometido à irmã, mas, desconfiados, os irmãos deviam tê-lo seguido, e arrastaram a irmã para dentro de um carro e a levaram de volta para o apartamento em Sickla. Faria foi tratada como um animal, passou os primeiros dias amordaçada com fita adesiva e com um pedaço de papelão pendurado no pescoço, onde estava escrito *puta*. Bashir e Ahmed bateram nela. Humilharam a irmã e permitiram que outros homens frequentassem o apartamento e fizessem a mesma coisa.

Com isso Khalil entendeu que Faria já não era vista como irmã ou sequer como uma pessoa. E calculou que o passo seguinte seria levá-la para algum canto fora do alcance da polícia e lavar a honra da família com o sangue dela. Às vezes discutia-se a possibilidade de salvá-la mediante o casamento com Qamar, mas Khalil não acreditava nessa solução. Faria tinha sido maculada e, além disso, como os irmãos poderiam tirá-la do país e ao mesmo tempo mantê-la sob controle?

Khalil estava certo de que à irmã só restava esperar a morte. Como também haviam tirado o celular dele e passado a tratá-lo como prisioneiro, Khalil não podia alertar ninguém. Cabia-lhe apenas se desesperar e torcer por um milagre, e um pequeno milagre de fato ocorreu — ou pelo menos um pequeno alívio. A corda foi retirada das mãos de Faria, o pedaço de papelão foi jogado fora e ela pôde voltar a tomar banho, comer na cozinha e andar pelo apartamento sem o véu. Ela também ganhou presentes, como se em vez de punição Faria merecesse uma recompensa por todo aquele sofrimento.

Os irmãos deram-lhe um rádio, e Khalil ganhou um aparelho Stairmaster usado, entregue por um conhecido de Huddinge. Aquilo lhe deu novo ânimo. Ele sentia falta dos treinos. A perda dos movimentos, da fuga que havia em suas passadas de corredor, havia intensificado a crise que Khalil vivia, e ele começou a treinar por horas e horas. Passava longos períodos no aparelho, e por fim começou a ver uma luz no fim do túnel, um raio de esperança, mesmo que ainda temesse o pior. Dias depois, Bashir e Ahmed entraram em seu quarto e sentaram-se na cama. Bashir tinha uma pistola na mão. Apesar daquilo, os irmãos não pareciam zangados. Os dois estavam usando camisas novas no mesmo tom de azul, sorriram para Khalil, e Bashir disse:

"Temos boas notícias!"

Faria poderia viver desde que alguém pagasse o preço. Do contrário, despertaria a ira de Alá e não conseguiria resgatar a honra da família, o que levaria a imundície a se espalhar, envenenando a todos eles. Cabia a Khalil escolher. Ou poderia morrer naquele instante com a irmã, ou então matar Jamal e assim salvar os dois. A princípio Khalil não entendeu. Ou fingiu que não tinha entendido, como ele mesmo admitiu, e simplesmente continuou treinando no Stairmaster. Mas não demorou para que os irmãos fossem lhe cobrar uma resposta.

"Mas por que eu? Sou incapaz de fazer mal a alguém", ele disse, fora de si.

Bashir explicou que Khalil era o único sem ficha na polícia e com boa reputação inclusive com os inimigos da família. E que, fazendo aquilo, iria também compensar a traição que havia cometido contra a família. Em determinado momento, naquele dia mesmo ou mais tarde, Khalil aceitou matar Jamal. Era um dilema insuportável e ele estava desesperado.

Amava a irmã e ele mesmo tinha sido ameaçado.

Bublanski, no entanto, foi incapaz de entender uma coisa: por que Khalil não havia procurado a polícia assim que foi solto para ir matar Jamal? Khalil garantiu que a ideia era justamente essa, buscar ajuda e denunciar os irmãos. Mas acabou paralisado ao ver como a ação tinha sido bem orquestrada. Havia outras pessoas envolvidas, islamitas que nunca o perdiam de vista e não desperdiçavam a chance de reafirmar o quanto Jamal era desprezível. Uma *fatwa* pesava sobre Jamal. Estava condenado à morte pelos religiosos ortodoxos de Bangladesh, e aos olhos daquelas pessoas ele era pior que os porcos, os judeus e os ratos que haviam trazido a peste. Representava tudo que existia de pior e de imundo, além disso tinha destruído a honra da família e de sua irmã. Passo a passo, Khalil foi sendo arrastado para a névoa e a escuridão, até por fim ser levado a fazer o impensável. Empurrou Jamal para os trilhos do metrô. Embora não estivesse sozinho no momento do crime, foi ele quem avançou para dar o empurrão fatal.

"Eu o matei", disse.

Faria Kazi estava na sala de visitas do prédio H da prisão feminina de Flodberga, tendo à sua frente a inspetora criminal Sonja Modig e a advogada Annika Giannini. A atmosfera era tensa, e pela segunda vez Annika mostrava o vídeo tremido no qual Bashir admitia ser o mentor do assassinato de Jamal. Annika explicou como a análise de movimentos devia ser interpretada e disse que Khalil tinha feito um relato detalhado e admitido ter empurrado Jamal para os trilhos do metrô.

"O Khalil achou que era a única forma de salvar você, Faria. E também a si mesmo. Ele disse que ama você."

Faria não respondeu. Sabia tudo sobre o assunto e sentia vontade de gritar: *Ele me ama? Pois eu o odeio!* E realmente odiava. No entanto não era uma verdade tão simples, por isso ela havia permanecido calada todo aquele tempo. Por mais que Khalil a tivesse feito sofrer, Faria tinha pelo irmão um instinto protetor. Certa vez tinha jurado à mãe proteger Khalil. Mas naquele instante não havia mais o que proteger, certo? Faria apertou os lábios, olhou para as duas mulheres e perguntou:

"A voz na gravação é da Lisbeth Salander?"

"Sim, é a voz da Lisbeth."

"Ela está bem?"

"Ela está bem. Mas apanhou por você."

Faria engoliu em seco, preparou-se e começou a falar. Uma expectativa nervosa tomou conta do ambiente, como sempre acontece quando uma testemunha ou um suspeito resolve se abrir depois de um longo período de silêncio. Annika Giannini e Sonja Modig se calaram e, por estarem profundamente concentradas, não ouviram o telefone interno tocar no corredor, nem os guardas, afoitos do lado de fora.

Fazia um calor insuportável na sala de visitas. Sonja Modig enxugou o suor da testa e por duas vezes repetiu a história que Faria Kazi havia contado, em duas versões idênticas, que, no entanto, não eram tão idênticas assim. Era como se estivesse faltando um pedaço.

"Então você achou que as coisas tinham melhorado. Achou que os seus irmãos estavam mais tolerantes, que talvez você fosse ter um pouco mais de liberdade, apesar de tudo."

"Eu não sei o que eu achei", ela disse. "Eu estava destruída. Mas eles me pediram desculpas, e o Bashir e o Ahmed nunca tinham se desculpado antes. Admitiram que haviam passado dos limites, que estavam envergonhados. Disseram que queriam que eu simplesmente vivesse uma vida respeitável e que eu já tinha recebido castigo suficiente. E me deram um rádio."

"Não lhe ocorreu que pudesse ser uma cilada."

"Eu pensava nisso o tempo inteiro. Já tinha lido sobre mulheres que são perdoadas e depois..."

"Depois são mortas."

"Eu sabia que o risco era grande, sabia interpretar a linguagem corporal do Bashir, então eu estava com medo. Eu mal tinha coragem para dormir. Sentia o tempo inteiro um nó na barriga. Pode ser que no fundo eu tenha me esforçado para me convencer de que tudo estava bem. Vocês precisam entender. Eu não teria aguentado se não pensasse assim. A falta que o Jamal me fazia era tão grande que achei que ia enlouquecer de verdade. Então o que eu fiz foi nutrir minha esperança. Eu imaginava que em algum lugar o Jamal estava lutando por mim. Então deixei o tempo passar e tentei me convencer de que as coisas estavam melhores. O Khalil tinha enlouquecido, ele não saía do Stairmaster. Era uma loucura. Eu ouvia os passos dele no aparelho a noite toda. Tum, tum. No fim acabei perdendo a cabeça por causa daquilo, eu não entendia como ele aguentava. Ele treinava praticamente o tempo inteiro, e de vez em quando vinha me dar um abraço e pedia mil vezes perdão. Eu disse que ia protegê-lo e fazer o possível para que o Jamal e os amigos dele cuidassem de nós, e de repente, sei lá... é difícil falar sobre isso agora."

"Tente ser mais clara. É importante", disse Sonja Modig de um jeito ríspido.

Annika Giannini olhou para o relógio e ajeitou o cabelo com um gesto brusco. Em seguida disse, irritada:

"Pare com isso, inspetora! Se a Faria não está sendo muito clara, é porque a própria situação não foi muito clara para ela, e além do mais foi dolorosa. Acho que ela está fazendo um relato de uma clareza admirável, se levarmos em conta o que aconteceu."

"Eu só quero entender", disse Sonja. "Faria, você deve ter percebido que alguma coisa ia acontecer. Você disse que o Khalil parecia tenso e febril, que ele treinava de um jeito insano, que acabou ficando pele e osso."

"Ele estava péssimo mesmo. Também era tratado como um prisioneiro. Mas se no começo eu achei que ele estava melhorando, depois notei que o olhar dele estava diferente."

"O que tinha o olhar dele?"

"Estava desesperado. O Khalil parecia um bicho acuado. Mas eu não percebi isso logo."

"E você não ouviu seus irmãos saírem do apartamento na tarde do dia 9 de outubro?"

"Eu estava dormindo, ou tentando dormir. Lembro que eles voltaram no meio da noite e ficaram cochichando na cozinha. Mas não entendi o que estavam conversando. No dia seguinte me olharam com um jeito estranho e eu interpretei aquilo como um bom sinal, imaginei que o Jamal estava por perto. Senti a presença dele. Mas as horas foram passando e o clima se tornou mais estranho em casa, nervoso. À noite vi o Ahmed exatamente como eu já disse."

"Na janela."

"Ele estava exaltado, com um jeito ameaçador, com a respiração ofegante. Senti um aperto no peito, e então Ahmed me disse que ele estava morto. Entendi na hora de quem ele estava falando. 'O Jamal está morto', ele continuou. Tudo ficou preto de repente e acho que caí de joelhos. Era como se eu ainda não tivesse entendido."

"Você estava em choque", disse Annika.

"Mesmo assim, no instante seguinte você demonstrou uma força incrível", Sonja Modig acrescentou.

"Eu já expliquei isso."

"É verdade", disse Annika.

"Eu gostaria de ouvir mais uma vez."

"O Khalil apareceu de repente", disse Faria. "Ou melhor, ele estava o tempo inteiro lá. Disse, aos gritos, que tinha matado o Jamal, e nessa hora entendi menos ainda. Ele disse que tinha feito aquilo por mim, senão ia ter que me matar. Que o obrigaram a escolher entre matar o Jamal ou matar *a mim*. Foi nessa hora que apareceu a minha força, a minha fúria. Eu simplesmente explodi e corri na direção do Ahmed."

"Por que você não correu na direção do Khalil?"

"Porque eu..."

"Porque você...?"

"Porque mesmo no meio daquilo tudo eu devo ter compreendido."

"O quê? Que o Bashir e o Ahmed tinham usado o amor do Khalil por você para chantageá-lo?"

"Que o Khalil tinha sido obrigado a fazer aquilo, que haviam destruído a vida dele, a minha vida e a vida do Jamal. Foi aí que eu me descontrolei. Fiquei louca. Será que você não consegue entender?"

"Consigo", disse Sonja. "Pode ter certeza que sim. A minha dificuldade é em entender outra coisa. Por que você se recusou a falar em todos os interrogatórios. Você disse que queria se vingar, que estava punindo Ahmed quando correu na direção dele. Então por que você também não se vingou de Bashir, que agiu como um canalha ainda maior? Por que não o denunciou por homicídio e pediu ajuda da polícia?"

"Mas será que vocês não entendem?"

"O que é que nós não entendemos?"

"A minha vida acabou junto com a vida do Jamal! O que eu teria a ganhar pondo o Khalil atrás das grades? Ele era o único da família que..."

Faria olhou fixamente para a porta.

"Que...?"

"Que eu amava."

"Você devia odiá-lo. Ele matou o amor da sua vida."

"Eu o odiava. Eu o amava. Eu o odiava. Será que é tão difícil entender?"

Annika Giannini ia pedir uma interrupção do interrogatório e dizer que a garota precisava fazer uma pausa, quando alguém bateu na porta. Rikard Fager, o diretor do complexo penitenciário, queria falar com Sonja Modig.

Sonja Modig deduziu que algum acontecimento grave tinha mexido com a autoconfiança do diretor e já estava irritada com as formalidades dele e tentativas de explicar alguma coisa. O diretor se perdia em detalhes e não chegava nunca ao assunto, como se estivesse mais preocupado em se defender do que em explicar. Mencionou o sistema de segurança, o número de guardas, as câmeras de vigilância, os detectores de metal, e depois contou que o estado de saúde de Benito era grave. Ela tinha sofrido traumatismo craniano, concussão cerebral e estava com a mandíbula fraturada.

"Espera... a Benito fugiu do hospital? É isso que você está querendo me dizer?", perguntou Sonja.

Era justamente isso, e o diretor continuou: "Ninguém imaginou que ela pudesse sair de lá. Todos os visitantes eram revistados, ou pelo menos deviam ser. Então houve um problema com o sistema de computadores da ala onde ela estava. O sistema caiu e alguns equipamentos médicos pararam de funcionar. A situação ficou crítica, médicos e enfermeiras foram correndo até lá ver o que estava acontecendo. Nesse momento três homens bem vestidos, de terno, disseram que iam visitar um engenheiro que também estava internado na ala de Benito. A partir daí foi tudo muito rápido. Ah, e os homens estavam armados com nunchakus".

Rikard Fager, como o idiota que era, achou que aquele era o momento ideal para discorrer sobre nunchakus, para explicar que eram armas de madeira usadas na prática de caratê. Sonja não quis saber dessa parte.

"E o que aconteceu?"

"Os homens atacaram os vigias, libertaram a Benito e fugiram numa van cinza com placa falsa. Um deles foi identificado como Esbjörn Falk, do MC Svavelsjö, um clube de motociclismo ligado a criminosos."

"Eu sei o que é MC Svavelsjö", disse Sonja. "E que foi feito até agora?"

"Emitimos um alerta sobre a fuga da Benito e a mídia foi informada. E pusemos o Alvar Olsen num lugar seguro."

"E a Lisbeth Salander?"

"O que tem ela?"

"Idiota", murmurou Sonja. Em seguida anunciou que precisava ir embora imediatamente, dada a gravidade da situação.

Enquanto voltava ao complexo, Sonja telefonou para Bublanski e contou sobre Benito e Faria Kazi. Depois de ouvir o resumo do depoimento da garota durante o interrogatório, Bublanski se lembrou de um provérbio judaico:

Pode-se olhar nos olhos, mas nem sempre no coração.

18. 22 DE JUNHO

Mais uma vez Dan Brody havia chegado atrasado ao trabalho. Estava agitado, desatento e cheio de pensamentos sombrios. Mas bem vestido. Usava um terno de linho azul-claro, camisa sem gravata e tênis em vez de sapato de couro. O sol brilhava acima da Birger Jarlsgatan enquanto ele caminhava e pensava em Leo. De repente ouviu um carro frear e cantar pneus, e deu um passo meio na diagonal, exatamente como no Fotografiska.

Começou a sentir dificuldade para respirar. Mesmo assim, continuou caminhando e, mais uma vez, seus pensamentos o distraíram. Embora os dias de dezembro, depois do primeiro fim de semana passado com seu irmão gêmeo, também tivessem lhe causado dor e ciúme, tinham sido os dias mais felizes de sua vida. Leo e Dan haviam estado juntos o tempo inteiro, conversando, tocando. Tomaram, porém, o cuidado de saírem à rua separadamente, pois tinham um plano claro: confrontar Rakel Greitz, que não podia saber de antemão que os dois haviam se conhecido. Era preciso evitar boatos sobre isso.

Dezembro, um ano e meio antes
Leo tinha cancelado o almoço de Natal com Greitz num restaurante e a convidara para almoçar em sua casa no sábado, dia 23, à uma da

tarde. Enquanto aguardavam esse encontro, os irmãos jogavam um jogo de identidades. Na cidade, os dois eram Leo, o que os divertia muito. Dan pegava emprestados os ternos, as camisas e os sapatos de Leo. Os dois cortaram o cabelo do mesmo jeito e ensaiaram papéis em diferentes cenas e situações. Leo dizia que Dan interpretava um Leo bastante convincente.

"É como se você realmente encarnasse o personagem."

Os dias de Leo no escritório eram curtos, e uma noite ele foi jantar no Riche com alguns colegas. Voltou cedo para casa e contou ao irmão que tinha faltado pouco, muito pouco — mostrou o quanto com o indicador e o polegar — para revelar a Malin Frode a verdade sobre os dois.

"Mas você não revelou, certo?"

"Não, não. Ela deve ter pensado que eu estava apaixonado por ela."

"Ela ficou magoada?"

"Não muito."

Dan sabia que Leo flertava com Malin, que ela estava se divorciando e que em breve iria se demitir da Alfred Ögren. Leo sempre tinha dito a Malin que, ao contrário do que ela imaginava, ela não o amava. Que quem ela amava era Blomkvist, o jornalista. Leo tampouco amava Malin. Estava mais para uma brincadeira, ou talvez não só uma brincadeira.

Ele e Leo viviam analisando todas as coisas possíveis, trocando ideias, lembranças, fofocas. Os dois fizeram um pacto que nada parecia capaz de quebrar. Dan se lembrou de tudo em que haviam pensado para o almoço com Rakel Greitz. Os dois planejaram com detalhes como agir: no começo Dan ficaria escondido, enquanto Leo a questionaria; primeiro de forma delicada, depois com mais agressividade.

Um dia antes, a sexta-feira 22 de dezembro, Malin Frode tinha dado uma festa de despedida em seu apartamento, na Bondegatan. Assim como Dan, Leo tinha dificuldade com festas em apartamentos pequenos. O barulho seria demais e ele disse que não ia aguentar. Então teve uma ideia: mostrar a Dan a sala onde trabalhava na Alfred

Ögren. Com certeza não haveria ninguém lá. A maioria dos funcionários estaria na festa de Malin e não trabalharia na sexta-feira à tarde. Logo seria Natal, e Dan achou que era uma boa ideia conhecer onde o irmão trabalhava. Estava curioso por tudo que se referisse ao trabalho de Leo.

Às oito da noite, os dois saíram de casa com dez minutos de intervalo entre um e outro. Leo saiu primeiro, levando em sua pasta um Borgonha e uma garrafa de champanhe. Dan foi em seguida, também vestido de Leo, porém com um terno um pouco mais claro e um casaco mais escuro. Fazia frio, nevava, e os dois estavam a caminho de uma celebração.

Na manhã seguinte, depois do encontro com Rakel Greitz, os dois revelariam a todos sua história e, mesmo que Dan tivesse se oposto, Leo havia prometido lhe fazer uma doação polpuda. Alegou que seria o fim da desigualdade entre eles, o fim da sua vida profissional na área financeira e da tristeza que era trabalhar na Alfred Ögren. Os dois planejavam tocar juntos, e a tarde e a noite que tiveram foram maravilhosas. Os dois beberam, brindaram, embalados por um sentimento promissor no ar. "Amanhã", disseram. "Amanhã!"

Mesmo assim, alguma coisa parecia fora do lugar. Dan sentiu vontade de provocar o irmão assim que viu o escritório de Leo na Alfred Ögren. A peça tinha anjos renascentistas no teto, quadros de mais de um século nas paredes, vasos chineses e puxadores de ouro nas cômodas. A aparência do lugar era exagerada e exibicionista.

"Você se deu bem, hein?", ele comentou, e Leo concordou.

"Eu sei, e me envergonho disso. Nunca gostei desta sala. Era do meu pai."

Dan avançou para o interior do cômodo.

"Mesmo assim, você quis me trazer até aqui, não é? Quis esnobar e me enfiar o seu sucesso e a sua riqueza goela abaixo."

"Não, não. Me desculpe", disse Leo. "Eu só queria mostrar a minha vida a você. Mas sei que é injusto."

"Injusto?"

Dan ergueu a voz. Para ele a palavra "injusto" não resumia tudo; era preciso uma palavra mais forte. "Indecente." A situação extrapolava todos os limites imagináveis. Os dois caminharam de um lado para o outro, Dan fazendo acusações, depois se recompondo, pedindo desculpas, fazendo novas invectivas. De repente, sem que pudessem determinar a partir de que momento tinha acontecido, foi como se tudo entre os dois estivesse arruinado. Toda a tensão inicial reprimida e só mantida longe graças à alegria do reencontro de repente veio à tona não somente abrindo uma ferida nos irmãos, mas também apresentando a situação deles sob uma luz muito diferente.

"A vida toda você teve tudo isto à sua disposição e mesmo assim não fez nada além de reclamar, de se queixar. Minha mãe não me entendia, meu pai não me entendia. Eu não podia tocar. Pobrezinho de mim, um menino rico tão sofrido... Não aguento mais ouvir nem uma palavra sobre isso. Será que você não entende? Eu apanhava e passava fome. Eu nunca tive nada, nunca tive merda nenhuma, enquanto você..."

Dan sentiu que seu corpo tremia e não soube o que estava acontecendo. Talvez os dois tivessem bebido demais. Talvez a sequência de acontecimentos que viria tenha sido influência da bebida. O fato é que Dan chamou Leo de cretino e hipócrita de merda, disse que ele não passava de um esnobe que adorava romantizar a própria depressão. Quando estava a ponto de destruir os vasos chineses, saiu do escritório batendo a porta e desapareceu no corredor.

Por muito tempo ele não soube o que fazer e passou horas vagando sem rumo, com frio e chorando. Por fim retornou ao albergue Af Chapman, em Skeppsholmen, e dormiu lá. Às onze horas da manhã seguinte, voltou ao apartamento de Leo na Floragatan, abraçou-o e pediu perdão. Os dois pediram desculpas mútuas e se prepararam para o encontro com Rakel Greitz. Mas ainda pairava entre eles um elemento incompreendido que viria a influenciar tudo o que aconteceu mais tarde.

Um ano e meio depois, ao virar na Smålandsgatan, Dan pensou em tudo aquilo e fez uma careta quase imperceptível. Deixou o Konstnärsbaren para trás e saiu no Norrmalmstorg. Eram dez da manhã de um dia quente e abafado, e ele não estava nada tranquilo. Não estava pronto para encontrar o jornalista investigativo mais famoso da Suécia.

Rakel Greitz e Benito Andersson — que não tinham nada em comum, a não ser o sadismo e o fato de não terem a cabeça no lugar —, no entanto, estavam prontas para encontrar Lisbeth Salander. Nenhuma das duas sabia da existência uma da outra, e se tivessem se encontrado por acaso teriam sentido um desprezo mútuo. Mas estavam determinadas a tirar Lisbeth de cena e contavam com suas redes de contatos, ambas igualmente bem informadas, mesmo que o nível cultural desses dois grupos diferisse bastante.

Benito tinha contatos próximos com um clube de motociclismo de Svavelsjö que havia conseguido informações sobre Camilla, a irmã gêmea de Lisbeth, e os hackers que trabalhavam para ela. Por trás de Rakel Greitz também havia uma organização de enorme competência técnica, e ela, apesar da batalha contra o câncer, ainda tinha a seu favor toda a sua lucidez e força de vontade. Temporariamente estava morando num hotel em Kungsholmen.

Tinha consciência de que as coisas estavam dando errado, porém já contava que seria assim. Aguardava aquele momento fazia um ano e meio, desde o dia 23 de dezembro, quando tudo havia fugido ao controle. Verdade que na época parecia não haver saída. Mas tinha sido um feito arriscado, e agora, mais uma vez, ela estava preparada.

Gostaria de ter começado com Salander e com Von Kanterborg, mas como encontrá-las parecia impossível, Rakel Greitz decidiu recorrer a Daniel Brolin. Ele era o elo mais fraco da corrente e também o motivo pelo qual ela caminhava agora pela Hamngatan, em frente à Nordiska Kompaniet. Rakel Greitz vestia um tailleur fino sobre uma blusa preta de gola rulê, e, apesar do mal-estar e da dor, sentia-se forte.

O calor, porém, a incomodava. O que estava acontecendo com a Suécia? Verões como aquele não existiam quando ela era criança. Fazia um calor quase tropical, uma loucura, ela estava suada, grudenta. Mesmo assim, caminhava altiva, de queixo erguido. Um pouco mais adiante sentiu um cheiro desagradável na atmosfera opressiva, em seguida passou por uma obra de escavação junto à calçada e por dois homens de macacão azul que ela achou gordos e feios. Rakel Greitz avançou em direção ao Norrmalmstorg e já ia entrar no prédio da Alfred Ögren quando viu algo preocupante. O jornalista Mikael Blomkvist — com quem já havia topado numa escadaria em Skanstull, perto do apartamento de Hilda — dirigia-se ao portão de entrada da corretora de valores. Rakel deu um passo para trás e imediatamente ligou para Benjamin.

Ele ia ter que fazer jus ao salário que recebia.

Dan Brody, ou Leo Mannheimer, como havia passado a se chamar, estava sentado na poltrona do escritório requintado, sentindo as batidas do coração e as paredes como que se fechando em torno dele. O que iria fazer? O assessor júnior — esse era o título do secretário, por ser homem — avisou que Mikael Blomkvist o aguardava na recepção. Dan tinha mandado dizer que desceria em vinte minutos.

Sentiu-se grosseiro em fazer o jornalista esperar, porém, mais uma vez — como em tantas outras —, precisaria de tempo para pensar em como fazer a denúncia contra Rakel Greitz. Será que Mikael Blomkvist não poderia ajudá-lo? A ideia já tinha lhe ocorrido, por mais que o preço pudesse ser alto.

Dezembro, um ano e meio antes
Nevava no dia em que os irmãos gêmeos aguardavam Rakel Greitz na Floragatan, e Dan havia se desculpado inúmeras vezes.

"Tudo bem", disse Leo. "Ontem recebi uma pessoa no escritório depois que você saiu."

"Quem?"

"Malin", ele disse. "Ficamos bebendo champanhe, mas o encontro foi bem sem graça. Eu estava perturbado e depois que ela saiu escrevi uma coisa. Quer ver?"

Dan assentiu com a cabeça, Leo se levantou do piano e se afastou por alguns segundos. Ao voltar, tinha uma aparência solene e trazia na mão, dentro de um saco plástico, uma folha de papel pardo onde se via uma marca-d'água na parte superior. Com uma lentidão exagerada, entregou o documento a Dan.

"Acho que este documento precisa ser reconhecido na presença de testemunhas", Leo disse.

A caligrafia era bonita e rebuscada e no documento Leo doava metade do seu patrimônio para o irmão.

"Minha nossa!", disse Dan.

"Entre o Natal e o Ano-Novo tenho uma reunião com a minha advogada e vou informá-la sobre isso", disse Leo. "Em vista das circunstâncias, acho que não vamos ter problemas. E quero deixar claro que não encaro isso como um presente. Você está apenas recebendo o que já devia ser seu há muito tempo."

Dan ficou em silêncio, sabendo que devia abraçar o irmão, se comover e dizer que aquilo era demais, que era loucura, uma generosidade enorme. Mas nada parecia se tornar mais fácil nem mais simples por causa daquelas linhas, e a princípio ele não entendeu o que estava acontecendo. Sentiu-se insultado e mesquinho. Depois percebeu que havia certa agressividade naquele presente, uma agressividade positiva, como diriam os psicólogos. O dinheiro era doado por uma pessoa em situação infinitamente superior à sua, e, por mais grandioso que fosse o gesto, era também uma humilhação.

Dan se expressou com termos gentis e no fim acrescentou:

"Mas não posso aceitar."

O desespero nos olhos de Leo era evidente.

"Por que não?"

"Não é assim que as coisas funcionam. Esse não é um problema tão fácil de reparar."

"Eu não pretendia reparar nada. Só quis fazer o que achei certo. Não tenho o menor interesse na porcaria desse dinheiro."

"Ah, não?"

Dan estava enfurecido e percebia o absurdo da situação. Tinha recebido o oferecimento de dezenas de milhões de coroas que poderiam transformar sua vida para sempre, mas ainda assim sentia-se magoado e furioso. Talvez porque os dois tivessem brigado um dia antes e também porque houvesse bebido muito e dormido pouco. Podia ser tudo, complexo de inferioridade, qualquer coisa. Dan gritou:

"Você não entende nada! Não dá para dizer uma coisa dessas a uma pessoa que passou a vida inteira marginalizada. Agora é tarde, Leo. Tarde demais!"

"Não, não. A gente pode recomeçar."

"Agora é tarde", repetiu Dan.

"Chega!", Leo bufou. "Você está sendo injusto."

"Eu sinto como se você quisesse me comprar, entende? Como se você quisesse me comprar!"

Por um bom tempo Dan insistiu nessa ideia. Sabia muito bem o que estava fazendo, mas acabou se magoando quando Leo, em vez de revidar com o mesmo ímpeto, simplesmente disse de um jeito triste:

"Eu sei."

"O que é que você sabe?"

"Que muita coisa foi destruída. Eu também odeio aquela gente, mas… a gente acabou se encontrando. É um acontecimento e tanto, não acha?"

Havia um desespero tão profundo naquela voz que Dan mal conseguiu balbuciar:

"Claro que eu me sinto muito grato, mas…"

Ele não conseguiu terminar a frase. Deixou de lado aquele "mas", e parecia prestes a dizer outra coisa, talvez se desculpar, dizer que tinha agido como um idiota ou algo nessa linha. Mais tarde, Dan se lembraria nitidamente desse momento. Os dois iam se reconciliar, e com certeza teriam se reaproximado se tivesse havido tempo. Mas não foi o que aconteceu. Leo e Dan ouviram barulhos no corredor, passos que pararam de repente. Era quase meio-dia, portanto faltava mais de uma hora para Rakel Greitz chegar, e Leo não havia sequer posto a mesa ou pedido a comida ao serviço de *catering*.

"Esconda-se", ele sussurrou.

Leo pegou o documento de doação enquanto Dan entrava no quarto contíguo e fechava a porta.

Leo Mannheimer sempre tinha sido motivo de preocupação, e não apenas por causa do que haviam sido obrigados a fazer com Carl Seger. Leo andava instável nos últimos tempos, e tudo por causa de Madeleine Bard, imaginava Rakel Greitz. A perda de Madeleine fez de Leo um homem desconfiado, por isso Rakel estranhou quando ele sugeriu que cancelassem o almoço de Natal num restaurante e almoçassem na casa dele. Rakel Greitz sabia tudo sobre Leo.

Sabia, por exemplo, que, assim como muitos jovens, Leo não gostava de cozinhar nem de chamar pessoas para frequentar a sua casa, principalmente quando não se sentia confortável com elas. Pensando nisso, Rakel Greitz resolveu aparecer antes do horário combinado, com a desculpa de que queria ajudá-lo a preparar a comida. Mas o que ela queria era descobrir se havia algo errado ou se alguma informação tinha vazado.

Na rua a neve caía, e ela havia subido a escada sob o céu azul pintado no teto ouvindo vozes inflamadas no interior do apartamento — vozes quase idênticas. Ela sobressaltou-se e concluiu que de fato alguma coisa estava errada. Por instantes, não soube o que fazer. Leo tinha o ouvido apuradíssimo, portanto não foi nenhuma surpresa para ela notar que as vozes haviam se calado lá dentro. Rakel Greitz mandou uma mensagem para Benjamin:

Estou na casa do Leo, na Floragatan. Preciso de ajuda.

E acrescentou:

Traga minha maleta de couro, com todos os apetrechos!

Depois endireitou as costas, bateu na porta e se preparou para abrir o seu melhor sorriso de Natal. Mas nem foi necessário. Leo abriu a porta com uma expressão radiante e, como sempre — exatamente como haviam lhe ensinado —, recebeu-a com um beijo no rosto e ajudou-a a tirar o casaco. Leo era refinado demais para fazer alguma observação sobre o fato de Rakel haver chegado muito antes da hora combinada.

"Você está elegante como sempre, Rakel. Vai ser um Natal e tanto", ele disse.

"Que ótimo", ela respondeu.

O Leo estava desempenhando muito bem o seu papel, Rakel Greitz pensou. Foi preciso examiná-lo detidamente para notar traços de tensão em seu rosto. Talvez ele já a tivesse enganado em outras circunstâncias. Mas naquele momento não só o olhar dela achava-se apurado como Leo tinha cometido erros óbvios. Com certeza ele mesmo já devia ter percebido isso. Não fazia muito tempo havia vozes no apartamento, e de repente ele estava sozinho ali. Mas o que mais chamou a atenção de Rakel foi outro detalhe: o violão no sofá. Um violão! Ela perguntou:

"Como está a Viveka?"

"Acho que não lhe resta muito tempo."

"Coitada."

"É terrível", disse Leo.

Quanta bobagem, pensou Rakel Greitz. Você com certeza está feliz com a morte próxima daquela cadela.

"Depois de perder o pai e a mãe é que a gente sente como está sozinho", ela disse, tocando no braço dele, talvez para acalmá-lo ou para se mostrar solidária, e não desconfiada, como se sentia. Mas foi um erro. Leo estremeceu por causa de alguma emoção incômoda, e seus olhos brilharam de fúria. Sentiu medo e olhou outra vez para o violão. Rakel esperou um pouco para ver se as coisas se acalmavam. Queria que Benjamin dispusesse do tempo necessário para pegar a maleta de couro e ir até o apartamento, e se esforçou para manter uma conversa trivial por mais uns dez minutos. Mas logo Rakel Greitz não aguentava mais.

"Quem mais está aqui?", ela perguntou.

"Quem você acha?"

Ela disse que não sabia, que não fazia a menor ideia. Mas não era verdade. Ela começou a entender tudo, notou a tensão nos ombros de Leo, e também a maneira como ele a olhava, como se nunca a tivesse visto. Rakel Greitz percebeu que ia precisar agir de forma dura e implacável antes que Daniel Brolin saísse do quarto ao lado.

19. 22 DE JUNHO

Rakel Greitz não estava em casa, na Karlbergsvägen, então Lisbeth decidiu matar o tempo. Pegou o metrô de volta para casa, passou por Slussen e seguiu ao longo da Götgatan. Annika Giannini tinha lhe contado que Benito Andersson havia fugido do hospital de Örebro e Lisbeth estava em alerta. Ela sempre estava em alerta, e a vida na prisão só tinha agravado seu estado natural de prontidão. Mas talvez ela ainda estivesse subestimando o nível do risco que corria e da ameaça que lhe fora feita. Mais de uma aliança estava atrás dela. Forças antigas e obscuras do passado haviam se juntado e trocado informações.

Era um dia abrasador de junho, e a vida parecia transcorrer num ritmo mais lento. As pessoas caminhavam devagar, olhavam em volta, observavam as vitrines e se entretinham nos cafés e restaurantes com mesas ao ar livre. Lisbeth seguiu até a Fiskargatan. O celular vibrou em seu bolso. Era uma mensagem de texto criptografada de Blomkvist. Dizia:

Leo é Daniel. Tenho quase certeza!

Lisbeth respondeu:

Ele disse isso?

Mikael respondeu:

Ainda não sei. Logo te digo alguma coisa!

Lisbeth pensou em ir até o Norrmalmstorg para ver se poderia ajudar. Mas em seguida mudou de ideia. Primeiro queria encontrar Rakel Greitz, e assim pensou em tentar conseguir o endereço de onde ela estava naquele momento. Lisbeth pegou a direção da Fiskargatan, o tempo todo vigilante, e então se perguntou se o melhor não seria voltar para casa. Seu endereço não constava em nenhum registro oficial. O apartamento estava em nome de outra pessoa, Irene Nesser, uma identidade falsa, e ela usava cortinas opacas nas janelas. Mas a teia se fechava. As pessoas tinham começado a notá-la nas redondezas, Lisbeth já era quase uma celebridade e detestava isso. Duas pessoas — o inconveniente Mikael Blomkvist e o agente da NSA Ed the Ned — já tinham achado seu endereço e as notícias corriam depressa. As pessoas falavam de tudo. Ela devia vender aquela porcaria. Além de tudo, o apartamento era grande demais. Devia se mudar para um lugar mais afastado. Ou talvez devesse sumir de vez.

Mas era tarde. No mesmo instante, Lisbeth percebeu uma van estacionada mais à frente. Nada de especial a respeito do veículo, era um modelo antigo parado normalmente junto ao meio-fio. Mesmo assim, ela desconfiou. A van começou a avançar em sua direção, o que fez Lisbeth dar meia-volta. Mas ela não foi muito longe. Um homem de barba saiu de um portão e apertou um pano úmido contra seu rosto e na mesma hora Lisbeth sentiu náusea. Ela tinha sido uma idiota. Estava desmaiando. A rua e os muros pareciam dançar, e logo ela não teve mais forças para resistir. Conseguiu apenas puxar o telefone e sussurrar:

"Vildvittra."

Depois Lisbeth cambaleou e foi colocada na parte de trás da van. Mesmo com a visão turva, sentiu o cheiro doce de um perfume familiar.

Dezembro, um ano e meio antes
Dan tinha ouvido vozes na sala de estar e concluído que as coisas não estavam saindo como o planejado. Rakel Greitz parecia tê-los descoberto logo ao entrar, e ele não viu outra solução a não ser se revelar de uma vez e colocá-la de imediato contra a parede, mesmo sem o efeito surpresa que os gêmeos haviam pensado em explorar.

Talvez fosse esse o motivo para que tanta coisa houvesse dado errado em tão pouco tempo, ou talvez Dan houvesse subestimado a impressão que Rakel Greitz lhe causaria. O fato é que a simples presença dela o fez voltar à infância. Dan se lembrou do dia, muitos anos antes, em que ela havia se postado no segundo andar da casa da fazenda para observá-lo tocar violão com um olhar frio. Percebeu que naquela ocasião Rakel Greitz devia tê-lo comparado mentalmente a Leo e pensado nas semelhanças, e essa ideia o fez perder a cabeça.

"Lembra de mim?", ele perguntou.

Dan estava revoltado e deu um passo à frente, tentando aparentar segurança. Mas não havia jeito: ele continuava se sentindo um desajeitado.

Rakel Greitz permaneceu em seu lugar, sem perder a compostura.

"Lembro", respondeu. "Como você está?"

"A gente quer saber de tudo o que aconteceu", ele bufou, e pela primeira vez ela fez menção de se afastar. Mas logo ajeitou calmamente a gola do casaco e olhou para seu relógio de pulso. Vestia um tailleur preto com blusa preta. Seu cabelo curto estava tingido de loiro-escuro. Embora estivesse claramente nervosa — seus lábios tremiam —, parecia haver tal autoridade em sua presença, um frio tão intenso nela, um ar tão professoral, que Dan sentiu que era ele, e não ela, quem estava prestes a ser censurado.

"Acalme-se", ela disse.

"Não mesmo", ele respondeu. "Você tem muita coisa para explicar."

"Eu vou contar tudo, vou contar toda a verdade, mas antes preciso saber se vocês procuraram os meios de comunicação."

Dan não respondeu.

"Sei o quanto vocês estão abalados. Mas seria muito ruim se essa história vazasse antes de vocês entenderem o que aconteceu. Não é nada do que estão imaginando."

"Ainda não dissemos nada à imprensa — por enquanto", Dan respondeu, e no mesmo instante se perguntou se não teria sido um erro dizer isso, sobretudo ao perceber uma expressão de satisfação no rosto de Rakel. Em seguida ele olhou para Leo.

Leo continuava de pé e em silêncio, com as pernas afastadas, como se estivesse em choque, sem emitir nenhum tipo de sinal sobre qual seria sua reação. Dan não gostou que Rakel Greitz continuasse tomando a iniciativa.

"Hoje eu sou uma velha", ela disse, "e sinto dores no estômago. Me perdoem a sinceridade. Se permitirem que eu me sente no sofá, posso contar toda a história."

"Por favor", disse Leo. "Sente-se e comece a falar. Queremos respostas para todas as nossas perguntas."

Rakel Greitz tinha começado devagar, na esperança de que Benjamin surgisse antes que ela fizesse alguma revelação importante ou que contasse mentiras deslavadas. Leo e Daniel estavam sentados cada um num sofá, com o olhar fixo nela, e apesar da tensão e do momento crítico, Rakel Greitz se surpreendeu com a impressionante semelhança entre os irmãos. Ela era até maior do que a geralmente vista em gêmeos univitelinos daquela mesma faixa etária. E essa semelhança era realçada pelos cortes de cabelo idênticos e pelas roupas parecidas.

"Vamos lá, então", ela disse. "Estávamos numa situação muito delicada. Tínhamos recebido uma série de relatórios de orfanatos e hospitais falando de gêmeos univitelinos que não podiam ser criados por seus pais biológicos."

"E como nos encaixamos nisso?", Daniel a interrompeu, e mesmo que a pergunta estivesse repleta de ódio e raiva, Rakel Greitz se alegrou com a interrupção e disse — num impulso momentâneo — que no bolso do casaco de seu tailleur havia uma coisa que iria esclarecer como tudo se encaixava. Ela poderia ir buscar? Ao fazer a pergunta, não teve certeza se havia soado convincente. Mas os dois permitiram que ela se afastasse, e a partir daquele momento Rakel Greitz se sentiu forte. E sentiu desprezo. Daniel e Leo eram fracos e covardes. Junto à porta, começou a tossir para distrair os irmãos, ao mesmo tempo que, com um movimento rápido, certificou-se de que ela estava destrancada. Depois, mexeu um pouco no casaco e exclamou:

"Não estou encontrando!"

Então voltou ao sofá balançando a cabeça com ar contrariado e se pôs a fazer comentários vagos e prolixos por algum tempo. A atitude dela soou como provocação para Leo — sobretudo as menções feitas a Carl Seger. O rosto dele ficou vermelho e o olhar se encheu de raiva. Ele perdeu a cabeça e chamou Rakel Greitz de monstro e de abominação, exigindo que ela explicasse o que tinha acontecido com Carl. Nesse momento ela se assustou de verdade, lembrando-se dos ataques de fúria que costumavam acometer os meninos. Mas essa também acabou se revelando uma interrupção oportuna, já que no instante seguinte Benjamin apareceu no corredor do apartamento. Os gritos e o barulho que ele ouvira de fora o fizeram decidir-se a entrar sem bater nem hesitar, e ele rapidamente imobilizou Leo, agarrando os braços dele por trás. Rakel Greitz se abaixou e começou a mexer na maleta de couro que Benjamin havia trazido e colocado no chão. Os gêmeos gritaram por ajuda, e Daniel se jogou sobre Benjamin. Mais do que nunca, Rakel Greitz entendeu que precisava agir com o máximo possível de eficácia e decisão. Ela remexia depressa nos medicamentos da maleta, diazepam, opiáceos, morfina, um pouco de tudo, e por fim… um calafrio atravessou seu corpo: brometo de pancurônio — ou curare sintético —, extraído do mesmo veneno natural que os índios sul-americanos usavam em suas flechas. Seria uma decisão brutal, que extrapolava qualquer limite. Mas espere… havia também fisostigmina, um antídoto capaz de neutralizar o efeito do brometo de pancurônio. Rakel Greitz então teve uma ideia. Uma ideia ousada e quase desatinada que tinha lhe ocorrido ao ouvir Daniel bufar, durante a conversa deles, palavras sobre injustiça e atrocidades que revelavam sua amargura profunda. Ela calçou as luvas de plástico e ergueu o rosto.

Decidido como sempre, Benjamin continuava segurando Leo, que gritava "monstro" e "abominação" enquanto Daniel tentava soltá-lo. Aquilo resolvia a situação de uma vez. Rakel Greitz se demorou um pouco no preparo da injeção, porque era preciso calcular direito a dose. Depois se levantou e percebeu que não haveria tempo de encontrar uma veia. Seria necessária uma aplicação intramuscular, o que talvez fizesse sentido — pelo menos foi o que disse a si mesma —, e então fincou a agulha no braço de Leo através da camisa. Ele olhou para ela em choque, enquanto Daniel berrava: "O que você está fazendo? O que você está fazendo?". O rosto de Rakel Greitz contorceu-se num sorriso involuntário.

O barulho podia chamar a atenção dos vizinhos ou de outras pessoas, e quando eles chegassem Leo talvez já tivesse sofrendo com cãibras e morrendo asfixiado devido ao relaxamento extremo da musculatura respiratória. A situação era grave, e ela corria perigo. Tinha transgredido limites mais uma vez e precisava ser mais inteligente do que nunca. Assim, Rakel Greitz disse, com toda a sua autoridade médica:

"Recomponham-se. Eu simplesmente apliquei um tranquilizante, nada mais. Leo, respire. Muito bem! Logo você vai se sentir melhor. Precisamos falar como pessoas sensatas, não concordam? E não ficar gritando 'monstro', 'abominação' e outras bobagens desse tipo. Este é... o John, ele tem formação médica e trabalha comigo. Tenho certeza de que chegaremos a um acordo; de fato já passou da hora de contar essa triste história. Estou feliz por termos, enfim, nos encontrado."

"Você está mentindo", Daniel cuspiu.

A situação estava ficando inadministrável. Ainda havia barulho demais, e Rakel Greitz sentia um medo tremendo de que um vizinho surgisse a qualquer instante. Começou a tagarelar, na tentativa de acalmar os ânimos, e ao mesmo tempo fazia a contagem regressiva dos minutos que restavam — os minutos necessários para que o veneno entrasse na corrente sanguínea de Leo, agisse nos receptores nicotínicos e bloqueasse a atividade muscular. Por sorte nenhum vizinho apareceu nem ninguém chamou a polícia. Leo Mannheimer sucumbiu no momento em que Rakel Greitz havia decidido o que fazer, caindo sobre o tapete persa vermelho com um movimento espasmódico. Mesmo que tivesse sido uma medida extrema, por um instante fugaz Rakel Greitz teve um sentimento de triunfo. Tinha plena consciência de que poderia salvá-lo ou deixá-lo morrer. Tudo ia depender da situação, portanto era necessário pensar com clareza, agir com inteligência e de forma decidida, tirando o máximo proveito da amargura e do complexo de inferioridade de Daniel.

O plano era fazê-lo desempenhar o eterno papel que lhe cabia na vida.

Quando Leo caiu sobre o tapete, Dan Brody percebeu que tudo ia muito mal com ele. Leo desabou como se seu corpo tivesse parado de funcionar. Depois levou as mãos ao pescoço, dando a impressão de estar paralisado. Dan se esqueceu de tudo, se atirou ao lado do irmão e começou a gritar e a sacudi-lo. Rakel Greitz, então, se pôs a falar. Ele mal a escutava, concentrado em reanimar o irmão, e as coisas que Rakel Greitz dizia eram estranhas demais para que ele conseguisse absorvê-las.

"Daniel, escute", ela disse. "Podemos dar um jeito nisso. Vamos cuidar de tudo para que você tenha uma vida melhor do que poderia imaginar. Você pode ter uma vida com recursos ilimitados."

Aquilo era um absurdo, um monte de palavras vazias, e a cada segundo a condição de Leo parecia mais crítica. Ele estava sufocando, seu rosto adquirindo uma cor cinza, lábios azulados, e ele se esforçava ao máximo para respirar. Enquanto sufocava, seu olhar parecia distante, desesperado. O tom azulado dos lábios logo se espalhou para as bochechas, e Dan já pensava em iniciar a respiração boca a boca que havia aprendido em Boston depois que uma de suas ex-namoradas quase tinha sofrido uma overdose de cocaína. Rakel, no entanto, o impediu com delicadeza e com frases que ele não poderia fingir não ter ouvido, talvez por estar numa situação-limite. Naquele momento Rakel adotou outro tom de voz: já não parecia uma voz autoritária, e sim a de uma médica tranquilizando o familiar de um paciente. Ela segurou o pulso de Leo com as mãos enluvadas e abriu um sorriso consolador para Dan.

"Não há risco nenhum", disse, "ele só está tendo cãibras. Logo vai ficar bem. O sedativo que usei é muito potente, mas praticamente não oferece risco. Veja!"

Ela lhe estendeu a seringa, e Dan a pegou sem entender o que ela poderia mostrar ou significar.

"Por que você está me dando isto?"

Rakel Greitz se postou ao lado do homem enorme que havia entrado sem nem tirar as roupas de frio — ele vestia uma jaqueta grossa e amarrotada e botas de inverno — e que tinha um sorriso igualmente nervoso nos lábios. Naquele momento, Dan teve um pressentimento horrível.

"Você quer as minhas digitais aqui, não é?"

Ele largou a seringa.

"Daniel, se acalme. E agora escute o que eu vou dizer."

"Por que eu escutaria você?"

Dan pegou o celular para chamar uma ambulância, mas logo foi contido pelo homem. Seu pânico aumentou. Será que os dois queriam matar Leo? Seria possível? Um pavor se apossou dele, e naquele instante Leo começou a arquejar e a dar a impressão de que estava morrendo. Dan gritou. Gritou bem perto do ouvido hipersensível de Leo.

"Lute! Você consegue sair desta", ele disse, e Leo chegou a fazer uma careta de esforço. A testa se enrugou, ele rilhou os dentes, a cor do rosto pareceu voltar um pouco ao normal. Mas não durou mais que um instante. Logo sua pele tornou a empalidecer e mais uma vez ele parecia estar se asfixiando. Dan olhou para Rakel Greitz.

"Trate de salvá-lo, porra! Você é médica. Você não pretende matá-lo… ou pretende?"

"Não, não, o que você está pensando? Claro que não. Logo ele estará de pé, confie em mim. Afaste-se um pouco que eu vou dar um jeito", ela disse, e quando Dan viu a maneira decidida com que Rakel Greitz pegou sua maleta de médico, não houve alternativa senão confiar nela.

Aquela reação de Leo era um sinal inconfundível de desespero, e Dan segurou a mão do irmão, torcendo para que a pessoa que havia injetado o veneno nele também fosse capaz de salvá-lo.

Rakel Greitz estava ciente da importância de se portar como médica naquele momento, a fim de inspirar confiança. Portanto, deixou de lado o impulso de obstruir as vias aéreas de Leo para abreviar o processo. Preparou uma injeção de fisostigmina, arregaçou a manga da camisa dele e aplicou o medicamento numa veia do braço. Logo Leo melhorou, ainda que continuasse um tanto confuso. Rakel sentiu — e isso era o mais importante — que havia reconquistado parte da confiança de Daniel.

"Ele vai ficar bom agora?", Dan perguntou.

"Ele vai melhorar", ela disse.

Claro que estava improvisando. Mas, se tudo mais falhasse, ainda poderia recorrer à estratégia de crise com Leo Mannheimer — um plano que pressupunha o envolvimento de Ivar Ögren. Ivar conhecia os dados de acesso de Leo na corretora de valores e, com a ajuda de falsários, havia feito, em nome de Leo, uma série de transações ilegais no mercado de ações e no mercado de opções. As transações estavam todas documentadas numa pasta que poderia causar humilhações sociais e profissionais a Leo, além de mandá-lo para a cadeia. Mesmo contra a vontade de Rakel, esses dados de acesso tinham sido utilizados contra Leo. Ivar recorrera a eles para manipular Madeleine Bard, e Rakel Greitz não tinha aprovado nem um pouco essa atitude. Ivar Ögren havia enlouquecido, essa era a opinião de Rakel. Apesar disso ela precisava dele e dos dados de acesso para pressionar Leo caso um dia ele tivesse a intenção de desmascará-la.

"Daniel", disse Rakel. "Me escute, eu tenho uma coisa importante para dizer. É a coisa mais importante de toda a sua vida."

Ele a encarou com uma expressão de curiosidade e desespero no rosto que a deixou ainda mais confiante. Rakel falou com voz ao mesmo tempo suave e autoritária, como uma médica que faz uma recomendação importante.

"O Leo está acabado, Daniel. Lamento dizer isso, mas é a verdade. Ele se envolveu com *insider trading* e em outras transações ilegais. Ele vai afundar."

"O quê? Do que você está falando?"

Rakel percebeu que Daniel não havia entendido. Ele simplesmente continuava passando a mão no cabelo do irmão e dizendo que tudo ia ficar bem. Rakel se irritou e disse num tom mais duro:

"Eu falei para você me ouvir! O Leo não é o que você imagina, ele é um pilantra. Temos provas disso. Ele vai acabar preso por ser o trapaceiro que é."

Daniel olhou pra ela confuso.

"Que história é essa? Ele nem se interessa por dinheiro!"

"Você está enganado."

"É mesmo? Pois fique sabendo que ele queria me dar a metade de tudo que tem — assim."

Rakel não gostou nem um pouco de ouvir aquela informação. "Mas por que se satisfazer com a metade?"

"Eu não quis nada. Eu queria apenas..."

Ele se calou. Tinha entendido tudo, afinal. Ou talvez não, e fosse apenas um pressentimento. O pânico voltou aos seus olhos, e Rakel esperou um surto, e talvez violento. Ela olhou para Benjamin, que precisaria estar a postos. Mas nada aconteceu. Daniel simplesmente olhou para Leo com muita atenção.

"O que foi que você deu para ele? Não foi um tranquilizante, certo?"

Rakel não respondeu. Não sabia ao certo como jogar as cartas que tinha. Estava consciente de que cada palavra sua, cada nuance no tom de voz poderiam ser decisivas.

"Curare", ela disse por fim.

"E o que é isso?"

"Um veneno natural."

"E por que você o envenenou, porra?"

Daniel estava gritando de novo.

"Achei necessário."

Daniel olhou para Benjamin como um animal desesperado, pego numa armadilha.

"Mas depois..."

"Sim?"

"Depois você deu outra coisa para ele."

"Fisostigmina. É um antídoto", explicou Rakel.

"Ótimo! Então agora precisamos levá-lo para o hospital, não é?", Daniel disse.

Rakel não respondeu e Daniel pegou o celular. Ela pensou em pedir que Benjamin o tirasse dele, mas resolveu dar uma chance a Daniel. Se ele não ligasse para ninguém, não representaria perigo. Ele procurou alguma coisa no Google, e Rakel imaginou que devia ser sobre curare. Ele passou algum tempo lendo. Minutos depois, ela percebeu o medo naquele olhar, e imediatamente arrancou o celular da mão dele, enfurecendo-o. Daniel gritou e começou a desferir socos para todos os lados, e até mesmo Benjamin teve dificuldades para contê-lo.

"Acalme-se, Daniel."

"Não!"

"Pare com isso agora! Eu estou lhe oferecendo uma oportunidade incrível, não percebe?"

"De que diabos você está falando?", ele perguntou, berrando.

Rakel explicou que a fisostigmina neutralizava o efeito da intoxicação por curare apenas temporariamente.

"Então você está dizendo que não pode mais salvá-lo?"

Sua voz já nem parecia mais masculina.

"Lamento dizer, mas é verdade. Não posso salvá-lo", ela mentiu, e então Benjamin se encarregou de fazer com que Daniel se mantivesse calado.

Não havia mais alternativa. Benjamin tapou sua boca com fita adesiva e o agarrou com firmeza. Rakel se desculpou por aquilo e explicou o que estava acontecendo: "Logo a musculatura respiratória vai ser bloqueada mais uma vez e o Leo Mannheimer vai sufocar até a morte". Rakel o encarou. "Daniel, a situação é muito delicada. O Leo está morrendo, temos uma seringa com as suas impressões digitais e além disso há um motivo claro contra você, não acha? Seus olhos estão cheios de inveja por tudo que seu irmão conquistou. Por outro lado..."

Daniel começou a se debater na tentativa de se libertar.

"Por outro lado, o Leo pode continuar levando a vida adiante de um novo jeito — através de você, Daniel."

Rakel apontou o apartamento.

"Você pode assumir a vida, o dinheiro e as possibilidades dele. Pode viver como bem entender, pode ser dono de tudo isto. Daniel, eu juro que as coisas horríveis que o Leo fez levado pela cobiça jamais vão ser descobertas. Eu mesma vou me encarregar disso. Podemos apoiar você de todas as formas possíveis. Vocês são gêmeos espelhados, isso de fato é um pouco preocupante, mas vocês são incrivelmente parecidos. A semelhança é extraordinária, e acredito que tudo vá dar certo. Na verdade, tenho certeza."

Quando terminou de falar, Rakel ouviu um barulho que não entendeu de onde vinha. Daniel rangia os dentes.

20. 22 DE JUNHO

Leo Mannheimer saiu do escritório, Mikael se levantou e os dois trocaram um aperto de mão. O encontro era um pouco estranho. Mikael tinha passado muito tempo pesquisando e analisando Leo, e agora os dois estavam lá, cara a cara. A impressão que teve foi a de que um silêncio doloroso pairava entre os dois como uma sombra, um fantasma.

Leo esfregou as mãos. Tinha unhas compridas e bem cuidadas. Usava um terno de linho azul-claro, camiseta cinza e tênis. O cabelo era volumoso e um pouco despenteado, e sua atenção parecia voltada para algum barulho distante. Dava a impressão de estar tenso, e permaneceu de pé no amplo saguão em frente à recepção, sem convidar Mikael para entrar.

"Gostei muito da sua palestra com a Karin Laestander no Fotografiska", disse Mikael.

"Obrigado. Foi…"

"… muito inspiradora", Mikael completou, sorrindo. "E muito verdadeira também. Vivemos numa época que mais do que nunca sofre sob a influência de mentiras e de notícias falsas. Ou será que devemos chamar essas coisas de 'fatos alternativos'?"

"É a tal da sociedade da pós-verdade", disse Leo, abrindo um sorriso hesitante.

"Realmente. E muitos brincam até com a própria identidade, não é? Fingem ser pessoas que não são no Facebook, coisas desse tipo."

"Eu não tenho Facebook."

"Eu também não. Nunca entendi essas coisas. Mas eu brinco com outros papéis", disse Mikael. "Faz parte do meu trabalho, por assim dizer. E para você, como isso funciona?"

Leo olhou nervoso para seu relógio de pulso e em seguida para a esplanada, do outro lado da janela.

"Me desculpe", disse. "Meu tempo está meio curto hoje. Sobre o que você gostaria de falar comigo?"

"Por que você acha que estou aqui?"

"Não faço a menor ideia."

"Então você não cometeu nenhum deslize? Nada que pudesse interessar à minha revista, a *Millennium*?"

Leo engoliu em seco. Pensou um pouco e disse, com o olhar fixo no chão:

"Entrei em alguns negócios que poderiam ter dado resultados melhores. Foi meio que um imbróglio."

"Eu gostaria de saber mais a respeito disso depois", disse Mikael. "Esses imbróglios são a minha especialidade. Mas agora o meu interesse são assuntos pessoais — algumas inconsistências, digamos assim."

"Inconsistências?"

"Exato."

"Como o quê?"

"Como o fato de você de repente ter virado destro."

Leo — se é que era mesmo Leo — ainda parecia atento a algum som distante. Ele passou a mão pelo cabelo.

"Na verdade, eu não *virei* destro. Eu simplesmente passei a usar bastante a mão direita. Sempre fui bom com as duas. Enfim, sou ambidestro."

"Então você escreve com a mão direita e com a esquerda com a mesma habilidade?"

"Em geral, escrevo."

"Você se importa de fazer uma demonstração?"

Mikael pegou uma caneta e um bloco de anotações.

"Prefiro não."

O suor brotou acima dos lábios de Leo e seu olhar parecia perdido.

"Você está bem?", perguntou Mikael.
"Para dizer a verdade, não."
"Com certeza é o calor."
"Pode ser."
"Eu também não estou nada bem", disse Mikael. "Passei a noite acordado, bebendo com a Hilda von Kanterborg. Você a conhece, não é?"

Mikael viu medo nos olhos daquele homem, e pelo olhar dele, pelo corpo subitamente inquieto, percebeu que o havia fisgado. Mas talvez — Mikael o examinou bem — houvesse também alguma outra coisa que não se manifestava com clareza... parecia uma ânsia, depois uma hesitação. Como se Leo, ou quem quer que ele fosse, estivesse a ponto de tomar uma decisão importante.

Mikael disse:
"A Hilda me contou uma história incrível."
"Não diga."
"Sobre dois irmãos gêmeos separados ao nascer. Um deles foi um garoto chamado Daniel Brolin, que passava os dias trabalhando duro numa fazenda próxima a Hudiksvall, enquanto o irmão gêmeo..."
"Não fale tão alto", o homem pediu.
"Não?"
Mikael fingiu surpresa e olhou para ele.
"Talvez seja melhor darmos uma volta juntos", disse.
"Não sei..."
"... se podemos dar uma volta?"
Estava claro que o homem não sabia o que dizer. Simplesmente balbuciou algumas palavras incompreensíveis e se afastou. Mas não foi nem um pouco discreto, pois antes mesmo de sumir de vista já estava com o celular na mão, com certeza tentando falar com alguém. Mikael praticamente não tinha mais dúvida de que seu palpite original estava certo e nesse momento mandou uma mensagem de texto para Lisbeth, dizendo que Leo devia ser Daniel.

Depois de perder o homem de vista e de por algum tempo nada acontecer no saguão, a não ser o vaivém de pessoas entrando e saindo do edifício a todo instante, Mikael achou que o sujeito podia ter fugido por alguma porta nos fundos. A jovem recepcionista morena sorria, dava bom-dia a todos, pedia que esperassem no sofá da recepção ou os autorizava a entrar. O lugar era bonito, pé-direito alto, tapetes vermelhos e, nas paredes, fotografias emolduradas de homens de terno — provavelmente antigos sócios da empresa. O fato de haver apenas quadros de homens parecia um pouco obsceno.

O telefone de Mikael tocou e ele viu que era Annika. Já ia atender, quando o homem — fosse quem fosse — enfim reapareceu e se aproximou dele. Parecia recomposto, talvez houvesse tomado alguma decisão. Seu pescoço estava vermelho e ele parecia tenso, sério. Manteve os olhos fixos no chão e, sem dizer nada para Mikael, informou à jovem recepcionista que iria se ausentar por cerca de três horas.

Os dois pegaram o elevador e saíram para o Norrmalmstorg. Estocolmo estava muito quente, as pessoas se abanavam com as mãos ou com jornais dobrados, os homens carregavam o paletó no ombro. Quando chegaram à Hamngatan, o homem lançou um olhar nervoso para trás. Mikael percebeu o gesto e pensou se não seria melhor pegarem um ônibus ou um táxi, em vez de caminharem. Os dois atravessaram a rua e chegaram ao Kungsträdgården. Andavam em silêncio, como se estivessem à espera de uma revelação ou de um acontecimento. Mikael não gostava daquela tensão.

O homem suava mais do que seria natural, e de novo olhou nervoso ao redor. Os dois estavam na diagonal da Ópera, e Mikael teve a impressão de estar sob alguma ameaça. Perguntou-se se teria cometido um engano ao confrontar Leo Mannheimer, se os representantes do Registro já não estariam um passo à frente dele. De repente se virou, inquieto, mas não viu nada. Em volta deles, apenas silêncio, uma sensação de férias no ar. Por toda parte, nos bancos, nos cafés e restaurantes com mesas ao ar livre, havia pessoas tomando sol. Talvez Mikael tivesse se deixado contaminar pelo nervosismo do homem. Resolveu ir direto ao assunto:

"E então? Devo chamar você de Leo ou de Daniel?"

O homem mordeu o lábio e uma sombra encobriu seu olhar. No instante seguinte, se atirou sobre Mikael, derrubando-o no chão.

Rakel Greitz, sentada num banco do Norrmalmstorg, tinha visto Daniel Brolin sair acompanhado de Mikael Blomkvist e deduziu que havia forças em movimento capazes de revelar toda a história mais cedo ou mais tarde. A verdade é que ela não estava nem surpresa nem chocada.

Sabia que, naquela altura, as apostas eram altas, o que a preocupava um pouco, é verdade, mas também aumentava a sensação de liberdade que iria acompanhá-la até o túmulo. Rakel Greitz possuía a força dos que já não têm o que perder. Mais uma vez, Benjamin Fors a acompanhava. Benjamin não estava morrendo como Rakel, mas estava preso a ela não apenas pela lealdade de uma vida inteira, como também pelas coisas inconfessáveis que haviam feito juntos. A queda de Benjamin também seria enorme se a história viesse a público, e ele tinha concordado de imediato em tirar Blomkvist de cena e levar Daniel dali, para que pudessem conversar com ele de maneira a restituir seu juízo.

Apesar do calor que fazia, Benjamin usava uma jaqueta preta com capuz e óculos escuros. Junto ao corpo, levava uma dose de ketamina, um anestésico capaz de pôr o jornalista para dormir em pouco tempo. Com dificuldade, pois tinha sentido dores no estômago a manhã toda, Rakel havia caminhado até a avenida que se estende ao longo do Kungsträdgården. Sob a luz ofuscante do sol, percebeu que Benjamin avançava depressa.

Ficou mais atenta. Naquele instante, a cidade inteira transformou-se num único instante concentrado, numa única cena, e Rakel ficou observando Daniel e Blomkvist diminuírem os passos e o jornalista se voltar para Daniel como se estivesse fazendo uma pergunta. Que bom, pensou Rakel, aquilo os distrairia, e ela achou que tudo iria sair como planejado.

Um pouco mais adiante uma carruagem se aproximava. No céu, um balão azul flutuava, e por toda parte havia pessoas totalmente alheias ao que acontecia. O coração de Rakel batia cheio de expectativa, sua respiração estava resfolegante. De repente algo aconteceu. Daniel viu Benjamin se aproximar e empurrou Blomkvist para o lado. O jornalista caiu, Benjamin errou o alvo e ficou hesitando com a seringa na mão. Blomkvist levantou em seguida, Benjamin lançou um novo ataque sobre ele, o jornalista se desviou e então Benjamin saiu correndo. Covarde! Indignada, Rakel Greitz viu Daniel e Blomkvist correrem em direção ao Operakällaren, pularem dentro de um táxi e desaparecerem. O calor sufocava Rakel Greitz como se houvesse um cobertor molhado sobre ela, e mais uma vez se sentiu muito doente e com náuseas. Ainda assim, reuniu forças para endireitar as costas e se afastar depressa.

Deitada no chão da van cinza, Lisbeth Salander recebia chutes na barriga e no rosto, e mais uma vez o trapo malcheiroso foi posto em seu nariz. Ela se sentiu zonza e fraca, e às vezes, por breves instantes, sua impressão é de que tinha perdido a consciência. Mas havia reconhecido Benito e Bashir, uma combinação nada estimulante. Benito estava pálida e tinha um curativo na cabeça que descia, cobrindo toda a sua mandíbula. Cada movimento que fazia parecia exigir dela grande esforço, o que a obrigava a se manter imóvel o máximo possível. Isso era bom para Lisbeth. Os homens é que desferiam golpes contra Lisbeth: o barbudo Bashir, todo suado e com as mesmas roupas do dia anterior, e um jovem forte de cerca de trinta e cinco anos, de cabeça raspada, camiseta cinza e colete preto de couro. Um terceiro homem dirigia o veículo.

Lisbeth achou que o veículo trafegava pelas ruas de Slussen e começou a tomar notas mentais de cada detalhe no carro — um rolo de corda, um rolo de fita adesiva, duas chaves de fenda. Levou outro chute, dessa vez na nuca. Alguém segurou as mãos dela e a amarraram, a revistaram e confiscaram seu celular. Tudo parecia preocupante, mas quando o jovem de cabeça raspada guardou o aparelho dela no bolso, Lisbeth achou bom. Memorizou a aparência física e os movimentos bruscos dele, bem como a tendência de olhar o tempo inteiro para Benito. Estava claro que era pau-mandado de Benito, e não de Bashir.

Havia um banco do lado esquerdo e eles a colocaram sentada ali, entre os dois homens. Lisbeth manteve o olhar fixo no chão e sentia o perfume adocicado misturado ao cheiro fedido de suor. Achou que a van seguia em direção ao norte, porém não teve certeza, pois estava zonza demais. Por muito tempo rodaram calados. Não se ouvia nada além da respiração deles, do ronco do motor e dos ruídos próprios do veículo. A van era um ferro-velho sem dúvida com mais de trinta anos. Aos poucos tudo ficou ainda mais silencioso. Eles entraram numa estrada rural e depois de uns vinte minutos começaram enfim a conversar. Aquilo era o ideal, justamente do que Lisbeth precisava. Bashir tinha um hematoma no pescoço, e era bem possível que fosse o feliz resultado do golpe que ela havia desferido nele com o taco de *bandy*. Bashir parecia ter dormido mal, pois sua aparência era medonha.

"Minha nossa! Você vai sofrer um bocado, sua putinha", ele disse.

Lisbeth não respondeu.

"E depois eu vou te matar com o meu Keris", acrescentou Benito.

Lisbeth continuou calada, e não seria mesmo necessário dizer nada. Ela sabia que tudo estava sendo gravado numa série de computadores.

Não era um recurso avançado, pelo menos não para Lisbeth. Ao ser atacada, ela tinha usado o código "Vildvittra" para ativar o iPhone hackeado. Através do aplicativo de inteligência artificial Siri, o código havia ativado o botão de emergência e também um microfone amplificado que gravava os sons ambientes e transmitia a gravação, junto com as coordenadas de GPS, para os membros da República dos Hackers.

Todos os hackers de elite que eram membros da República dos Hackers tinham feito o juramento de só usar o botão de emergência em caso de absoluta necessidade. Agora muitos desses jovens talentosos espalhados pelo mundo acompanhavam de perto o drama que se desenrolava no interior da van. A maioria não falava sueco, claro, mas um número razoável deles sim, entre os quais um amigo de Lisbeth que morava na Högklintavägen, em Sundbyberg.

Esse amigo, conhecido como Praga, tinha o tamanho de um armário, estava o tempo todo indignado e revoltado com alguma coisa e mais parecia um caso psiquiátrico. Mas no mundo digital era adorado e respeitado. Naquele instante, estava com os nervos à flor da pele enquanto acompanhava as coordenadas do GPS rumo ao norte, a Uppsala. O carro, que emitia sons próprios de um veículo grande e antigo, entrou na autoestrada 77, em direção a Knivsta, no sentido oeste, o que não era bom. No campo, o GPS iria fornecer coordenadas menos exatas. Praga ouviu uma voz rouca e abafada de uma mulher que parecia doente dizer:

"Você vai morrer bem devagar, sua vagabunda! Entendeu?"

Praga olhou desesperado para a mesa do computador, lotada de papéis, latas, farelos, garrafas de Coca-Cola e restos de comida. Estava com o cabelo por cortar e a barba por fazer e com um roupão azul todo puído. Suas costas doíam. Praga tinha engordado ainda mais, sofria de diabetes e estava há quase uma semana sem tomar sol. O que poderia fazer? Se ao menos tivesse um endereço, poderia hackear o sistema da companhia de eletricidade ou de fornecimento de água, localizar os vizinhos e mobilizar a polícia. Mas naquele instante sentia-se impotente. Todo o seu corpo tremia e o coração batia com força. Ele não tinha a menor ideia da trajetória do veículo.

As mensagens choviam entre os hackers. Lisbeth era amiga deles, a estrela mais brilhante do grupo. Mas ninguém parecia ter sugestões aproveitáveis ou bons planos de ação para o que Praga estava vendo — nada que pudesse ser posto em prática rapidamente. Será que o jeito seria chamar a polícia? Praga nunca tinha telefonado para a polícia, e por um bom motivo. Havia cometido praticamente todos os tipos de crimes cibernéticos. Por uma ou outra razão, estava sempre sendo procurado, mas também era verdade que de vez em quando até os foras da lei precisavam recorrer à lei. Praga lembrou que Lisbeth — ou Wasp, como ele a conhecia — tinha comentado uma vez sobre um policial chamado Bublanski. Disse que ele era um policial o.k., e "o.k." era um elogio e tanto para Lisbeth se referir a alguma autoridade. Praga continuou paralisado por mais alguns minutos diante do mapa de Uppland que tinha aberto no computador. Depois pegou os fones de ouvido, aumentou o volume e começou a escutar a gravação de áudio. Queria ouvir com o máximo de atenção todas as nuances do som do motor do carro e das vozes. Os fones de ouvido emitiam chiados e zumbidos e ninguém dizia nada. Depois vieram as palavras que Praga menos queria ouvir:

"Você pegou o celular dela?"

De novo era a mulher com voz de doente. Ela parecia estar no comando junto com o rapaz que de vez em quando falava com o motorista em outra língua. Depois, graças a buscas feitas em outros arquivos de áudio, o grupo de hackers descobriu que era bengali.

"Está aqui no meu bolso", respondeu um dos homens.

"Posso dar uma olhada?"

Ouviu-se um farfalhar, seguido por um ruído. O celular foi para outra mão, um botão foi pressionado, examinado e alguém respirou próximo ao aparelho.

"Algum problema?"

"Não sei", respondeu a mulher, "parece que não. Mas a polícia pode estar nos grampeando através desta porcaria."

"A gente devia se livrar dele então."

Praga ouviu mais frases em bengali. O carro diminuiu de velocidade. Uma porta rangeu e foi aberta com o veículo em movimento. O vento soprou na gravação, a seguir se ouviu um ruído, uma batida forte e por fim estalos insuportavelmente altos. Praga tirou os fones de ouvido e bateu com o punho fechado na mesa. *Porra, caralho, merda!* Palavrões chegavam de todos os lados aos computadores. Eles tinham perdido o contato com Wasp.

Praga se concentrou, refletiu, tentando descobrir um jeito de resolver a situação. De repente lhe ocorreu uma ideia: as câmeras de controle de tráfego. Como não tinha pensado nisso antes? Se hackeasse o sistema de fiscalização de trânsito, teria acesso às câmeras. O problema era que esse tipo de coisa demorava, e ele não dispunha de muito tempo.

"Alguém sabe quanto tempo a gente leva pra entrar no sistema do Trafikverket?", ele digitou.

Praga conectou os outros hackers a um link de áudio encriptado.

"Uma parte da fiscalização de trânsito fica on-line", alguém respondeu.

"Não dá", ele disse. "As imagens que eles mandam são tremidas, com pouca definição. A gente precisa ver tudo mais de perto, temos que descobrir o modelo do carro, o número da placa..."

"Eu conheço um atalho", disse alguém por mensagem de voz.

Era a voz de uma jovem, e Praga demorou algum tempo para identificá-la. Era Nelly, um novo membro do grupo. Ele disse: "É mesmo? Que bom! Vamos agir então! Juntem-se a ela! Ajudem! Rápido! Vamos! Eu posso dar o horário e as coordenadas".

Enquanto ouvia de novo o arquivo gerado pelo celular de Wasp, Praga entrou no site www.trafiken.nu para ver que câmeras de controle de tráfego estavam distribuídas pela E4 no caminho para Uppsala. O botão de alarme tinha sido acionado por Lisbeth às 12h52, e a primeira câmera naquele trecho era a de Högra Södra. O veículo parecia ter estado lá cerca de treze minutos depois, às 13h05. Mais à frente, as câmeras estavam mais próximas, o que era bom, ele pensou, muito bom. Os locais eram Linvävartorpet, Linvävartorpet Södra, Linvävartorpet Norra, Haga Norra Grindar, Haga Norra, Stora Frösunda, Järva Krog, Mellanjärva e Ulriksdals Golfbana. Havia diversas câmeras na parte inicial do trajeto, e mesmo que o tráfego estivesse intenso não seria difícil localizar o veículo, ainda mais por ser um carro grande e velho — ou era uma van, ou um caminhão de pequeno porte.

"Como estão as coisas?", Praga gritou.

"Calma, estamos trabalhando. Tem um negócio estranho aqui. Andaram melhorando a proteção. Puta merda. *Access denied*. Espera mais um pouco! Porra, que merda... Deu! Agora... é isso aí... estamos no caminho certo... só preciso entender... Quem foi o filho da puta que fez esse negócio? Que amadorismo!"

Era uma situação típica. Palavrões, exclamações, adrenalina a toda, suor, gritos, tudo aumentando de intensidade. A situação era de vida ou morte — depois que todos os hackers ouviram as gravações e assistiram diversas vezes às imagens de vídeo, não restava mais dúvida. Eles identificaram o carro: era uma antiga van da Mercedes com placa falsa. Mas de que adiantava saber disso? Todos se sentiram impotentes quando viram o veículo passando como uma criatura maligna, câmera por câmera, até por fim se embrenhar no meio da floresta a oeste de Knivsta, na direção do Vadabosjön.

"Escuridão digital. Merda, merda!"

Todos gritavam e xingavam na República dos Hackers, e Praga não viu outra saída senão ligar para o comissário Bublanski.

21. 22 DE JUNHO

Bublanski estava no escritório da Bergsgatan conversando com o imã Hassan Ferdousi. Àquela altura já sabia muito bem como o assassinato de Jamal Chowdhury tinha ocorrido. Toda a família Kazi — com exceção do pai — e dois islamistas de Bangladesh estavam envolvidos. Tinha sido uma operação muito bem arquitetada e executada, porém não avançada o suficiente para ter passado despercebida pelas investigações iniciais da polícia, e menos ainda para que necessitasse de ajuda externa para ser elucidada.

Em suma, aquilo tinha sido uma enorme vergonha para a polícia. Bublanski havia acabado de ter uma longa conversa com Helena Kraft, chefe da Säpo, e de trocar ideias com o imã sobre como, no futuro, a polícia poderia encontrar formas eficazes de antecipar e impedir mortes como aquela. Mas a verdade é que ele não estava muito concentrado naquilo. Queria voltar o quanto antes à investigação sobre a morte de Holger Palmgren e, acima de tudo, às suspeitas que tinha em relação ao professor Martin Steinberg.

"Como?", perguntou Bublanski, que não havia entendido o que o imã disse.

Ele não conseguia pensar direito naquele assunto. O telefone tocou ao mesmo tempo que ele recebia uma chamada no Skype de um usuário identificado como "Total fucking shitstorm for Salander", o que lhe pareceu inusitado. Quem adotaria um nome daquele? Bublanski atendeu o celular e ouviu do outro lado da linha a voz de um jovem berrando em sueco vulgar.

"Antes que eu continue a te escutar, gostaria que você se identificasse", disse Bublanski.

"Meu nome é Praga", disse a voz. "Ligue o seu computador e abra o link que eu te enviei por e-mail. Depois eu explico."

Bublanski abriu seu correio eletrônico, depois a nova mensagem de e-mail e clicou no link enviado enquanto ouvia o rapaz. Apesar de praguejar mais do que o necessário e usar termos de informática incompreensíveis, ele parecia coerente. Logo Bublanski deixou de lado a surpresa e sua paralisia inicial e ordenou que viaturas e um helicóptero das polícias de Uppsala e de Estocolmo seguissem em direção ao Vadabosjön. Depois correu até o Volvo estacionado na garagem, acompanhado por Amanda Flod. Por questões de segurança, pediu que Amanda dirigisse, e logo os dois seguiam rumo ao norte com a luz azul ligada.

O homem à sua frente o tinha salvado de um ataque grave e Mikael ainda não havia entendido por quê. Mas parecia um bom sinal. Os dois já não estavam presos aos papéis que desempenharam no saguão da Alfred Ögren, não estavam mais ali apenas o jornalista investigativo e seu entrevistado. Um novo laço unia os dois, e Mikael tinha uma dívida de gratidão com aquele homem.

O sol era escaldante. Os dois estavam sentados num apartamento minúsculo de sótão na Tavastgatan com janelas inclinadas que davam para Riddarfjärden. Em frente a Mikael havia uma pintura a óleo inacabada, em que se viam um mar azul e uma baleia branca. Uma composição harmoniosa, apesar da perturbadora combinação de cores. Mikael se levantou e virou a pintura para a janela. Não queria ter sua concentração distraída por nada.

O apartamento pertencia a Irene Westervik, uma artista idosa. Embora ela e Mikael não fossem próximos, ele se sentia ligado a ela. Irene não apenas era uma mulher inteligente e confiável como levava a vida afastada dos assuntos corriqueiros, e sua companhia com frequência expandia os horizontes de Mikael. Ainda no táxi ele havia telefonado para ela e perguntado se poderia usar seu ateliê por duas ou três horas, ou talvez até o fim do dia. Irene os recebeu em sua casa vestida com um robe de algodão cinza e estendeu-lhe as chaves com um sorriso discreto.

Naquele instante, portanto, Mikael estava no ateliê de Irene, sentado diante de um homem que tudo indicava se chamar Daniel. Quadro virado e celulares desligados e guardados na despensa por segurança. Fazia muito calor e os dois suavam. Mikael tentou, mas não conseguiu, abrir as janelas do ateliê.

"Era uma seringa o que aquele sujeito tinha na mão?"

"Foi o que eu achei também."

"E o que podia haver lá dentro?"

"Na pior das hipóteses, curare sintético."

"Veneno?"

"É. Em doses um pouco maiores, faz toda a musculatura parar, inclusive a musculatura respiratória. A vítima começa a sufocar."

"Você parece saber do que está falando", disse Mikael.

O homem pareceu triste, e Mikael olhou para a janela e para o céu azul.

"Posso chamá-lo de Daniel?", ele perguntou.

O homem se manteve em silêncio. Estava hesitante. Por fim respondeu:

"Dan."

"É um apelido?"

"Não. Ganhei um *green card* e me tornei cidadão americano. Me esforcei ao máximo para apagar todos os rastros do meu antigo nome. Hoje o meu nome é Dan Brody."

"Ou então Leo Mannheimer."

"É verdade."

"É estranho, não é?"

"É. Bem estranho."

"Você não quer me contar a sua história, Dan?"

"Posso tentar."

"Temos bastante tempo. Ninguém vai nos procurar aqui."

"Será que tem alguma bebida forte por aqui?"

"Vou dar uma olhada na geladeira."

Mikael encontrou uma fileira de garrafas de vinho branco Sancerre. Pensou, fazendo um pouco de humor negro, que aquilo já estava se tornando uma técnica sua: oferecer bebida em troca de informações. Pegou uma garrafa, um saca-rolhas e duas taças.

"Tome", disse, enchendo as taças.

"Não sei bem por onde começar. Você disse que encontrou a Hilda. Por acaso ela falou sobre..."

Ele hesitou, como se estivesse diante de um nome ou de um fato que não poderia ser mencionado sem temor.

"Sobre o quê?"

"Sobre a Rakel Greitz?"

"A Hilda falou bastante sobre ela."

Dan não fez nenhum comentário. Simplesmente ergueu a taça e bebeu, quieto e determinado. Depois começou a falar. Deu início à história contando de um clube de jazz em Berlim, de um solo de violão e de uma mulher que não tirava os olhos dele.

Depois de avançar pouco tempo pela floresta, a van parou. O calor no interior do veículo era insuportável, e não havia como distinguir nenhum barulho externo, a não ser o canto dos pássaros e o zumbido das moscas. A van permaneceu ligada e em ponto morto. Lisbeth estava com sede. Sentia-se mal e tossia. Tinha inalado uma substância similar a clorofórmio, havia sido amarrada e espancada, e estava de novo deitada no assoalho do veículo. Depois se pôs de joelhos, e ninguém protestou, mantendo os olhos nela. O motor foi desligado e as pessoas acenaram com a cabeça umas para as outras. Benito bebeu água junto com dois ou três comprimidos. Seu rosto tinha uma coloração cinzenta, e ela permaneceu sentada enquanto Bashir e o outro homem se levantavam. O mais jovem tinha tatuagens nos braços e, no colete de couro, um emblema que Lisbeth não havia notado: um distintivo do MC Svavelsjö, o clube de motociclismo que havia mantido contato com o pai dela e que ainda era ligado à sua irmã. Será que Camilla e os hackers do grupo dela tinham descoberto seu endereço?

Lisbeth fixou de novo os olhos na porta traseira da van e rememorou o movimento executado quando a porta tinha sido aberta e seu celular arremessado para fora. Com precisão matemática, se recordou da força do movimento ou, antes, da ausência de força. Não conseguiria soltar a corda amarrada em torno dos pulsos, mas poderia abrir a porta com um chute. Era uma boa notícia — como também ver que Benito estava ferida e os homens bem nervosos. Dava para notar pela respiração deles, pelos olhares. Bashir começou a fazer caretas involuntárias, como havia feito em Vallholmen, e de repente levou a perna direita para trás para chutá-la; Lisbeth recebeu o golpe com uma reação exagerada. Não que o chute não tivesse sido violento: ele a atingiu nas costelas. Em seguida, Bashir deu um segundo chute, dessa vez no rosto. Lisbeth se fingiu de mais zonza do que estava, enquanto observava Benito.

Desde o início Lisbeth pressentiu que tudo aquilo era um plano de Benito; ela queria dar a última palavra. Naquele instante, se inclinou para a bolsa cinza que estava no chão e tirou de lá um lenço de veludo vermelho. Na mesma hora os homens seguraram Lisbeth pelos ombros. Seria difícil ver aquele gesto com bons olhos, e tudo pareceu ainda pior quando Benito abriu o tecido, revelando ali um punhal — o infame Keris. A arma reluzia, parecendo muito afiada com sua lâmina longa de ponta dourada. O punho era cuidadosamente entalhado e trazia a imagem de um demônio de olhos tortos. O lugar daquela arma seria num museu, e não nas mãos de uma psicopata de rosto pálido e cabeça envolta em bandagem, que, além de tudo, examinava o punhal com uma ternura doentia nos olhos.

Com voz abafada, Benito explicou como o Keris seria usado. Lisbeth não ouviu muito bem, mas não era necessário; ouviu, porém, o bastante. O Keris perfuraria o lenço vermelho, entraria por baixo da clavícula de Lisbeth e atingiria o coração. Ao escorrer, o sangue seria absorvido pelo lenço. Supostamente, era um ritual que exigia habilidade no manejo da arma. Lisbeth continuou a registrar tudo que havia no interior da van — cada objeto, cada grão de poeira, cada olhar distraído ou de hesitação. Olhou para Bashir. Ele a segurava pelo ombro esquerdo e parecia decidido e exaltado. Embora a morte de Lisbeth seria muito bem recebida, ele não parecia satisfeito, e não era difícil entender por quê. Ele iria servir de auxiliar da mulher com o punhal demoníaco, e não era fácil para um homem acostumado a chamar as mulheres de vadias e de putas, acostumado a vê-las como seres de segunda categoria, aceitar um papel tão secundário.

"Você conhece bem o Alcorão?", perguntou Lisbeth, percebendo na hora em seu ombro a reação do movimento da mão de Bashir.

A pergunta o havia perturbado. Lisbeth prosseguiu e disse que o Profeta havia condenado todos os tipos de punhais, por serem objetos de Satã e dos demônios. Em seguida citou uma sura — inventada. Mencionou um número qualquer de sura e incentivou Bashir a procurá-lo na internet.

"Veja você mesmo!"

Benito se levantou com o punhal e arruinou a chance de Lisbeth: "Ela está inventando", disse. "O Keris nem existia na época de Maomé. É uma arma para os guerreiros santos do mundo todo."

Bashir deu a impressão de acreditar em Benito, ou pelo menos de querer acreditar. Ele disse "Está bem, está bem, vamos logo", e em seguida falou em bengali com o motorista.

Benito de repente se mostrou apressada, mesmo que parecesse confusa e seus passos estivessem cambaleantes. Mas não tinham sido as palavras de Lisbeth que a incomodaram. Era um barulho mais acima, o rumor das hélices de um helicóptero. O som podia não ter nenhuma relação com o que estava ocorrendo ali, mesmo assim Lisbeth sabia que a República dos Hackers dificilmente teria deixado tudo aquilo passar em branco. Portanto, ela recebeu aquele som ao mesmo tempo como uma promessa boa mas também uma preocupação a mais — uma promessa porque talvez a ajuda estivesse a caminho e uma preocupação porque a atividade na van se intensificou e logo toda a hesitação desapareceu.

Todos se puseram a trabalhar, e Bashir e o outro homem a seguraram com força. Benito se aproximou com o rosto pálido, o longo punhal e o lenço vermelho. Lisbeth Salander pensou em Holger. Pensou na mãe e no dragão tatuado em suas costas, e apoiou os pés com força no chão do veículo.

Ela tinha que se levantar a qualquer custo.

Mikael e Dan estavam em silêncio. Tinham chegado ao ponto crítico da história. O olhar de Dan corria por toda parte, as mãos faziam movimentos nervosos.

"O Leo estava caído no tapete, mas parecia melhor. Ele tinha recebido uma segunda injeção e de repente começou a reagir. Achei que a crise tivesse passado, só que de repente..."

"A Rakel Greitz falou sobre o curare?"

"Ela me deixou pesquisar na internet, talvez para que eu mesmo lesse que a fisostigmina só iria deter o efeito do curare por algum tempo. Mas eu também consegui ler outra coisa."

"O quê?"

"Já chego a essa parte. Aí a Rakel arrancou o celular da minha mão e disse que ia arranjar para que eu fosse acusado de ter matado meu irmão se eu não colaborasse. Fiquei paralisado, sem entender direito o que estava acontecendo. Eles colocaram um chapéu e óculos escuros em mim, e a Rakel disse que não seria bom se os vizinhos topassem com dois Leos no corredor. Disse que a gente precisava tirá-lo do apartamento enquanto ele ainda se aguentava de pé, e eu vi aquilo como uma oportunidade. Pensei em gritar e pedir ajuda assim que saíssemos."

"Mas não foi o que você fez."

"Não encontramos ninguém no elevador nem na escada, era 23 de dezembro. Não acho que aquele homem se chamasse John, como Rakel disse, e sim Benjamin. Ela o chamou de Benjamin diversas vezes. É o mesmo homem que atacou você hoje. Em seguida…"

"O que houve?"

"Em seguida ele carregou o Leo, que mal se aguentava em pé, até um Renault preto estacionado na rua. Tinha começado a escurecer… é, acho que sim, já estava escurecendo", ele disse, e depois se calou de novo.

Dezembro, um ano e meio antes
A rua que se estendia à frente de Dan estava deserta, tão estranhamente deserta como num pesadelo de fim do mundo, de cenário desolado. Naquele instante, com certeza ele poderia ter corrido para longe e tentado pedir ajuda. Mas como abandonar seu irmão? Impossível, não? Estava mais quente, e a neve derretia antes de tocar o chão. Leo foi atirado para dentro do carro e Dan perguntou:

"Agora vamos levá-lo a um hospital, não é?"

"Claro", disse Rakel Greitz.

Será que ele acreditou mesmo? Aquela mulher tinha acabado de ameaçá-lo. Dan não soube o que pensar. Limitou-se a entrar no carro e não perder de vista um único pensamento — aquilo que tinha lido na internet: desde que a respiração fosse mantida, qualquer pessoa podia se recuperar de um envenenamento por curare. Ele se acomodou no banco de trás junto de Leo, e o homem que Rakel chamava de Benjamin se sentou ao lado dele.

Ele era grande e devia pesar cerca de cem quilos. Tinha mãos enormes e, embora parecesse ter uns cinquenta anos, as bochechas redondas, os imensos olhos azuis e a testa curva davam a seu rosto um aspecto infantil. Dan voltou a se concentrar na respiração de Leo, tentando ajudá-lo, e depois perguntou se estavam mesmo indo a um hospital. Rakel, que dirigia o Renault preto, respondeu de forma mais precisa. Estavam a caminho de determinada ala do Instituto Karolinska.

"Confie em mim", ela disse.

Rakel explicou que tinha chamado um especialista, que eles já estavam à espera de Leo e fariam o necessário para salvá-lo. Talvez Dan soubesse que aquela história não passava de uma mentira e estivesse chocado demais para lutar contra a situação. Difícil saber. Além disso, continuava focado em manter Leo respirando, e ninguém o impediu, o que parecia um bom sinal. Rakel dirigia depressa, como de costume, apesar do trânsito intenso, e logo eles chegaram ao viaduto de Solnabron. Os prédios vermelhos do hospital erguiam-se em meio à escuridão, e por um instante Dan teve certeza de que as coisas iam acabar bem, apesar de tudo.

Mas era apenas uma cortina de fumaça, com o objetivo de manter Daniel tranquilo por mais tempo. Em vez de parar no Karolinska, Rakel Greitz acelerou o carro quando eles passaram pelo instituto, e seguiu para o norte, em direção a Solna. Dan gritou e se debateu, porém seus protestos foram se tornando mais fracos, até quase cessarem. Não que sua fúria e seu desespero tivessem desaparecido; as forças é que haviam lhe deixado. Sacudiu a cabeça e piscou várias vezes os olhos, esforçando-se para pensar com clareza, a fim de manter Leo vivo. Sentia dificuldade com as palavras, com os movimentos, e muito ao longe, como se estivessem sob uma forte cerração, ouviu Rakel Greitz e o homem sussurrarem alguma coisa. Ele tinha perdido a noção de tempo. Depois Rakel ergueu a voz e se dirigiu a Dan, e havia um elemento hipnótico em seu tom de voz. O que ela estava dizendo? Ela falava sobre tudo que ele poderia alcançar, riqueza, sonhos realizados, que finalmente ele ia poder ser feliz.

"Feliz, Daniel. E nós estaremos com você."

Com Leo ofegando de um lado, o enorme Benjamin do outro e Rakel Greitz na frente, falando sobre riqueza e felicidade, foi como se... Foi algo indescritível. Um momento muito além das palavras.

Mikael Blomkvist simplesmente não entendia, e achou que cabia a Dan tentar se explicar. Não havia outro jeito, e o jornalista não o poupou.

"Você se deixou levar, foi isso?", Mikael perguntou.

A garrafa de vinho estava na mesa de centro, e Dan teve vontade de quebrá-la na cabeça do jornalista.

"Você precisa entender", disse, esforçando-se para falar de forma serena. "Naquela hora me parecia impossível viver sem o Leo."

"E o que você estava pensando em fazer?"

"Eu não pensava em nada concreto. A única coisa em que eu pensava era como eu e o Leo íamos sair daquela situação."

"Você não tinha um plano?"

"Um plano? Não, pelo menos não um plano claro. Imagino que seria participar daquilo e torcer para achar uma saída, uma tábua de salvação a que eu pudesse me agarrar. Fomos indo cada vez mais longe pela zona rural. Recuperei um pouco das minhas forças e continuei o tempo inteiro de olho no Leo. Só que ele piorou, começou a ter cãibras e logo não conseguia mais se mexer. É muito difícil para mim falar disso."

"Leve o tempo que você precisar."

Dan bebeu mais vinho e continuou:

"Eu já não sabia onde a gente estava, não tinha a menor noção, só sabia que continuávamos numa zona rural. A estrada se estreitou, vi uma floresta de coníferas. A noite já tinha caído e começou a chover. Em vez de neve, chuva. Depois de algum tempo, consegui ler o que estava escrito numa placa: 'Vidåkra'. Entramos à direita numa estrada no meio da floresta, e dez minutos depois Rakel Greitz parou o carro e Benjamin desceu. Em seguida ele pegou alguma coisa no porta-malas e se afastou. Eu nem quis saber o que era. Ouvi um barulho suspeito e olhei para o Leo. Abri a porta do carro, deitei meu irmão no banco e comecei a fazer respiração boca a boca nele. Quer dizer, tentei, porque eu não sabia fazer aquilo muito bem. Nunca me empenhei tanto em fazer uma coisa direito na minha vida. De repente fiquei confuso, porque vi que o Leo tinha vomitado e que eu nem tinha percebido. O carro estava com um cheiro horrível, e eu me abaixei de novo para continuar fazendo a respiração nele. Era como se eu estivesse inclinado sobre mim mesmo, você consegue imaginar uma coisa dessa? Como se eu estivesse com os lábios em cima dos lábios do meu próprio eu moribundo. E o estranho foi que ela me deixou continuar; de repente a Rakel tinha resolvido ser gentil, veja só. Eu me mantive concentrado no Leo e depois de algum tempo ela começou a falar comigo com uma voz mansa. Disse que o Leo ia morrer, que logo o efeito da fisostigmina ia passar, que não havia o que fazer, que era terrível, ela disse. Mas que a parte boa daquilo era que ninguém nunca iria procurar por ele, que ninguém iria nem perguntar o que tinha acontecido, se eu assumisse o lugar dele. A Rakel contou que a mãe do Leo estava morrendo e que eu poderia sair da Alfred Ögren e vender a minha participação na empresa para o Ivar. Ninguém ficaria surpreso, pois fazia muito tempo que todo mundo sabia que o Leo sonhava em um dia deixar a empresa. Era como se tudo estivesse concorrendo para que se cumprisse a justiça divina e eu recebesse o que sempre havia merecido. E eu aceitei participar. Não vi outra saída. Eu gaguejei e hesitei, mas respondi: tudo bem, eu entendo, pode ser que dê certo. Eles estavam com o meu celular, eu lá enfiado no meio de uma floresta sem ver a luz de uma casa sequer, sem ver luz nenhuma, pra dizer a verdade.

"Quando o Benjamin voltou, a aparência dele era horrível: estava encharcado de suor e chuva, com a calça toda suja de terra e neve, o gorro torto na cabeça. Ele não disse nada, havia um acordo tácito no ar. Então o Benjamin tirou o Leo do banco de trás, e ele foi muito desajeitado, o idiota. Deixou a cabeça do Leo bater no chão e eu me abaixei e olhei para ele. Lembro de ter tirado o gorro do Benjamin e posto na cabeça do Leo. Depois abotoei o casaco dele. Nem o vestimos direito. Ele ficou sem um lenço de pescoço, com o pescoço nu. Os cadarços do sapato estavam desamarrados. Era uma cena deprimente, e cheguei a me perguntar se eu não deveria sair correndo pela floresta ou pela estrada, para tentar encontrar ajuda. Mas será que daria tempo? Achei que não. Aliás, eu já nem tinha certeza se o Leo ainda estava vivo. Então segui atrás do Benjamin para dentro da floresta. Ele arrastava o Leo, o corpo parecia pesado, apesar de o Leo ser magro e leve, e me dispus a ajudar. O Benjamin não gostou da ideia, quis me afastar de lá. 'Vá embora', ele falou. Saia daqui. Isso não é assunto seu', e chamou a Rakel. Mas acho que ela não ouviu, porque ventava forte e o som da voz dele era abafado pelo vento. As árvores farfalhavam, pareciam chicotes, e nós dois nos cortamos em galhos, em arbustos, até chegarmos na frente de um abeto enorme, velho, doente, onde havia um pequeno monte de pedras e de terra. Vi uma pá e pensei, ou quis pensar, que tínhamos topado com um buraco cavado no chão que nada tinha a ver com o que estávamos fazendo."

"Era uma cova."

"Uma tentativa de cova. Não era muito funda. O Benjamin deve ter se acabado para cavar naquele solo congelado. Ele parecia pronto. Pôs o Leo no chão e me mandou desaparecer. Eu disse que precisava me despedir, que ele era um porco sem coração, e o Benjamin começou a me ameaçar, a dizer que a Rakel tinha provas suficientes para me incriminar pela morte do Leo. Eu respondi: 'Eu sei, só quero me despedir, ele era o meu irmão gêmeo e eu sinto como se estivesse enterrando a mim mesmo. Tenha um pouco de compaixão, suma daqui e me deixe chorar em paz. Eu não posso fazer mais nada, veja, o Leo já está morto, olhe pra ele!', eu gritei, 'olhe pra ele!'. E nessa hora o Benjamin se afastou, me deixando sozinho com o Leo. Imaginei que ele não ia ficar longe por muito tempo, então me agachei sob a copa do abeto e mais uma vez me inclinei sobre o Leo", disse Dan Brody.

Annika Giannini tinha almoçado no refeitório dos funcionários da prisão de Flodberga e estava de volta à sala de visitas do prédio H para continuar acompanhando o interrogatório de Faria Kazi, conduzido pela inspetora Sonja Modig.

Depois do almoço, Sonja Modig tinha agido de forma eficaz e competente ao concordar que era importante não apenas obter um relato completo da situação opressiva em que a garota tinha vivido, mas também determinar se o ataque contra o irmão, ao empurrá-lo pela janela, não seria um caso de lesão corporal e homicídio culposo. Teria havido de fato a intenção de matar?

Parecia um caminho promissor, pensou Annika. Ela, então, havia pedido que Faria explicasse melhor sua intenção naquele dia, mas logo Sonja Modig precisou ir até o corredor para atender a um telefonema, e ao voltar para a sala sua atitude mudou, o que aborreceu Annika.

"Pelo amor de Deus, está na cara que aconteceu alguma coisa. Fale de uma vez. Agora!"

"Está certo, me desculpe", disse Modig. "Nem sei como dizer, mas o Bashir e a Benito sequestraram a Lisbeth Salander. Já estamos tomando todas as medidas cabíveis, mas a situação parece grave."

Sonja contou o que sabia e Annika estremeceu. Faria se encolheu na cadeira com as mãos ao redor das pernas. Em seguida aconteceu uma coisa, e Annika foi a primeira a notar. Não eram apenas o medo e a raiva que brilhavam nos olhos de Faria. Havia outro elemento em estado bruto.

"Você disse Vadabosjön?", perguntou Faria.

"O quê? É. As primeiras pistas vieram de uma câmera de fiscalização de trânsito que gravou a van entrando numa estrada no meio da floresta na região próxima ao lago", respondeu Sonja.

"A gente..."

"Continue, Faria", disse Annika.

"Antes de termos dinheiro para tirar férias em Mallorca, a gente costumava acampar em Vadabosjön."

"Certo", disse Annika.

"Volta e meia a gente ia para lá. Afinal, fica muito perto. Às vezes decidíamos em cima da hora, em qualquer fim de semana. Era lá que a minha mãe morava, e, como vocês sabem, Vadabosjön fica no meio de uma floresta densa, por ali há várias trilhas e esconderijos, e uma vez..."

Faria hesitou e pôs as mãos nos joelhos.

"O seu celular pega aqui dentro?", ela perguntou. "Se você achar um mapa detalhado da região, eu posso tentar explicar o caminho — posso tentar me lembrar."

Sonja Modig procurou no celular, praguejou, procurou de novo e por fim seu rosto se iluminou. Tinha conseguido acessar um arquivo enviado pela polícia de Uppsala.

"Me mostre", disse Faria, com um novo entusiasmo na voz.

"Eles chegaram por aqui", disse Sonja Modig, apontando para o mapa aberto na tela do celular.

"Espere um pouco", disse Faria, "não estou conseguindo me orientar. Perto do lago existe um lugar chamado Söderviken, não existe? Ou Södra Viken, Södra Stranden..."

"Não sei. Vou dar uma olhada."

Sonja digitou a palavra "Södra" no buscador.

"Pode ser Södra Strandviken?", ela perguntou, mostrando o mapa a Faria.

"É isso mesmo. Deve ser esse o lugar", disse Faria animada. "Deixe eu ver. Por aqui tem uma estradinha de terra suficientemente larga para um carro passar. Será que pode ser esta aqui?" Ela apontou para o mapa. "Não tenho certeza, mas, se for, na época havia uma placa amarela bem na entrada onde estava escrito: 'Neste ponto termina a via pública'. E uns dois quilômetros adiante tem uma espécie de gruta — não é uma gruta de verdade, é um espaço entre várias árvores e arbustos. Esse lugar fica à esquerda de quem chega ao topo do monte, e eu juro: é como passar por uma cortina de folhagens. Você chega num lugar todo protegido, rodeado por árvores e arbustos, e através de uma clareira você vê uma fenda na rocha e um córrego. Uma vez o Bashir me levou lá, eu achei que era para me mostrar alguma coisa legal, mas era para me assustar. Foi na época em que o meu corpo estava desabrochando e os meninos tinham começado a assobiar para mim na praia. Quando chegamos, ele começou a falar um monte de bobagem sobre como as mulheres que se comportavam como putas eram castigadas antigamente. Ele me deixou apavorada, por isso eu me lembro bem desse lugar. E agora me ocorreu que...", Faria hesitou. "Que o Bashir pode ter levado a Salander para lá."

Sonja Modig fez um gesto afirmativo com a cabeça e agradeceu pelas informações. Pegou de novo o celular e fez uma ligação.

Jan Bublanski recebeu os relatórios do piloto de helicóptero Sami Hamid. Sami tinha dado voltas pela região de Vadabosjön e ao redor da floresta em baixa altitude, mas não havia encontrado pistas da van cinza. Nenhuma testemunha, nenhum visitante tinha visto um veículo como aquele — os policiais nas viaturas também não haviam achado nada. A verdade é que não era fácil. O lago possuía praias em todas as margens e a floresta era cerrada e repleta de trilhas e caminhos labirínticos. A região parecia feita para funcionar como esconderijo, detalhe que preocupou Bublanski. Fazia tempo ele tinha praguejado, irritado, insistindo para que Amanda Flod dirigisse mais rápido.

Ainda faltava um pouco para chegarem ao lago, portanto os dois teriam que sacolejar por mais alguns quilômetros pela estrada 77. Graças ao software de identificação de movimentos, eles sabiam que estavam atrás de Benito e de Bashir Kazi, o que não era nada bom. Bublanski não passava um segundo quieto, falava com a central de comunicações da polícia de Uppsala e com todas as pessoas que pudessem lhe passar outras informações. Chegou a ligar para Mikael Blomkvist diversas vezes, mas o jornalista estava com o telefone desligado, e Bublanski praguejou.

O inspetor alternava xingamentos e orações. Por menos que entendesse Lisbeth Salander, sentia uma ternura quase paternal pela garota, principalmente depois que ela tinha ajudado a desvendar um crime grave. Ele apressou Amanda outra vez, os dois se aproximavam do lago. O telefone tocou, e era Sonja Modig. Ela mal o cumprimentou e pediu que ele lançasse no GPS do carro o seguinte lugar: "Södra Strandviken". Em seguida, disse que Faria Kazi iria falar com ele. Por que ele deveria falar com aquela garota?, Bublanski pensou, sem entender. A voz de Faria não era nem um pouco como ele havia imaginado; tinha uma determinação inabalável, como se ela estivesse diante de uma tarefa pessoal decisiva. Bublanski a escutou, tenso e concentrado, torcendo para que não fosse tarde demais.

22. 22 DE JUNHO

Lisbeth Salander continuava não sabendo onde eles estavam. O lugar era quente e ela ouvia o zumbido de moscas e mosquitos, o som do vento que fazia as árvores e os arbustos farfalhar e o murmúrio da água correndo mansa. Porém sua concentração estava voltada para suas pernas. Elas eram magras e pareciam não servir para muita coisa, mas eram bem treinadas e, naquele momento, a única defesa de que dispunha.

Ela estava de joelhos na van, de mãos amarradas. Benito se aproximou dela com seu rosto pálido coberto de bandagens. O lenço e o punhal tremiam em suas mãos, e Lisbeth olhou para a porta da van. Os homens forçavam seus ombros para baixo e gritavam com ela. Lisbeth ergueu os olhos e viu Bashir com o rosto brilhante de suor a encarando como se fosse investir contra ela. Mas não havia como, pois precisava mantê-la naquela posição.

Mais uma vez Lisbeth se perguntou se não seria possível jogar um contra o outro. Mas o tempo estava acabando. Postada à frente dela, Benito parecia uma rainha malvada com o punhal na mão, e naquele instante o ambiente se modificou. Tudo ficou em silêncio, como que à espera do momento definitivo. Um dos homens rasgou a camiseta de Lisbeth, expondo sua clavícula. Lisbeth olhou para Benito; sua palidez tinha se acentuado e o batom vermelho parecia um rabisco contra a tez cinzenta. Seus movimentos, no entanto, estavam mais firmes e ela havia parado de tremer, como se o horror daquele momento a tivesse estabilizado. Com uma voz que desceu uma oitava inteira, Benito disse:

"Segurem com força. Isso, bom, muito bom. É um momento especial, chegou a hora de Lisbeth Salander morrer. Está vendo o meu Keris apontado para você? Você vai sofrer. Você vai morrer."

Benito olhou para Lisbeth e sorriu com olhos desprovidos de piedade, de humanidade, e por alguns segundos Lisbeth não viu nada além da lâmina do punhal e do lenço vermelho que estava sendo estendido contra seu peito nu. Mas no instante seguinte repentinamente captou e fotografou uma sequência de imagens. Lisbeth notou três parafusos na bandagem de Benito e que a pupila direita dela estava mais dilatada do que a esquerda; notou que à direita da porta da van havia uma placa do hospital veterinário de Bagarmossen. Viu três pedras e uma coleira de cachorro no chão. Viu também um rabisco feito com caneta marcador logo acima de onde estava a coleira. E viu o lenço de veludo vermelho mal acomodado na mão de Benito, o que era bom. Ele não passava de uma tralha ritualística, e, se Benito tinha familiaridade com o manejo do punhal, o lenço era um objeto visivelmente estranho para ela. Benito dava a impressão de não saber o que fazer com ele e, como Lisbeth havia previsto, não demorou a jogá-lo no chão.

Lisbeth se apoiou com firmeza sobre os dedos dos pés, e Bashir, muito nervoso, gritou com ela, mandando-a sentar. Ela viu Benito piscar os olhos várias vezes e o punhal sendo erguido e estendido na direção de um ponto logo abaixo de sua clavícula. Nesse momento Lisbeth jogou todo o peso do corpo para os pés e se esticou o mais que podia, imaginando se iria conseguir se manter assim; afinal, de joelhos, com as mãos amarradas e sendo empurrada para baixo, sofria uma força contrária. Mas era preciso tentar. Em seguida fechou os olhos e fingiu que aceitava seu destino, enquanto estava atenta ao silêncio e à respiração de todos no compartimento de carga da van. Sentiu a tensão no ar, a sede de sangue, mas também o medo — o temor misturado com o júbilo do momento. Mesmo para assassinos como eles, uma execução não era tarefa simples. Mas… espere!

Lisbeth percebeu algo novo. Ouvia um ruído longínquo, como o ronco de um motor — não de um único carro, mas de vários.

Nesse instante Benito deu início à execução do gesto necessário para cravar o punhal em Lisbeth. A hora havia chegado. Lisbeth se levantou de repente, numa explosão violenta de força, e se pôs de pé, sem no entanto conseguir evitar o punhal.

Sacolejando pela estradinha de terra ao longo do Vadabosjön, Amanda Flod e Jan Bublanski logo encontraram a placa amarela com os dizeres "Neste ponto termina a via pública". Amanda freou tão depressa que o carro derrapou, e ela olhou irritada para Bublanski, como se fosse culpa dele. O comissário, que não entendeu o que estava acontecendo, pois falava ao telefone com Faria Kazi, de repente gritou:

"A placa! Achamos!", e pode ser que tenha praguejado também enquanto o veículo sacudia e derrapava.

Amanda recuperou o controle do carro e virou numa estrada que mais parecia uma trilha. Era um lodaçal com sulcos profundos. A chuva que havia caído sem parar antes que a onda de calor chegasse com força tinha deixado a estrada quase intransitável, e o carro ia aos pulos e solavancos. Bublanski gritou:

"Caramba, vá mais devagar! Não podemos deixar passar!"

Os dois não podiam deixar passar o lugar que, de acordo com o relato de Faria, era protegido por uma cortina de galhos e folhagens e estava localizado no ponto mais alto de uma encosta. Bublanski não via nada parecido com uma encosta, e a verdade é que no fundo não confiava muito no que estavam fazendo. Era uma aposta arriscada, porque a van poderia tanto estar em qualquer lugar daquela floresta como num lugar totalmente diferente daquele. Além disso, muito tempo havia se passado desde que Faria estivera lá. Como ela podia se lembrar com tanta precisão do local da clareira? Como podia se lembrar de tantos detalhes dos recônditos de sua infância ou mesmo da distância exata, passados tantos anos?

Para Bublanski, a aparência da floresta era sempre a mesma, com vegetação densa para onde quer que se olhasse, sem nenhum ponto de referência. Acima deles, as folhagens das copas ficavam tão próximas umas das outras que tudo parecia mais escuro. Atrás ouviam-se as viaturas da polícia, o que seria bom se estivessem mesmo no caminho certo. Mas ele estava a ponto de desistir. A floresta parecia impenetrável, Bublanski não sabia como poderiam encontrar o que quer que fosse naquele matagal. Ao longe, porém... não havia exatamente um monte, mas a estrada começava a subir. Amanda derrapou de novo e se aproximou da encosta, enquanto Bublanski continuava descrevendo a Faria o que estava vendo. Fixou-se numa pedra redonda à beira da estrada, bastante peculiar, quem sabe ela se lembrasse daquilo. Mas Faria não se lembrava, e ele não soube mais o que falar. De repente ouviram um barulho. Uma pancada contra alguma coisa de metal, gritos em seguida, vozes, e vozes exaltadas. Bublanski olhou para Amanda e ela freou de repente. Bublanski sacou a arma e saiu às pressas do carro. Embrenhou-se correndo pela floresta, desviando de folhagens, árvores, arbustos, até que, num momento vertiginoso, se deu conta de que havia encontrado o lugar.

Dezembro, um ano e meio antes
Dan Brody estava em outra floresta e em outra estação do ano, não muito longe de Vidåkra, na antevéspera do Natal. Ajoelhado na neve úmida sob o velho abeto, ele olhava para Leo caído no chão, com o rosto azul e olhos cinzentos provavelmente já sem vida. Um instante de horror que pode não ter durado muito tempo.

Afinal, Dan precisava agir, recomeçar a respiração boca a boca o quanto antes. Os lábios de Leo estavam frios como a neve, e Dan não notava atividade na traqueia e nos pulmões. A todo instante tinha a impressão de ouvir passos se aproximando. Logo aquela despedida chegaria ao fim e ele seria obrigado a voltar para o carro como um homem pela metade. Diversas vezes, como num mantra, como numa prece, ele repetia a si mesmo em pensamento: *Leo, acorde, acorde!* Não por ainda acreditar que isso pudesse acontecer, mesmo que conseguisse reavivar o irmão.

Benjamin devia estar por perto, talvez naquele instante estivesse observando por entre as árvores, devia estar nervoso, impaciente para enterrar Leo de uma vez e ir embora dali. Não havia jeito. Mesmo assim, embora cada vez mais aflito, Dan manteve sua determinação. Fechou as narinas de Leo e soprou para dentro do irmão com tanta força que chegou a sentir vertigem, e enquanto fazia isso repetidas vezes por algum tempo chegou a perder a noção do que fazia. De repente, ouviu ao longe o barulho de um carro e do motor sendo desligado.

A floresta em volta farfalhou, como se um bicho assustado estivesse passando. Uma revoada de pássaros levantou voo para longe e instantes depois tudo se reduziu a um silêncio assustador. Foi como se a vida tivesse abandonado aquele lugar, e Dan precisou parar a respiração boca a boca para tomar fôlego.

Tinha consumido seu próprio oxigênio e enquanto tossia para se refazer, foi se dando conta de alguma coisa estranha, como se os tossidos dele estivessem ecoando e se propagando pelo chão de terra. Demorou algum tempo para entender que era Leo, tossindo também. Ele tentava recobrar o fôlego, parecia ter cãibras, e por instantes aquela foi uma visão inacreditável. Dan olhou para ele e pensou: E agora? Alegria? Felicidade? Não, nada além de urgência.

"Leo", ele sussurrou. "Eles querem matar você. Você precisa fugir para a floresta. Agora. Levante-se e corra!"

Leo pareceu não entender, ele ainda lutava para respirar e para se orientar naquele cenário. Dan o ajudou a se pôr de pé, depois o ajudou a se esconder entre as árvores. Chegou a empurrá-lo, e Leo caiu. Caiu de mau jeito, mas logo se levantou e andou um pouco pelo mato, com as pernas bambas. Dan não sabia o que poderia acontecer com o irmão, mas não ficou observando.

Pegou a pá e começou a cobrir rapidamente a cova, jogando terra e pedras lá dentro com uma energia desesperada, até ouvir o que esperava desde o início: os passos de Benjamin. Olhou para a cova e achou que ia ser descoberto, então continuou a encher o buraco com impulsos de corpo ainda mais frenéticos. Jogava terra, praguejava, jogava terra... sua vida tinha se reduzido àquele trabalho, aos palavrões e xingamentos que soltava a todo instante. Em seguida ouviu a respiração de Benjamin, o farfalhar de sua calça, o chapinhar do sapato na terra e na neve molhadas, e só aguardava o momento em que Benjamin, ao não ver o corpo de Leo ali, sairia pela floresta em busca do irmão ou então se atiraria em cima dele. Mas Benjamin apenas olhou e não disse nada, e ao longe se ouviu o barulho de outro carro. Mais uma revoada de pássaros levantou voo.

"Eu não aguentei ficar olhando para ele e o enterrei", Daniel disse.

As palavras soaram falsas, e Dan não obteve resposta. Estava pronto para o pior e fechou os olhos. Mas nada aconteceu. Nada além dos movimentos vagarosos e desajeitados de Benjamin se aproximando, fedendo a tabaco. Ele disse:

"Vou ajudar você."

Juntos, terminaram de fechar a cova vazia e dedicaram um bom tempo à colocação de tufos de grama e pedras sobre a terra revolvida. Depois voltaram para o carro e para Rakel Greitz. Os dois andavam devagar e de cabeça baixa. A caminho de Estocolmo, Dan permaneceu em silêncio, ouvindo com atenção os planos e as sugestões de Rakel.

Lisbeth saltou como uma bala de canhão, e o punhal acertou a lateral de seu corpo. Não sabia se o ferimento era grave e nem era hora de se preocupar com isso. Benito cambaleou e começou a desferir punhaladas às cegas no ar. Lisbeth deu um passo ágil para o lado, acertou-a com uma cabeçada e correu em direção à porta da van. Abriu a porta jogando a cabeça e o corpo sobre ela, saltou na grama com as mãos amarradas, sentindo a adrenalina se espalhar pelas veias. Mesmo aterrissando de pé, ela se desequilibrou, caiu para a frente, rolou sobre seu corpo e acabou deslizando por uma encosta até chegar a um riacho. Viu que a água estava manchada de sangue, se levantou e correu para dentro da floresta. Lisbeth ouvia vozes distantes às suas costas e o som de carros se aproximando, mesmo assim não pensou em parar. Queria sair daquele lugar bem rápido.

Jan Bublanski não viu Lisbeth, apenas dois homens na clareira, descendo por uma encosta. Perto deles havia uma van cinza, estacionada em frente às folhagens e à estrada. Sem saber ao certo o que fazer, o inspetor gritou, apontando a arma para os dois: "Pare! Polícia!".

Fazia um calor insuportável na mata e Bublanski sentia o corpo pesado. Respirava com dificuldade, e os homens à frente eram mais jovens, mais fortes e com certeza mais impiedosos do que ele. Mesmo assim, ao virar o rosto e apurar o ouvido para escutar os barulhos que vinham da estrada, Bublanski achou que tudo estivesse sob controle. Amanda Flod estava por perto e viaturas de polícia dirigiam-se para lá. Os homens pareciam estar desarmados e despreparados. Bublanski disse:

"Nada de gracinha. Vocês estão cercados. Onde está a Salander?"

Os homens não responderam, limitando-se a lançar olhares nervosos para a van, cuja porta traseira estava aberta. Bublanski já pressentia que algo desagradável iria sair de lá, e esse algo, ainda um vulto, começou a se mover devagar e com dificuldade. Por fim lá estava ela, mal se aguentando em pé, pálida e com um punhal ensanguentado na mão: Benito Andersson. Ela deu um passo trôpego e bufou para Bublanski, como se detivesse todo o poder do mundo:

"Quem é você?"

"Sou o comissário Jan Bublanski. Onde está Lisbeth Salander?"

"Aquela fedelha judia?", respondeu Benito.

"Estou perguntando onde está Lisbeth Salander."

"Morta, eu acho", disse Benito, apontando o punhal na direção de Bublanski e caminhando na direção dele.

O inspetor ordenou que ela parasse.

Benito continuou avançando como se a arma que ele lhe apontava não fosse nada, e fez outro comentário antissemita. Bublanski pensou que aquela mulher não merecia sequer um tiro. Não ia permitir que ela morresse como uma mártir do círculo do inferno onde vivia. No entanto, quem a atingiu foi Amanda Flod, acertando a perna esquerda de Benito. Em pouco tempo, policiais surgiram de todos os lados, e tudo acabou. Mas eles não encontraram Lisbeth Salander — apenas manchas do sangue dela no interior da van.

Lisbeth havia desaparecido na floresta.

"O que houve com o Leo?", Mikael perguntou.

Dan serviu-se de mais vinho branco, olhou para o quadro virado e depois para a janela.

"Ficou andando sem rumo pela mata", ele disse.

"Ele está vivo?"

"Ficou andando sem rumo pela mata", Dan repetiu. "Ficou andando sem rumo entre as árvores, em círculos, cambaleou, caiu, passou mal, depois derreteu neve nas mãos para comer, bebeu neve derretida e por fim começou a gritar. Ele gritava: 'Socorro, eu preciso de ajuda, tem alguém aí?', mas ninguém ouvia. Horas depois ele chegou a uma encosta que descia de forma abrupta, deslizou lá para baixo e foi dar numa pradaria, num local aberto que lhe pareceu vagamente familiar, como se ele já tivesse estado lá fazia muito tempo ou sonhado com aquele lugar. Mais adiante, na margem da floresta, ele viu uma casa com uma varanda grande na frente e as luzes acesas. O Leo se aproximou cambaleando e tocou a campainha. Um casal jovem morava ali — Stina e Henrik Norebring, caso você queira verificar depois. Os dois estavam arrumando as coisas para o Natal, embrulhando os presentes para os dois filhos pequenos, e no começo ficaram apavorados ao ver o Leo, que devia estar com uma aparência horrível. Mas ele os tranquilizou, contou que tinha saído da estrada com o carro, batido numa árvore, perdido o celular, e que provavelmente havia sofrido uma concussão cerebral. Explicou que tinha passado muito tempo andando sem rumo, e suas palavras devem ter soado plausíveis para o casal.

Stina e Henrik lhe ofereceram um banho quente e roupas limpas. Leo comeu *Janssons frestelse* e presunto de Natal, bebeu quentão e *schnapps*, e aos poucos foi melhorando, recobrando as forças. Porém ele não sabia o que fazer. O que mais desejava era falar comigo, mas ele tinha certeza que a Rakel estava com o meu celular e temia que meus e-mails também estivessem sendo monitorados. Então, naquela hora, não soube o que fazer. Só que o Leo não é bobo, ele pensa sempre um passo à frente, então começou a se perguntar se não conseguiria me enviar uma mensagem que parecesse inocente, que eu pudesse receber de qualquer pessoa na véspera de Natal, mas que só eu entendesse que era dele."

"Como foi que ele fez?"

"Ele pediu emprestado o celular do rapaz que o acolheu e me escreveu o seguinte: *Congrats, Daniel! Evita Kohn wants to tour with you in the US in February. Please send a confirmation. Django. Will be a Minor Swing. Merry Christmas.*"

"Certo", disse Mikael, "e o que o Leo quis dizer com essa mensagem?"

"Em primeiro lugar, ele não queria chamar a atenção para o meu novo nome. Depois escolheu uma artista com quem eu nunca tinha tocado, para que ninguém pudesse me rastrear dessa forma. Mas o principal foi ele ter assinado a mensagem como…"

"Django."

"Exato, Django. Isso já bastaria para que eu entendesse, mas ainda escreveu *Will be a Minor Swing*."

Dan se calou e ficou pensativo.

"'Minor Swing' é uma canção com uma intensa alegria de viver. Ou melhor, 'alegria de viver' talvez não seja a expressão mais adequada, porque a canção tem uma sonoridade um pouco sombria. Django e Stéphane Grappelli compuseram essa música juntos, e Leo e eu já a tínhamos ensaiado umas cinco vezes. A gente adorava essa música, e foi isso que..."

"Sim?"

"Depois que o Leo enviou a mensagem ele voltou a piorar. Caiu desacordado e o casal o colocou no sofá. Começou a ter dificuldade para respirar, os lábios dele ficaram azulados de novo. Mas eu não sabia de nada disso, claro. Eu tinha ido para o apartamento do Leo, já era tarde. Estávamos os três lá: Benjamin, a Rakel Greitz e eu. Eu estava enchendo a cara de vinho enquanto a Rakel recapitulava todo o plano monstruoso que ela havia traçado. Eu concordei com tudo, contrariado, em choque, mas concordei. Disse que assumiria o lugar do Leo a partir daquele momento e faria tudo que ela pedisse. Depois a Rakel começou a falar dos detalhes práticos, disse que eu devia solicitar novos cartões de crédito com novas senhas, que eu precisava ir visitar Viveka no hospital e agir como se eu fosse o Leo e que eu devia tirar uma licença da corretora e viajar para o exterior, ler sobre o mercado financeiro e me livrar do meu sotaque americano e do meu dialeto nortista. Planejamos tudo, tudo. A Rakel me levou para dar uma volta pelo apartamento, achou o passaporte e outros documentos do Leo, pediu que eu treinasse a assinatura dele, me deu conselhos sobre tudo que você possa imaginar. Foi insuportável, o tempo inteiro havia uma ameaça no ar, de que eu, como Daniel, pudesse ser acusado de ter matado meu irmão, e também a ameaça de que eu, como Leo, pudesse ser condenado por *insider trading* e por sonegação de impostos. Eu ficava paralisado, olhando para ela. Depois não aguentava, fechava os olhos e me lembrava do Leo cambaleando para entrar na floresta, dele desaparecendo no mato e na escuridão, naquele frio. Eu não achava que ele tivesse conseguido, eu o imaginava caído na neve, morto por hipotermia, e naquele instante foi difícil acreditar que a própria Rakel estivesse convencida de que aquele plano ia dar certo. Será que ela não percebia que eu não ia suportar? Que eu cederia à menor suspeita? Lembro que de vez em quando ela olhava para o Benjamin e dava ordens para ele.

"A Rakel continuou mexendo nas coisas do Leo, organizava as canetas, limpava mesas, cadeiras, arrumava, procurava, ajeitava. A certa altura ela tirou meu celular do bolso e viu a mensagem do Leo. Olhou, fez perguntas sobre os meus amigos e os meus contatos profissionais, músicos que eu conhecia, e eu respondi tudo com naturalidade, em boa parte com a verdade, mas principalmente com meias-verdades e mentiras. Eu não tinha a menor vontade de falar sobre aquilo, mesmo assim fiquei alerta porque... Sabe, para economizar dinheiro, quando voltei à Suécia comprei um chip de celular sueco, e ainda não tinha dado meu novo número para muita gente, então estranhei que tivesse recebido uma mensagem. 'O que diz a mensagem?', eu perguntei com a maior indiferença possível. A Rakel me passou o celular, eu li a mensagem e... como posso dizer? Foi como se a vida tivesse retornado a mim. Mas me contive, reagi com desinteresse, acho que a Rakel não percebeu nada de diferente em mim. 'É uma proposta de trabalho?', ela perguntou. Eu fiz que sim com a cabeça e ela disse que a partir daquele momento eu deveria recusar todos os convites, pegou o celular de volta e fez algum comentário que eu nem ouvi. Simplesmente assenti de novo com a cabeça, interpretei meu papel naquele teatro e até me fiz de ambicioso: 'E a minha parte? Quanto dinheiro eu vou receber, afinal?', perguntei. A Rakel respondeu com um número muito exato, que mais tarde eu concluí ser um exagero — como se a minha decisão de colaborar pudesse ser afetada por mais alguns milhões. Eram onze e meia da noite, a gente estava envolvido naquilo já fazia mais de duas horas, e eu estava morto de cansaço e meio bêbado também. 'Não aguento mais', eu disse. 'Preciso dormir.' Lembro que a Rakel hesitou. Será que ela ia ter coragem de me deixar sozinho? Por fim deve ter concluído que o único jeito era confiar em mim, e eu fiquei com tanto medo que ela se arrependesse que nem arrisquei pedir meu celular de volta. Fiquei lá paralisado, assentindo com a cabeça enquanto ouvia todas as ameaças e promessas que ela fazia, dizendo 'Claro, claro' e 'Não, não' conforme o caso."

"E deu certo."

"Deu certo. Assim que eles foram embora, eu me foquei numa única coisa: em resgatar os números do celular que eu tinha visto na tela. Eu só lembrava dos últimos cinco dígitos, do resto não tinha certeza, então comecei a mexer em gavetas e bolsos de casaco, até encontrar o celular do Leo, que, como seria típico dele, não possuía senha. Partindo dos cinco dígitos que eu sabia, liguei para muitos números, acordei desconhecidos, fiz ligações para telefones que não existiam, nada deu certo. Chorei, xinguei, tinha certeza de que logo o Leo mandaria outra mensagem para o meu celular, a Rakel leria e tudo iria para o inferno. Então me lembrei da placa que eu tinha visto pouco antes de paramos com o carro naquele lugar — Vidåkra — e me ocorreu que o Leo devia ter recebido ajuda por lá. E assim…"

"Você procurou telefones de Vidåkra?"

"Eu joguei os cinco números que eu lembrava na internet e de cara apareceu o nome de Henrik Norebring e a foto dele. A internet é incrível. Havia até uma foto da casa dele. Vi que era um rapaz jovem, fiz uma rápida estimativa do valor da propriedade, de acordo com a localização e tudo mais, e lembro que em seguida hesitei — minhas mãos estavam tremendo."

"Mas você ligou, não foi?"

"Liguei. Tudo bem se a gente parar um pouco?"

Mikael concordou com a cabeça, se levantou e pôs a mão no ombro de Dan. Depois foi até a copa, ligou seu celular e começou a pôr uma ordem na pia. No instante seguinte, o telefone começou a vibrar e a apitar, e ele demorou um pouco para entender o que estava acontecendo. Então Mikael praguejou e voltou à sala. Mediu bem as palavras antes de falar.

"Dan, acho que você entende que eu preciso tornar público, o quanto antes, tudo que você me contou. Inclusive para o seu próprio bem. Fico feliz que você possa ficar aqui no ateliê, em vista da sua situação. Vou tomar todas as providências para que você fique aos cuidados da redatora-chefe da *Millennium*, a minha colega Erika Berger. Tudo bem? Ela é uma pessoa boa e confiável. Você vai gostar dela. Agora eu preciso ir embora."

Confuso, Dan Brody concordou com a cabeça e por um instante pareceu tão indefeso que Mikael deu um abraço rápido e abrutalhado nele. Entregou-lhe as chaves do ateliê e agradeceu.

"Você foi corajoso de contar tudo. Não vejo a hora de ouvir a continuação dessa história."

Mikael saiu em seguida e, já na escada, telefonou para Erika usando uma linha criptografada. Como havia imaginado, Erika prometeu ir imediatamente ao ateliê. Depois Mikael tentou achar Lisbeth, mas não conseguiu. Soltou um palavrão e ligou para o comissário Jan Bublanski.

23. 22 DE JUNHO

Jan Bublanski devia estar satisfeito. Tinha capturado Bashir e Razan Kazi, bem como Benito Andersson e ainda um membro do infame MC Svavelsjö. Mas não estava nem um pouco. Os policiais de Uppsala e de Estocolmo haviam feito buscas na floresta ao redor do Vadabosjön, sem encontrar Salander. Além das manchas de sangue na van, um pouco mais para cima da encosta acharam uma casa de veraneio arrombada, onde também viram resquícios de sangue e pegadas de tênis de um tamanho pequeno. Não dava para entender. Lisbeth poderia ter esperado para receber assistência médica, havia ambulâncias a caminho. No entanto, tinha preferido se enfiar numa floresta impenetrável, distante de qualquer estrada e da civilização. Talvez ela não tivesse entendido que a ajuda estava tão próxima. Se o punhal de Benito havia atingido algum órgão vital, Salander estava numa situação delicada agora, talvez morrendo. Por que ela não era como as outras pessoas?

Bublanski chegou à delegacia da Bergsgatan e estava a caminho do seu escritório quando o celular tocou. Era Mikael Blomkvist, e enfim o comissário pôde lhe passar um resumo do que tinha acontecido. Mas logo a ordem se inverteu. Mikael fez a Bublanski uma série enorme de perguntas e somente depois explicou de forma sucinta que estava começando a entender os motivos por trás do assassinato de Holger Palmgren. Disse que voltaria a falar em breve com ele, mas que naquele momento estava ocupado com outras coisas. Bublanski não pôde fazer mais do que suspirar e aceitar.

Dezembro, um ano e meio antes
Era meia-noite e meia, enfim a véspera de Natal havia chegado e uma neve pesada e úmida se acumulava no parapeito da janela. Do lado de fora o céu estava cinza e preto, a cidade em silêncio. Ouviam-se apenas alguns carros passando de vez em quando pela Karlavägen. Fazia algum tempo que Dan estava no sofá com o celular de Leo na mão. Com o corpo inteiro tremendo, ligou para o número de Henrik Norebring em Vidåkra.

Os sons de chamada ecoavam em seu ouvido, mas ninguém atendia. Logo a secretária eletrônica entrou em funcionamento e a voz de um jovem encerrou a mensagem com um "Até logo e tudo de bom". Dan olhou desesperado pelo apartamento. Não se via mais sinal do drama que ocorrera ali; pelo contrário, no ambiente reinava uma limpeza tão clínica que chegava a lhe dar náuseas. O lugar cheirava a desinfetante, e Dan foi até o quarto de hóspedes, onde tinha dormido naquela semana, e continuou ligando de lá. Praguejou em desespero e deixou o olhar correr ao redor.

Havia traços de Rakel Greitz por ali. Para onde ela teria ido? Rakel tinha limpado, arrumado e organizado também o quarto de hóspedes, e Dan teve vontade de fazer uma bagunça, deixar tudo um caos, sentiu vontade de rasgar o lençol da cama para afastar a presença dela, jogar os livros na parede. Mas não fez nada disso. Simplesmente olhou para fora da janela e ouviu a melodia que vinha de um rádio no andar de baixo — talvez tenha passado um ou dois minutos assim. Depois pegou o telefone de novo, mas nem teve tempo de teclar o número, pois o celular de Leo tocou bem naquele instante. Dan atendeu com voz animada e cheia de expectativa, e ouviu a mesma voz que tinha acabado de falar na secretária eletrônica. Porém ela já não parecia alegre, mas séria e composta, como se algo terrível tivesse acontecido.

"O Leo está aí?"

Dan atirou a pergunta para o homem do outro lado da linha, porém não recebeu resposta. Não ouvia nenhuma respiração, nada. O silêncio lhe pareceu o prenúncio de uma catástrofe, e de repente todos os terrores que ele tinha vivido na floresta regressaram. Dan se lembrou dos lábios frios de Leo, da ausência de brilho em seu olhar, da falta de resposta dos pulmões.

"Ele está aí? Está vivo?"

"Espere um pouco", disse a voz.

Houve um ruído na linha, uma criança chorava ao fundo e logo Dan ouviu o barulho, como se um objeto estivesse sendo posto em cima de algum lugar.

Dan continuou ouvindo sons distantes, e um tempo se passou. De repente, como do nada, a vida, o mundo, as cores reviveram.

"Dan?", disse uma voz que só podia ser a de Leo.

"Leo!", ele exclamou. "Você está vivo!"

"Eu estou bem. Logo depois que eu saí dali, passei mal, tive cãibras de novo, mas a Stina aqui, que é enfermeira, cuidou de mim."

Leo disse que estava deitado num sofá, debaixo de dois cobertores. Sua voz estava um pouco abafada, porém firme, e ele parecia não saber direito o que dizer na presença do casal. Mas mencionou Django e a "Minor Swing".

"Você salvou a minha vida", disse Leo.

"Verdade."

"Foi uma grande coisa."

"Um swing dos grandes."

"Swing maior não existe, meu irmão."

Dan não disse nada, apenas se entregou a um silêncio solene.

"*Contra mundum*", prosseguiu Leo.

"Como é?", disse Dan.

"Nós dois, meu amigo. Contra o mundo. Você e eu."

Os dois tinham combinado um encontro no Hotel Amaranten, na Kungsholmsgatan, não muito longe do fórum, onde Leo tinha certeza de que não encontraria nenhum conhecido. Os irmãos passaram as primeiras horas da manhã da véspera de Natal num quarto situado no quarto andar, com a cortina fechada, conversando e fazendo planos. Renovaram o pacto e a aliança que haviam feito, e ainda de manhã, em meio às últimas correrias para as compras de Natal, Dan adquiriu dois celulares pré-pagos para que eles pudessem se comunicar.

Depois voltou para a Floragatan e, quando Rakel Greitz ligou para o telefone fixo de Leo, repetiu com absoluta seriedade que estava disposto a seguir os planos dela. Também conversou com uma enfermeira do hospital de Estocolmo, que lhe contou que Viveka estava sedada e que não tinha muito tempo de vida. Ele desejou um bom Natal a todos os funcionários da ala, pediu que dessem um beijo na testa de Viveka por ele e prometeu aparecer o mais breve possível.

À tarde, Dan voltou ao Amaranten e contou a Leo tudo que sabia sobre a pasta que Rakel Greitz afirmara ter, com as provas de *insider trading* e sonegação de impostos forjadas por Ivar Ögren em nome de Leo, e que supostamente poderia colocá-lo na prisão. Dan viu uma fúria imensa surgir nos olhos do irmão, um ódio que o fez sentir medo, e permaneceu em silêncio enquanto Leo detalhava a maneira como os dois podiam se vingar de Ivar Ögren, de Rakel Greitz e de todos os envolvidos. Pôs a mão no ombro de Leo em solidariedade à sua dor, embora ele mesmo não pensasse em vingança, mas apenas na viagem de carro feita na escuridão, na cova rasa cavada junto ao velho abeto e nas palavras de Rakel Greitz sobre as forças poderosas que ela tinha por trás dela. Sentiu com o corpo inteiro que não teria coragem de dar o troco, pelo menos não naquele momento, o que talvez — foi o que lhe ocorreu mais tarde — tivesse a ver com as condições sociais em que fora criado. Ao contrário de Leo, Dan não acreditava ser possível vencer os poderes estabelecidos, porque o que ele tinha visto e sentido na pele era justamente a força implacável com que esses poderes atacam. Assim, Dan falou:

"Claro, ainda vamos nos vingar, vamos destruí-los, mas antes precisamos nos preparar, não é? Precisamos arranjar provas, deixar tudo encaminhado. Mas, Leo, não seria melhor se víssemos essa oportunidade como uma chance de começarmos uma vida nova?"

Dan não sabia mais o que dizer e lembrou ao irmão que aquela ideia de vingança tinha sido só momentânea. Mas aos poucos essa ideia tomou corpo, e passada uma hora, depois de uma longa discussão, os dois começaram a fazer planos mais concretos, a princípio desajeitados, porém mais e mais decididos. E se deram conta de que seria necessário agir depressa, pois Rakel Greitz e a organização que controlava não demorariam a descobrir ter sido vítimas de um engodo.

No dia de Natal, Leo fez uma transferência para a conta de Dan Brody. Logo faria outra. Depois comprou uma passagem de avião para Boston em nome de Dan. Mas não foi Dan quem viajou; foi Leo, vestido como Dan e com o passaporte americano e outros documentos do irmão. Dan ficou no apartamento de Leo e recebeu Rakel Greitz na tarde de 26 de dezembro, para conversarem sobre outros detalhes de sua nova vida. Saiu-se bem no papel e, como não parecia mais desesperado, Rakel Greitz interpretou aquilo como um sinal positivo de adaptação à nova existência. "As pessoas veem a própria maldade nos outros", Leo diria mais tarde ao telefone.

Dan estava ao lado da mãe de Leo no hospital de Estocolmo no dia 28 de dezembro, e ninguém parecia suspeitar de nada. Aquilo lhe deu coragem. Tinha se vestido bem e falou pouco. Tentou parecer comovido e contido ao mesmo tempo, mas em certos momentos envolveu-se de verdade com a situação, mesmo estando na presença de uma pessoa que não conhecia. Viveka Mannheimer estava magra e pálida, era pequena e lembrava um passarinho. Alguém tinha arrumado seu cabelo e feito uma maquiagem leve em seu rosto. A cabeça estava sustentada por dois travesseiros e ela dormia de boca aberta, respirando fracamente. Houve um momento — Dan imaginou que aquilo era o esperado — em que passou a mão pelo ombro e pelo braço de Viveka e ela abriu os olhos. Dan foi examinado com um olhar crítico e se sentiu desconfortável, mas não chegou a se preocupar. A mulher tinha tomado morfina, e seria possível alegar que estava delirando.

"Quem é você?", perguntou Viveka.

A voz que saía daquele rosto frágil tinha um tom duro e acusatório.

"Sou eu, mãe. O Leo", ele respondeu.

A mulher deu a impressão de estar refletindo sobre aquela resposta. Depois engoliu em seco e pareceu estar se esforçando para reunir todas as forças que ainda tinha. Por fim disse:

"Você não se tornou nada daquilo que a gente esperava, Leo. Você decepcionou a mim e ao seu pai."

Dan fechou os olhos e se lembrou das coisas que Leo havia lhe contado sobre a mãe. Sua resposta saiu com uma facilidade incrível, talvez porque a mulher fosse uma estranha para ele:

"Você também não foi nada do que eu gostaria. Você nunca me entendeu. Você me decepcionou."

A mulher o encarou confusa e surpresa. Ele acrescentou:

"Você decepcionou o Leo. Você nos decepcionou — aliás, vocês todos."

Depois Dan se levantou e foi embora. Voltou para casa a pé, caminhando por Estocolmo. No dia seguinte, 29 de dezembro, Viveka Mannheimer morreu. Dan enviou uma mensagem dizendo que não aguentaria comparecer ao enterro. Aos gritos, disse a Ivar Ögren que iria sair de licença e, como resposta, teve que ouvir xingamentos e comentários sobre o quanto ele era um irresponsável. Dan não respondeu nada. No dia 4 de fevereiro, deixou o país, com a concordância de Rakel.

Pegou um avião para Nova York e foi se encontrar com o irmão em Washington. Os dois conviveram por uma semana antes de se separar de novo. Leo entrou para os círculos jazzísticos de Boston e começou a tocar piano, mas por um bom tempo manteve um perfil discreto, sem coragem de se apresentar em público. Continuava preocupado com seu sotaque sueco e sentia saudades de casa. Por fim resolveu ir para Toronto, onde conheceu Marie Denver. Ela era uma jovem arquiteta de decoração de interiores que cultivava o sonho de se tornar artista. Na época pensava em abrir uma empresa com a irmã, mas não conseguia decidir se teria a coragem necessária para dar esse salto. Leo — ou Dan, como se chamava na época — entrou com o capital e assumiu um posto na diretoria da empresa, e não muito tempo depois o casal comprou uma casa no bairro de Hoggs Hollow em Toronto. Regularmente ele tocava piano com uma pequena e talentosa companhia de músicos amadores, todos médicos.

Dan passou um bom tempo perdido, viajando pela Europa e pela Ásia, tocando violão e lendo a respeito do mercado financeiro, com uma sede enorme de conhecimento. Imaginava — ou acreditava — que por ter vivido à margem da sociedade poderia apresentar uma nova metaperspectiva ao mercado. Resolveu voltar e assumir a posição de Leo na Alfred Ögren, entre outras coisas, para se inteirar sobre as provas que Rakel e Ivar Ögren tinham contra o irmão.

Não seria fácil se livrar daquilo, pelo que entendeu. Quando contratou Bengt Wallin, um dos melhores advogados fiscais e tributaristas de Estocolmo, e percebeu a extensão de tudo que havia sido feito pela Mossack Fonseca do Panamá em nome de Leo, Dan foi aconselhado a não mexer naquele vespeiro.

O tempo passou e a vida se normalizou, como a vida tem a eterna capacidade de fazer. Ele e Leo ganhavam tempo e, às escondidas, se mantinham em contato. Foi para Leo que Dan havia telefonado quando desapareceu do saguão da Alfred Ögren. Leo pensou por algum tempo e disse a Dan que avaliasse por si mesmo se aquela seria a hora certa de revelar toda a história, mas acrescentou que dificilmente teria pensado em alguém melhor do que Mikael Blomkvist para se encarregar dessa denúncia. E de repente Dan começou a falar de verdade, mesmo que ainda não tivesse dito nada sobre a nova vida de Leo. Bebeu mais um pouco de vinho e telefonou mais uma vez para Toronto, e a partir de então deu início a uma conversa que somente foi interrompida quando ouviu duas batidas leves na porta. Era Erika Berger.

Mais cedo, com grande dificuldade, Rakel Greitz havia retornado à Hamngatan e depois pego um táxi para voltar à Karlbergsvägen e se jogar na cama. Mas na metade do caminho ela se aborreceu consigo mesma. Não era nem um pouco de seu feitio entregar-se à doença ou às dificuldades. Decidiu que continuaria a lutar, custasse o que custasse, e que recorreria a todos os seus contatos e aliados — exceto Martin Steinberg, que havia sofrido um colapso ao receber diversas ligações da polícia — para encontrar Blomkvist e Daniel Brolin. Mandou Benjamin à redação da *Millennium*, na Götgatan, e à casa de Mikael na Bellmansgatan. Mas como tudo que Benjamin encontrou foram portas trancadas, por fim Rakel Greitz desistiu e pediu que ele a levasse do escritório, em Alvik, para o seu apartamento na Karlbergsvägen. O objetivo não era apenas descansar, mas também destruir os documentos mais comprometedores do projeto, que ela guardava em casa num cofre escondido no closet do quarto.

Eram quatro e meia da tarde, fazia um calor insuportável e Rakel permitiu que Benjamin a ajudasse a descer do carro. Ela precisava mesmo dele, e não apenas como guarda-costas; necessitava também de apoio para caminhar. Estava pálida e confusa por causa da tensão vivida naquele dia e sua blusa de gola rulê achava-se molhada de suor. Além disso, sentia enjoo e a cidade parecia balançar. Mesmo assim, Rakel Greitz endireitou as costas e observou o céu com um olhar que por um momento pareceu triunfante. Era verdade que ela talvez fosse desmascarada e humilhada. Mas pelo menos havia lutado — essa era a sua convicção — por uma causa maior do que ela própria: pela ciência e pelo futuro, e estava decidida a encarar a derrota com toda a dignidade. Jurou que se manteria forte e orgulhosa até o fim, por mais doente que estivesse.

No portão de entrada, pediu que Benjamin lhe desse o suco de laranja que havia comprado no caminho, e, mesmo que considerasse aquele um hábito grosseiro, bebeu direto da garrafa e sentiu as forças voltarem. Depois os dois pegaram o elevador até o seu apartamento, no sexto andar. Rakel destrancou a porta e pediu que Benjamin desativasse o alarme de segurança. Tinha acabado de entrar quando sentiu o corpo se enrijecer e lançou um olhar em direção ao lance de escada, mais abaixo. Lá havia uma figura pálida, uma jovem que parecia saída de um mundo subterrâneo.

Lisbeth Salander tinha se acomodado o melhor que pôde. Seu rosto estava pálido, os olhos vermelhos, as bochechas traziam as marcas de galhos e arbustos e era possível notar que ela caminhava com dificuldade. Uma hora antes havia comprado uma camiseta e uma calça jeans num brechó da Upplandsgatan e jogado as roupas ensanguentadas num cesto de lixo.

Na loja da Telenor havia comprado um celular e, numa farmácia perto dali, álcool e bandagens. De pé no meio da rua, tinha tirado a fita adesiva encontrada na casa de veraneio e usada para estancar o sangramento no quadril e a substituído por um curativo mais apropriado.

Ela havia passado um tempo desacordada num terreno próximo ao Vadabosjön. Quando despertou, levantou-se e, numa pedra afiada, cortou as cordas que mantinham suas mãos amarradas. Ao chegar à estrada 77, conseguiu carona com uma garota que dirigia uma Rover antiga e que a levou até Vasastan, onde chamou um bocado de atenção. Lisbeth parecia doente e perigosa — pelo menos segundo o relato de Kjell Ove Strömgren — quando cruzou o portão da Karlbergsvägen. Não se olhou no espelho do elevador porque imaginou que não teria uma visão muito edificante. Ela se sentia um lixo. Não acreditava que o punhal tivesse atingido órgãos importantes, mas tinha perdido muito sangue e achava que podia desmaiar a qualquer momento.

Não havia ninguém na casa de Greitz, ou de "Nordin", como a porta falsamente indicava, e Lisbeth se sentou no patamar da escada logo abaixo e mandou uma mensagem para Blomkvist. A resposta imediata dele foi uma série de conselhos e outras bobagens. Ela insistiu, disse que queria saber o que ele havia conseguido. Mikael então fez um relato sumário; enquanto Lisbeth recebia as mensagens, lia e assentia com a cabeça, e também fechava os olhos quando sentia dor e tontura, fazendo um esforço enorme para resistir ao impulso de se deitar no chão e se entregar ao cansaço. Houve um momento em que ela achou que não ia conseguir se recompor e fazer o que quer que fosse. Mas imediatamente pensou em Holger. Lembrou-se de quando o havia empurrado na cadeira de rodas durante a visita dele à prisão de Flodberga, de tudo que ele tinha significado para ela em todos aqueles anos. Mas, acima de tudo, pensou no que Mikael tinha dito sobre a morte de Holger, concluindo por fim que ele tinha razão: apenas Rakel Greitz poderia ter matado o velho. E esse pensamento lhe deu forças. Lisbeth entendeu que também precisaria vingar a morte de Holger, contra-atacar com força, por mais ferida que estivesse. Endireitou as costas, sacudiu a cabeça, e dez ou quinze minutos depois o elevador desconjuntado parou no andar logo acima. A porta se abriu e um homem de cerca de cinquenta anos e uma senhora de blusa preta saíram. O mais estranho foi que, mesmo à distância, Lisbeth a reconheceu, como se apenas com as costas empertigadas Greitz fosse capaz de fazer Salander voltar à infância.

Mas ela não deixou aquilo ocupar seus pensamentos e tratou de enviar uma mensagem apressada para Bublanski e Modig. Depois subiu — com passos não muito firmes e não muito silenciosos. Greitz a ouviu. Virou-se e olhou fundo nos olhos de Lisbeth, com um olhar que parecia indicar acima de tudo surpresa, quando enfim a reconheceu, mas também medo e ódio. Porém nada aconteceu. Lisbeth apenas ficou ali parada, com a mão sobre o ferimento no quadril.

"Parece que nos encontramos novamente", ela disse.

"Demorou bastante tempo."

"Mas parece que foi ontem, não é?"

Em vez de responder, Rakel Greitz bufou: "Benjamin! Tire esta mulher daqui!".

Benjamin fez um gesto afirmativo com a cabeça e deu a impressão de não acreditar na importância daquilo, principalmente quando olhou para Lisbeth e viu que ele tinha cinquenta centímetros a mais de altura do que a garota e o dobro da largura dela. Mesmo assim se aproximou decidido, levado não apenas pela energia de seu corpo, mas também pela inclinação descendente da escada. Lisbeth deu um passo rápido para o lado, segurou o braço esquerdo do homem e o puxou, e naquele instante a postura determinada de Benjamin se desfez. Ele perdeu o equilíbrio e caiu no piso de pedra, batendo o cotovelo e a cabeça. Mas Lisbeth nem chegou a ver isso; subiu a escada depressa, empurrou Rakel Greitz para o corredor, entrou no apartamento e trancou a porta. Logo vieram os golpes do lado de fora.

No corredor, Rakel se afastou da porta e pegou sua maleta de médica, obtendo alguns segundos de vantagem. Mas a vantagem não tinha nada a ver com a maleta nem com o que estava lá dentro. Lisbeth sentia-se a ponto de desmaiar de novo. Com o esforço feito na escada, a vertigem tinha voltado com uma intensidade preocupante, e, com olhos pesados e semicerrados, ela deu uma olhada no apartamento. Apesar da visão embaçada, percebeu que nunca tinha visto um lugar como aquele, e não apenas porque tudo fosse ou preto ou branco, sem nenhum colorido, mas também porque o lugar tinha sido limpo de uma maneira asséptica, como se fosse habitado por um robô, por uma máquina de limpar, e não por uma pessoa. Não devia haver um grão de poeira em todo o apartamento — parecia um ambiente hospitalar. Lisbeth cambaleou e se apoiou num móvel preto. Achou que ia desmaiar, quando, pelo canto do olho, viu alguma coisa. Rakel Greitz se aproximava com algo na mão, em seguida se afastou e Lisbeth viu que era uma seringa. Lisbeth ficou parada, para poupar as forças que lhe restavam.

"Acabei de ficar sabendo que você costuma matar as pessoas com injeções", ela disse, partindo para cima de Rakel. Lisbeth chutou a seringa, que caiu no chão impecavelmente branco e rolou para longe, e, mesmo que naquele instante o mundo tenha balançado, ela conseguiu ficar de pé, mantendo toda a atenção em Rakel. Impressionou-se com a aparente tranquilidade da mulher.

"Pode me matar. Mas eu vou morrer com orgulho", disse Greitz.

"Caramba! Com orgulho?"

"É."

"Mas eu não vou te dar essa chance, sinto muito."

Lisbeth parecia doente, seu tom de voz era baixo e cansado. Rakel Greitz entendeu que aquele era o seu fim. Por um ou dois segundos, olhou para a esquerda, em direção à Karlbergsvägen, e chegou à conclusão de que não havia alternativa. Qualquer coisa seria melhor do que acabar nas mãos de Lisbeth Salander. Rakel Greitz correu, abriu a porta da sacada e chegou a sentir o impulso assustador de pular e se estatelar lá embaixo, mas quando estava junto à balaustrada Lisbeth a alcançou, e o resultado foi o que nenhuma das duas havia previsto.

Rakel Greitz teve a vida salva por uma pessoa que lhe causava pavor. Enquanto a puxava de volta para o apartamento assepticamente limpo, Lisbeth sussurrou em seu ouvido:

"Você vai morrer, Rakel, pode ficar tranquila."

"Eu sei", ela disse. "Eu tenho câncer."

"Câncer não é nada. A humilhação é muito pior. E você vai morrer de humilhação", Lisbeth disse com uma frieza tão grande que Rakel chegou a acreditar, especialmente porque Salander não parecia mais aquele vulto pálido saído de algum subterrâneo; estava calma e composta quando abriu a porta e recebeu os policiais que haviam imobilizado Benjamin e que encaravam as duas com um olhar autoritário.

"Boa tarde, sra. Greitz. Parece que temos uma longa conversa pela frente. Acabamos de prender o professor Steinberg, um colega seu", disse o homem mais velho e de sorriso discreto, que se apresentou como o inspetor Jan Bublanski.

Não foi necessário mais do que vinte minutos para que os outros policiais encontrassem o cofre escondido no closet. A última imagem que Rakel Greitz teve de Lisbeth foram as costas da garota, enquanto os paramédicos a levavam. Salander não se virou em momento nenhum. Como se para ela Rakel não existisse mais.

24. 30 DE JUNHO

Mikael Blomkvist estava na copa da redação, na Götgatan, e tinha acabado de pôr o ponto final no longo artigo que havia escrito sobre o Registro e o Projeto 9. Era um típico dia quente de verão, não havia caído uma única gota de chuva nas duas semanas anteriores. Ele se espreguiçou, bebeu um pouco de água e olhou para o sofá azul-claro do outro lado do escritório.

Erika Berger estava deitada no sofá, de salto alto, lendo o artigo. Mikael não estava exatamente nervoso, tinha certeza de que era um artigo impressionante, um furo dos melhores, e que faria maravilhas pela revista. Mas não sabia como Erika iria reagir, pois a reportagem tocava em algumas questões delicadas, e também por causa da briga entre os dois.

Mikael tinha dito que não iria fazer passeio nenhum pelo arquipélago no fim de semana, pois queria se concentrar na história, ler os documentos que havia recebido de Bublanski e continuar entrevistando Hilda von Kanterborg, Dan Brody e Leo Mannheimer, que tinha vindo de Toronto a Estocolmo com a noiva, secretamente. Ninguém poderia negar que Mikael houvesse trabalhado duro. Tinha trabalhado praticamente dia e noite, não apenas na reportagem sobre o Registro, mas também no depoimento de Faria Kazi. Na verdade, o autor desse texto não tinha sido ele; Sofie Melker o havia escrito. Mesmo assim, ele contribuíra o tempo todo, dando opiniões e discutindo o processo jurídico com sua irmã, que atuava decisivamente para que Faria fosse libertada e pudesse recomeçar a vida no programa de proteção a testemunhas.

Mikael também estava em contato com Sonja Modig, encarregada da reabertura do inquérito do que agora era tratado como o assassinato de Jamal Chowdhury, depois da prisão de Bashir, Razan e Khalil Kazi, bem como de duas outras pessoas, todos à espera de julgamento. Benito tinha sido levada para o complexo de Hammerfors, em Härnösand, e logo seria formalmente denunciada por novos crimes. Mikael sempre tinha longas conversas com Bublanski. Parecia ter mais energia do que nunca para esse tipo de atividade.

Por fim, nem Mikael aguentou. Precisava mesmo dar um tempo e espairecer, já estava quase enxergando dobrado, e a casa na Bellmansgatan parecia quente, abafada e inóspita. Uma tarde, sentiu uma ponta de saudade e ligou para Malin Frode.

"Malin, será que você não pode vir pra cá?"

Malin respondeu que estava disposta a aceitar o convite se Mikael prometesse comprar morangos e champanhe, tirar a colcha de cima da cama e se livrar do pessimismo e do derrotismo. Mikael achou as condições razoáveis, e assim logo os dois estavam rolando na cama, embriagados e alheios a tudo, quando Erika Berger chegou para uma visita surpresa com uma garrafa de vinho caro na mão.

Erika nunca tinha achado Mikael um exemplo de virtude, e ela mesma era casada, embora relativamente tolerante a esse tipo de affair. Mesmo assim, tudo saiu dos trilhos, mas se Mikael tivesse arranjado tempo e demonstrado a disposição necessária, eles teriam podido analisar o que havia dado errado. Uma das razões foi, sem dúvida, o temperamento explosivo de Malin; outra, o fato de Erika haver se chateado e se constrangido — de todos terem se constrangido. As duas mulheres começaram a discutir, depois discutiram com Mikael — ou pelo menos Erika, que saiu batendo a porta.

A partir de então, Mikael e Erika passaram a falar em tom duro um com o outro, e apenas sobre questões profissionais, relacionadas à revista. E lá estava Erika, lendo no sofá, enquanto Mikael pensava em Lisbeth. Ela tinha recebido alta do hospital e viajado para Gibraltar, e de lá para Tóquio. Os dois vinham mantendo contato, para falar sobre Faria Kazi, e também, claro, sobre o inquérito instaurado para apurar os responsáveis pelo Registro.

Até então poucas pessoas conheciam a história e como as diferentes peças se encaixavam, e nenhum veículo da imprensa tinha divulgado os nomes dos suspeitos e dos envolvidos no caso. Por isso Erika tinha insistido em publicar a história o quanto antes, num número especial da revista se fosse preciso, para que ninguém roubasse deles o furo. E talvez por isso ela tenha se alterado tanto ao encontrar Mikael na cama, bebendo champanhe, como se não houvesse nada sério em jogo.

Mas a verdade é que Mikael sempre levou o assunto muito a sério. Ele olhou para Erika, que enfim tirou os óculos de leitura do rosto, se levantou e foi até a copa. Ela estava de calça jeans e com uma blusa azul decotada e sentou-se à mesa com ele. Poderia ter começado a conversa como bem entendesse — cumprimentando Mikael ou criticando.

Erika disse:

"Não entendo."

"Agora fiquei preocupado", ele disse. "Minha intenção era contar a história de maneira clara."

"Não entendo por que tudo foi mantido em segredo por tanto tempo."

"Você se refere ao Leo e ao Dan?"

Ela assentiu com a cabeça.

"Como eu disse, existem provas envolvendo o nome do Leo em atividades ilegais, falsários agiram para que isso acontecesse, e mesmo que agora esteja claro que foram o Ivar Ögren e a Rakel Greitz que armaram isso, o Leo e o Dan não encontraram nenhuma forma de lidar com esse problema. Além do mais, como espero ter deixado claro, eles começaram a gostar dos novos papéis que assumiram, e nenhum dos dois sofria com falta de dinheiro. O tempo todo transferências vultosas eram feitas, e eles começaram a experimentar um novo tipo de liberdade — a liberdade dos atores. Puderam começar uma vida nova, dedicar-se a coisas novas. Dá para entender."

"E depois se apaixonaram."

"Pela Julia e pela Marie."

"As fotografias são incríveis."

"Tem sempre uma coisa interessante."

"É bom que a gente tenha fotografias", disse Erika. "Você sabe que o Ivar Ögren vai nos processar de todas as maneiras imagináveis, não sabe?"

"Acho que estamos bem preparados para isso, Erika."

"Além do mais, no caso da morte na caçada ao alce podemos ser processados por difamar pessoas falecidas."

"Acredito que não vá haver problema nenhum, porque eu simplesmente aponto circunstâncias que até hoje permanecem pouco claras sobre o acidente."

"Não sei se é o bastante para nos livrarmos. O que você escreveu já é o suficiente para nos comprometer."

"Tudo bem, vou dar mais uma olhada. Tem alguma coisa que não esteja deixando você preocupada? Ou que você... entenda?"

"Entendo que você é um merda."

"Pode ser. Principalmente no fim da tarde."

"Você pretende se dedicar a uma única mulher de agora em diante ou está pensando em passar o tempo com outras também?"

"Na pior das hipóteses eu estaria disposto a tomar uma champanhe com você."

"Bem que você gostaria."

"Será que poderia acontecer em caso de ameaça?"

"Se fosse absolutamente necessário, até poderia, porque esse texto — fora as várias partes que vão acabar resultando num processo contra a revista — está..."

Erika não completou a frase.

"Agradável?", Mikael sugeriu.

"Acho que sim", ela disse, sorrindo. "Meus parabéns." E Erika abriu os braços para cumprimentá-lo.

Mas os dois iam ter outras coisas em que pensar, e mais tarde seria difícil reconstituir com precisão a cronologia do pandemônio que estava por vir. A primeira a se alarmar foi Sofie Melker. Em frente ao computador, ela de repente soltou um grito de quem está em choque ou diante de uma enorme surpresa. Em seguida — ou talvez ao mesmo tempo — Erika e Mikael receberam notificações em seus celulares, sem que nenhum deles, no entanto, se mostrasse particularmente exaltado ou preocupado. Não, nenhum ataque terrorista ou declaração de guerra. Apenas a Bolsa de Valores despencando. Mesmo assim, todos acabariam engolidos pelos acontecimentos.

Pouco a pouco, todos na redação da *Millennium* foram sendo empurrados para o tipo de existência amplificada que toma conta das redações quando surgem notícias espetaculares, capazes de mudar os rumos do mundo. Estavam todos concentrados, gritando uns para os outros o que iam lendo ou descobrindo nos computadores, e as atualizações não paravam de chegar. A Bolsa havia caído ainda mais, aquilo parecia não ter fim. O índice de Estocolmo tinha pulado de menos seis por cento para menos oito por cento, menos nove, menos catorze por cento, e depois subido um pouco — ainda assim o resultado tinha aberto um buraco negro. Era um crash devastador, um pânico galopante, ninguém entendia o que estava acontecendo.

Não havia nada de concreto para aquele caos, nenhum fator desencadeante, e não se fazia mais do que murmurar: "É inacreditável, não faz sentido, o que está acontecendo?". Logo depois, quando especialistas foram chamados, começou-se a falar dos velhos culpados de sempre — economia superaquecida, juros baixos demais, preços muito elevados, as ameaças políticas do Oriente e do Ocidente, a instabilidade no Oriente Médio, as tendências fascistas e antidemocráticas na Europa e nos Estados Unidos e a tempestade política, que fazia pensar na década de 1930. Mas não passavam de explicações requentadas, nada tinha acontecido ao longo do dia que justificasse uma catástrofe daquela grandeza.

O pânico dava a impressão de ter surgido do nada e parecia avançar com força própria, e muita gente além de Mikael Blomkvist se lembrou do ataque hacker ocorrido em abril contra a Finance Security. Mikael acessou as redes sociais e não se surpreendeu nem um pouco. Ali não faltavam boatos e teorias mirabolantes, que muitas vezes também acabavam se alastrando para a grande imprensa. Mikael disse em voz alta, embora tenha dado a impressão de estar falando apenas consigo mesmo:

"Não é só a Bolsa que está afundando."

"Como assim?", perguntou Erika.

"A verdade também está", ele disse.

Mikael, pelo menos, sentia dessa forma. Era como se o papel da internet tivesse assumido o primeiro plano e criado um falso equilíbrio, no qual a mentira e a verdade eram apresentadas lado a lado como grandezas de valor equivalente, e assim uma tempestade de palpites e teorias conspiratórias pairava sobre o mundo como uma névoa densa e permanente. Às vezes eram mentiras bem contadas, às vezes não. Por exemplo, havia corrido a notícia de que o financista Christer Tallgren tinha se suicidado com um tiro no apartamento onde morava, em Paris, arrasado pelos milhões ou bilhões que teria perdido. A notícia — desmentida depois pelo próprio Tallgren no Twitter — pareceu estranha desde o começo, por sua descrição bastante típica, quase um eco do suicídio de Ivar Kreuger em 1932.

A vida agora parecia, acima de tudo, uma mistura dos mitos e das lendas dos velhos tempos com os mitos e as lendas dos novos tempos. Falava-se em operações realizadas por *bots* enlouquecidos, dizia-se que centros e sites financeiros tinham sido hackeados. E também corriam boatos de que as pessoas estavam pulando do alto dos edifícios de Östermalm, o que parecia não apenas melodramático, mas também uma revivência do crash da Bolsa em 1929, quando os operários dos telhados de Wall Street foram substituídos por investidores arruinados, cuja simples presença física nas alturas contribuiu para a queda da Bolsa.

Diziam que o Handelsbanken havia cessado os pagamentos e que o Deutsche Bank e o Goldman Sachs estavam à beira da falência. As informações chegavam de toda parte e de todos os lados, e nem mesmo um ouvido treinado como o de Mikael tinha facilidade de distinguir a verdade da mentira.

Por outro lado, havia a certeza de que Estocolmo era a cidade mais afetada e de que a queda não estava sendo considerável em Frankfurt, Londres e Paris, embora o pânico também tivesse se alastrado por esses lugares. Restavam algumas horas para que as Bolsas dos Estados Unidos começassem a operar, e já havia indicadores de quedas vertiginosas dos índices Dow Jones e Nasdaq. Nada parecia capaz de apaziguar os ânimos, principalmente depois que ministros, economistas e gurus das finanças fizeram aparições públicas para falar sobre "reações exageradas" e sobre "a necessidade de manter a calma". Tudo, absolutamente tudo, era distorcido e interpretado de forma negativa. A manada já estava em movimento, fazendo de tudo para salvar a pele, sem nem se preocupar com quem ou o que teria provocado aquele pânico. A Bolsa de Estocolmo foi fechada, talvez, infelizmente, porque momentos antes as cotações haviam começado a se recuperar. De todo modo, seriam necessárias uma análise e uma investigação antes que as negociações pudessem ser reabertas.

"Que pena, sua história sobre os gêmeos vai se perder no meio dessa confusão."

Mikael afastou os olhos do computador e lançou um olhar triste para Erika, que estava ao lado dele.

"Quem bom que você ainda se preocupa com a minha vaidade jornalística mesmo quando o mundo inteiro está indo para o inferno", ele disse.

"Estou pensando é na *Millennium*."

"Eu sei. Agora vamos ter que esperar um pouco antes de publicar a história, não acha? Não podemos sair com um número especial sem falar da queda da Bolsa."

"Você está certo, infelizmente. Aguenta voltar à labuta?"

"Aguento."

"Ótimo", disse Erika, e os dois trocaram acenos de cabeça.

O verão ia ser insuportavelmente quente e abafado, e Mikael Blomkvist resolveu dar uma volta antes de mergulhar na história seguinte. Desceu a Götgatan em direção a Slussen, pensando em Leo e em Dan.

EPÍLOGO

Nem todos os ricos estavam infelizes naquela tarde. Às margens do rio Moscou, no bairro chique de Balchug, uma bela mulher de vestido vermelho bem ajustado ao corpo e sapato preto de salto alto estava sentada no banco traseiro de uma limusine. Em breve ela chegaria a um coquetel exclusivo, oferecido para gente da alta sociedade e da elite política. No carro, ela deixou seus pensamentos correrem soltos.

Era um hábito seu permanecer algum tempo na limusine antes de entrar nos salões que frequentava, só para visualizar a cena de sua chegada. Entraria na festa de queixo erguido, mas prestando atenção a tudo que acontecia ao redor: a inveja das mulheres, os olhares de desejo dos homens. Nenhum deles, nem os mais abastados e poderosos, estavam à sua altura. Muitos não conseguiam tirar os olhos dela. Poucos tinham coragem de se aproximar, de conversar com naturalidade ou de lhe fazer elogios. Quase todos se viravam, e muitos com olhos tristes.

Sabiam que aquele olhar era o mais próximo que poderiam chegar dela. Permaneceriam separados para sempre, e esses homens sabiam — ou ao menos deviam saber — que pertenciam ao numeroso grupo de perdedores na vida. Kira, o nome que ela usava no momento, tinha verdadeira paixão por esta ideia: a de que sua beleza podia causar dor.

Queria brilhar como ninguém e ser motivo de cobiça e sofrimento. Com frequência relembrava as manhãs distantes na Mariaskolan em Södermalm. Manhãs que haviam lhe rendido seus primeiros triunfos, e ela jamais se esqueceria da forma como o burburinho no corredor da escola acabava tão logo ela surgia e dos olhares inquietos que se voltavam para ela — olhares de colegas ávidos por saber o que ela pensava deles.

Ainda se lembrava da sensação de poder que enchia seu peito, e não havia sentimento melhor do que perceber o olhar azedo e contrariado de sua irmã. O sucesso dela ganhava um brilho todo especial por causa disso. Triunfo e sofrimento são inseparáveis, Kira sabia disso melhor do que ninguém. Sabia que a maior alegria do céu — caso o céu existisse — seria estar numa nuvem ouvindo os gritos vindos do inferno. Já estava na hora de um reencontro.

Era o momento de se vingar, de atormentar a irmã e deixá-la para morrer, um pensamento que também devia ser agradável. Mas, sem que Kira entendesse por quê, seu rosto se contorceu numa careta. Ela se lembrou do que tinha acontecido no último encontro delas. Tentou pensar em outra coisa, não queria que a lembrança estragasse aquele momento. O tapete vermelho continuava a brilhar no lado de fora da limusine, ela olhou para suas longas pernas e sussurrou alguma coisa a Yuri Bogdanov, sentado a seu lado. Yuri parecia nervoso mas decidido.

Depois Kira pediu que os seguranças abrissem a porta do carro e saiu com seu vestido vermelho, imaginando que toda ela brilhava como um céu coalhado de estrelas.

AGRADECIMENTOS

Agradeço de coração à minha agente, Magdalena Hedlund, e às minhas editoras Eva Gedin e Susanna Romanus.

Agradeço muito também ao meu redator, Ingemar Karlsson, ao pai e ao irmão de Stieg Larsson, Erland e Joakim Larsson, aos meus amigos Johan e Jessica Norberg e a David Jacoby, pesquisador de segurança na Kaspersky Lab.

Agradeço ao meu editor inglês, Christopher Maclehose, a Jessica Bab Bonde e a Johanna Kinch, da Hedlund Agency, a Nancy Pedersen, professora de epidemiologia genética no Registro de Gêmeos da Suécia, a Ulrica Blomgren, inspetora do serviço correcional no complexo penitenciário de Hall, a Svetlana Bajalica Lagercrantz, docente e chefe do hospital universitário de Karolinska, a Hedvig Kjellström, professora de ciência da informação no Instituto Real de Tecnologia, a Agneta Geschwind, subchefe de setor do arquivo municipal de Estocolmo, a Mats Galvenius, vice-diretor executivo do Svenska Försäkring, ao meu vizinho Joachim Hollman, a Danica Kragić Jensfelt, professora de ciência da computação no Instituto Real de Tecnologia, a Nirjhar Mazumder e a Sabikunnaher Mili e, claro, a Linda Altrov Berg e a Catherine Mörk, da Norstedts Agency.

E sempre, sempre à minha amada Anne.

ESTA OBRA FOI COMPOSTA POR ACOMTE EM ELECTRA E
IMPRESSA PELA GEOGRÁFICA EM OFSETE SOBRE PAPEL PÓLEN
SOFT DA SUZANO PAPEL E CELULOSE PARA A
EDITORA SCHWARCZ EM SETEMBRO DE 2017

A marca FSC® é a garantia de que a madeira utilizada na fabricação do papel deste livro provém de florestas que foram gerenciadas de maneira ambientalmente correta, socialmente justa e economicamente viável, além de outras fontes de origem controlada.